La Scala

WWW.ABCITY.IT

CITY

Alessandro
Baricco

Rizzoli

ISBN 88-17-86102-2

Prima edizione: aprile 1999
Seconda edizione: maggio 1999
Terza edizione: maggio 1999

City

PROLOGO

– Allora, signor Klauser, deve morire Mami Jane?
– Che vadano tutti a cagare.
– È un sì o un no?
– Lei che ne dice?

Nell'ottobre del 1987, la CRB – casa editrice da ventidue anni delle avventure del mitico Ballon Mac – decise di indire un referendum tra i suoi lettori per stabilire se fosse il caso di far morire Mami Jane. Ballon Mac era un supereroe cieco che di giorno faceva il dentista e di notte combatteva il Male grazie ai poteri molto particolari della sua saliva. Mami Jane era sua madre. I lettori le erano, in genere, molto affezionati: collezionava vecchi scalpi indiani e la sera si esibiva, come bassista, in un complesso blues interamente composto da neri. Lei era bianca. L'idea di farla schiattare era venuta al direttore commerciale della CRB – un signore molto tranquillo che aveva una sola passione: i trenini elettrici. Sosteneva che ormai Ballon Mac era su un binario morto e aveva bisogno di nuove motivazioni. La morte della madre – investita da un treno mentre fuggiva inseguita da uno scambista paranoide – lo avrebbe trasformato in una miscela letale di rabbia e dolore, cioè nel ritratto sputato del suo lettore medio.

L'idea era idiota. Ma anche il lettore medio di Ballon Mac era idiota.

Così, nell'ottobre del 1987, la CRB sgomberò una stanza al secondo piano e vi mise dentro otto signorine col compito di rispondere al telefono e di raccogliere i pareri dei lettori. La domanda era: deve morire Mami Jane?

Delle otto signorine, quattro erano impiegate della CRB, due le avevano mandate i servizi sociali, una era nipote del presidente. L'ultima, una ragazza sui trent'anni che veniva da Pomona, era lì con un contratto da stagista vinto rispondendo esattamente a un quiz radiofonico ("Qual è la cosa che Ballon Mac odia di più al mondo?" "Fare la detartrasi."). Girava sempre con un piccolo registratore. Ogni tanto lo accendeva e ci diceva delle cose dentro.

Si chiamava Shatzy Shell.

Alle 10 e 45 del dodicesimo giorno di referendum – quando la morte di Mami Jane la stava spuntando per 64 a 30 (il 6 per cento residuo riteneva che dovessero andare tutti a fare in culo, e aveva telefonato per dirlo) – Shatzy Shell sentì suonare il telefono per la ventunesima volta, scrisse sul modulo che aveva davanti la cifra 21 e sollevò il ricevitore. Ne seguì la seguente conversazione.

– CRB, buon giorno.
– Buon giorno, è già arrivato Diesel?
– Chi?
– Okay, non è ancora arrivato...
– Qui è la CRB, signore.
– Sì, lo so.
– Lei deve aver sbagliato numero.
– No, no, va tutto bene, adesso mi ascolti...
– Signore...
– Sì?
– Questa è la CRB, è il referendum "Deve morire Mami Jane?".
– Grazie, lo so.
– Allora vorrebbe gentilmente darmi il suo nome?

– Non ha importanza il mio nome...

– Deve darmelo, è la prassi.

– Okay, okay... Gould... il mio nome è Gould.

– Signor Gould.

– Sì, signor Gould, adesso se posso...

– Deve morire Mami Jane?

– Prego?

– Dovrebbe dirmi cosa ne pensa lei... se Mami Jane deve morire oppure no.

– Oh Gesù...

– Lei lo sa, vero?, chi è Mami Jane?

– Certo che lo so, ma...

– Vede, lei dovrebbe solo dirmi se pensa che...

– Vuole starmi ad ascoltare un attimo?

– Certo.

– Ecco, mi faccia un favore, si dia un'occhiata intorno.

– Io?

– Sì.

– Qui?

– Sì, lì, nella stanza, mi faccia questo piacere.

– Okay, sto guardando.

– Bene. Vede per caso un ragazzo rapato a zero che tiene per mano uno molto grande, ma veramente grande, una specie di gigante, con delle scarpe enormi, e una giacca verde?

– No, non credo.

– È sicura?

– Sì, sono sicura.

– Bene. Allora non sono ancora arrivati.

– No.

– Okay, allora voglio che lei sappia una cosa.

– Sì?

– Quei due non sono cattivi.

– No?

– No. Quando arriveranno si metteranno a sfasciare tutto, e con ogni probabilità prenderanno il suo telefono e glielo attorciglieranno intorno al collo, o cose del genere, ma non sono due ragazzi cattivi, veramente, è solo che...

– Signor Gould...

– Sì?

– Le dispiace dirmi quanti anni ha?

– Tredici.

– Tredici?

– Dodici... a voler essere esatti, dodici.

– Senti Gould, c'è mica tua mamma da quelle parti?

– Mia mamma se n'è andata quattro anni fa, adesso vive con un professore che studia i pesci, le abitudini dei pesci, un *etologo*, a voler esser precisi.

– Mi spiace.

– Non deve spiacerle, la vita va così, non ci si può far nulla.

– Davvero?

– Davvero. Non ci crede?

– Sì... credo che sia così... non so di preciso, immagino che sia così.

– È maledettamente così.

– Hai dodici anni, vero?

– Domani ne faccio tredici, domani.

– Splendido.

– Splendido.

– Buon compleanno Gould.

– Grazie.

– Vedrai che sarà splendido avere tredici anni.

– Ci spero.

– Tanti auguri, davvero.

– Grazie.

– Non è che c'è tuo padre nei dintorni, eh?

– No. È a lavorare.

– Già.

– Mio padre lavora per l'esercito.

– Splendido.

– È tutto sempre così splendido per lei?

– Prego?

– È tutto sempre così splendido per lei?

– Sì... credo di sì.

– Splendido.

– Cioè... mi succede spesso, ecco.

– È una fortuna.

– Mi succede anche nei momenti più strani.

– Credo che sia una fortuna, davvero.

– Una volta ero in una tavola calda, sulla Statale 16, appena fuori città, e mi sono fermata in una tavola calda, sono entrata e mi son messa in coda, alla cassa c'era un vietnamita, non capiva quasi niente, così non si andava avanti, gli dicevano un hamburger e lui diceva Cosa?, forse era il primo giorno di lavoro, non so, così mi son messa a guardare intorno, dentro la tavola calda, c'erano cinque o sei tavoli, e tutta la gente che mangiava, tante facce diverse e ognuno con qualcosa di diverso davanti, la cotoletta, il panino, il *chili*, mangiavano tutti, e ognuno era vestito esattamente come aveva voluto vestirsi, si era alzato al mattino e aveva scelto qualcosa da mettersi, la camicia quella rossa, e il vestito stretto sulle tette, esattamente quel che voleva, e adesso stava lì, e ognuno di loro aveva una vita dietro e una vita davanti, stavano giusto *transitando* lì dentro, domani avrebbero rifatto tutto da capo, la camicia quella blu, il vestito lungo, e sicuramente la bionda con le lentiggini aveva una madre in qualche ospedale, con tutti gli esami del sangue sballati, ma adesso era lì che scartava le patatine un po' nere dalle altre, leggendo il giornale appoggiato sul salino a forma di pompa di benzina, c'era uno vestito tutto da baseball, che sicuramente non entrava in un campo da baseball da anni, stava lì con suo figlio, un ragazzino, e continuava a dargli delle sberle sulla testa, dietro la testa, ogni volta il ragazzino si risistemava su il cappellino, un cappellino da base-ball, e il padre tac, un'altra sberla, e tutto mentre mangiavano, sotto un televisore appeso al muro, spento, col rumore della strada, che arrivava a folate, con seduti in un angolo due molto eleganti, in grigio, due uomini, e uno dei due si vedeva che piangeva, era assurdo, ma piangeva, su una bistecca con patate, piangeva in silenzio, e l'altro non faceva una piega, anche lui con una bistecca davanti, mangiava e basta, solo, a un certo punto, si alzò, andò fino al tavolo vicino, prese la bottiglia del ketchup, tornò al suo posto e stando attento a non macchiarsi il vestito grigio ne svuotò un po' nel piatto dell'altro, quello che piangeva, e gli sussurrò qualcosa, non so cosa, poi chiuse la bottiglia e ricominciò a mangiare, loro nell'angolo, e tutto il resto attorno, con un gelato all'amarena pestato per terra, e sulla porta del bagno un cartello che diceva *fuori servizio*, io guardai tutto quello ed è chiaro che c'era solamente da pensare *che vomito, ragazzi*, una cosa da vomitare tanto era triste, e invece quello che mi successe fu che mentre stavo lì in coda e il vietnamita continuava a non capirci un accidente io pensai *Dio che bello*, con addosso perfino un po' di voglia di ridere, accidenti com'è bello tutto questo, proprio tutto, fino all'ultima briciola di roba schiacciata per terra, fino all'ultimo tovagliolino unto, senza sapere perché, ma sapendo che era vero, era tutto dannatamente bello. Assurdo, no?

– Strano.

– C'è da vergognarsi a raccontarlo.

– Perché?

– Non so... la gente non la racconta, di solito, una cosa del genere...

– A me è piaciuta.

– Dài...

– No, davvero, specialmente la storia del ketchup...

– Ha preso la bottiglia e gliene ha versato un po'...

– Già.
– Tutto vestito di grigio.
– Buffo.
– Così.
– Così.
– Gould?
– Sì.
– Sono contenta che hai telefonato.
– Ehi, no, aspetta...
– Sono qui.
– Come ti chiami?
– Shatzy.
– Shatzy.
– Mi chiamo Shatzy Shell.
– Shatzy Shell.
– Sì.
– E lì non c'è nessuno che ti sta arrotolando il filo del telefono intorno al collo, vero?
– No.
– Ti ricorderai, quando verranno, che non sono cattivi?
– Vedrai che non verranno.
– Non contarci, quelli arrivano...
– Perché dovrebbero, Gould?
– Diesel *adora* Mami Jane. E lui è alto due metri e quarantasette centimetri.
– Splendido.
– Dipende. Quando è *molto* arrabbiato non è affatto splendido.
– E adesso è *molto* arrabbiato?
– Lo saresti anche tu se facessero un referendum per uccidere Mami Jane, e Mami Jane fosse il tuo ideale di madre.
– È solo un referendum, Gould.
– Diesel dice che è tutta una truffa. L'hanno già deciso da mesi che la uccideranno, fanno così solo per salvarsi la faccia.

– Forse si sbaglia.

– Diesel non sbaglia mai. Lui è un gigante.

– Gigante quanto?

– Tanto.

– Io una volta stavo con uno che poteva schiacciare a canestro senza neanche mettersi sulla punta dei piedi.

– Veramente?

– Però di mestiere strappava i biglietti in un cinema.

– E lo amavi?

– Che domanda è, Gould?

– Hai detto che *stavi* con lui.

– Sì, stavamo insieme. Siamo stati insieme per ventidue giorni.

– E poi?

– Non so... era tutto un po' *complicato*, capisci?

– Sì... anche per Diesel è tutto un po' complicato.

– È così.

– Suo padre ha dovuto fargli costruire un cesso su misura, gli è costato una fortuna.

– Te l'ho detto, è tutto un po' complicato.

– Già. Quando Diesel ha provato ad andare a scuola, giù, alla Taton, è arrivato lì al mattino...

– Gould?

– Sì.

– Scusami un attimo, Gould.

– Okay.

– Resta in linea, d'accordo?

– Okay.

Shatzy Shell mise la linea in attesa. Poi si voltò verso il signore che in piedi, davanti al suo tavolo, la stava osservando. Era il capo dipartimento sviluppo e promozione. Si chiamava Bellerbaumer. Era di quelli che succhiano la stanghetta degli occhiali.

– Signor Bellerbaumer?

Il signor Bellerbaumer si schiarì la voce.

– Signorina, lei sta parlando di giganti.

– Esatto.

– Lei sta telefonando da dodici minuti e sta parlando di giganti.

– Dodici minuti?

– Ieri ha conversato allegramente per ventisette minuti con un agente di Borsa che alla fine le ha proposto di sposarla.

– Non sapeva chi era Mami Jane, ho dovuto....

– E il giorno prima è rimasta attaccata a quel telefono per un'ora e undici minuti correggendo i compiti a un dannatissimo ragazzetto che poi come risposta le ha dato: perché non fate crepare Ballon Mac?

– Potrebbe essere un'idea, ci pensi.

– Signorina, quel telefono è proprietà della CRB, e lei è pagata per dire una sola maledettissima frase: Deve morire Mami Jane?

– Cerco di fare del mio meglio.

– Anche io. E quindi la licenzio, signorina Shell.

– Prego?

– Sono costretto a licenziarla, signorina.

– Sul serio?

– Mi spiace.

– ...

– ...

– ...

– ...

– Signor Bellerbaumer?

– Dica.

– Le secca se finisco la telefonata?

– Quale telefonata?

– La telefonata. C'è un ragazzo in linea, che aspetta.

– ...

– ...

– Finisca la telefonata.

– Grazie.

– Prego.

– Gould?

– Pronto?

– Mi sa che devo staccare, Gould.

– Okay.

– Mi hanno appena licenziata.

– Splendido.

– Non ne sono così sicura.

– Se non altro non strozzeranno te.

– Chi?

– Diesel e Poomerang.

– Il gigante?

– Il gigante è Diesel. Poomerang è l'altro, quello senza capelli. È muto.

– Poomerang.

– Sì. È muto. Non parla. Ci sente ma non parla.

– Li fermeranno all'ingresso.

– In genere non si fermano mai, quei due.

– Gould?

– Sì.

– Deve morire Mami Jane?

– Vadano tutti a fare in culo.

– "Non so." Okay.

– Mi dici una cosa, Shatzy?

– Devo andare, adesso.

– Solo una cosa.

– Dimmi.

– Quel posto, quella tavola calda...

– Sì...

– Pensavo... deve essere un posto niente male...

– Così...

– Pensavo che mi piacerebbe farci il mio compleanno.

– In che senso?

– Domani... è il mio compleanno... si potrebbe andare tutti a mangiare lì, magari ci sono ancora quei due vestiti di grigio, quelli del ketchup.

– È una strana idea, Gould.

– Tu, io, Diesel e Poomerang. Pago io.

– Non so.

– È una buona idea, giuro.

– Forse.

– 85.56.74.18.

– Cos'è?

– Il mio numero, se ti va mi chiami, okay?

– Non sembra che hai tredici anni.

– Li compio domani, a essere esatti.

– Già.

– Allora d'accordo.

– Sì.

– D'accordo.

– Gould?

– Sì?

– Ciao.

– Ciao Shatzy.

– Ciao.

Shatzy Shell premette il pulsante blu e staccò la linea. Ci mise un po' a infilare in borsa le sue cose, era una borsa gialla con su scritto *Salva il pianeta terra dalle unghie dei piedi laccate*. Prese anche le foto incorniciate di Walt Disney e di Eva Braun. E il piccolo registratore che si portava sempre dietro. Ogni tanto lo accendeva e ci diceva delle cose dentro. Le altre sette signorine la guardavano, mute, mentre i telefoni squillavano a vuoto, congelando preziose indicazioni sul futuro di Mami Jane. Quel che aveva da dire, Shatzy Shell lo disse togliendosi le scarpe da tennis e infilandosi quelle col tacco.

– Così, per la cronaca, tra un po' entreranno da quella porta un gigante e un tipo senza capelli, muto, spaccheranno tutto e vi strozzeranno con i fili dei telefoni. Il gigante si chiama Diesel, il muto Poomerang. O il contrario, non mi ricordo bene. Comunque: non sono cattivi.

La foto di Eva Braun aveva una cornice di plastica rossa, e un piedino dietro, foderato di stoffa, e pieghevole: per tenerla su, all'occorrenza. Lei, Eva Braun, aveva effettivamente la faccia di Eva Braun.

"Capito?"

"Più o meno."

"Faceva il pianista in un enorme centro commerciale, al piano terra, sotto la scala mobile che saliva, avevano messo un po' di moquette rossa per terra e un pianoforte bianco e lui suonava sei ore al giorno, in frac, Chopin, Cole Porter, roba del genere, tutto a memoria. Aveva in dotazione un cartellino stampato in modo elegante, sopra c'era scritto *Il nostro pianista torna subito*: quando doveva andare al cesso lo tirava fuori e lo posava sul pianoforte. Poi tornava e ricominciava. Non era cattivo come gli altri padri, voglio dire, non cattivo in quel modo lì... lui non picchiava nessuno, non beveva, non si scopava la segretaria, niente del genere, era uno che anche la macchina... non se la comprava, ci stava attento a non avere una macchina troppo... troppo nuova, o bella, avrebbe potuto farlo, ma non lo faceva, ci stava attento, gli veniva naturale, non credo fosse un piano preciso, non lo faceva e basta, non faceva nessuna di quelle cose lì, e precisamente questo era il problema, capisci?, il problema nasceva lì... che non le faceva, quelle cose, e mille altre, lavorava e basta, questo faceva, *come se la vita l'avesse offeso*, e lui si fosse ritirato in quel suo mestiere che era una disfatta, senza nessuna voglia di tirarsene fuori, era come un buco nero, una voragine di infelicità, e la tragedia, la vera tragedia, il cuore di tutta quella tragedia era che in quel buco ci ha trascinato da dio, me e mia madre, non faceva altro che trascinarci lì dentro, con una costanza miracolosa, ogni attimo della sua vita, ogni istante, dedicando ogni suo gesto alla maniacale dimostrazione di un teorema micidiale, il seguente teorema, che se lui era così lo era *per* noi due, *per* me e mia madre, questo era il teorema, *per* noi due, perché c'eravamo noi due, per colpa di noi due, per salvare noi due, per per per, tutto il santo tempo a ricordarci questo teorema idiota, tutta la sua vita con noi è stato questo lungo gesto ininterrotto e sfinente, che lui oltre tutto ha compiuto deliberatamente nel modo più crudele e astuto possibile, cioè senza mai dire una parola, senza che se ne parlasse mai, non ne parlava mai, poteva dircelo, chiaramente, ma non lo disse mai, non una parola, e questo era tremendo, questo era crudele, non dire mai niente, e poi dirtelo tutto il santo tempo, per come stava a tavola, e quello che vedeva alla televisione, e perfino come si tagliava i capelli, e tutte le dannate cose che non faceva, e la faccia con cui ti guardava... era crudele, è una cosa che ti può far uscire matta, e io ci stavo uscendo, matta, ero una bambina, una bambina non si può difendere, i bambini sono delle carogne ma per certe cose non hanno difese, è come picchiarli, cosa può fare un bambino, non può fare niente, io non ci potevo far niente, me ne uscivo matta e basta, così un giorno mia madre mi ha presa e mi ha raccontato di Eva Braun. Era un bell'esempio. La figlia di Hitler. Mi disse che dovevo pensare a Eva Braun. Ce l'ha fatta lei, puoi farcela anche tu, mi disse. Era un discorso strano, ma filava. Mi disse che quando lui si era ucciso, alla fine, con una pastiglia di cianuro, lei si era uccisa con lui, era lì, nel bunker, e si era uccisa con lui. Perché anche nel peggiore dei padri c'è qualcosa di buono, mi disse. E bisogna imparare ad amare quel qualcosa. Io pensavo. Mi immaginavo in cosa potesse essere buono, Hitler, e mi facevo delle storie su questa faccenda, tipo lui che torna a casa la sera, stanco, e parla sottovoce, e si siede davanti al caminetto, fissando il fuoco, stanco da morire, e io, che ero Eva Braun, no?, una bambina con delle treccine bionde, e le gambe bianche bianche sotto la gonna, io lo guardavo senza avvicinarmi, dalla stanza vicina, e lui era così splendidamente stanco, con tutto quel sangue che gli colava dappertutto, bellissimo nella sua divisa, non c'era che stare lì a guardarlo, il sangue spariva e vedevi solo la stanchezza, meravigliosa stanchezza, che io stavo lì ad adorare, fino a che lui a un certo punto non si girava verso di me, e mi vedeva, e mi sorrideva, e si alzava, con tutta la sua accecante stanchezza addosso e veniva verso di me, fin da me, e si accovacciava di fianco a me: Hitler. Robe da chiodi. Mi diceva qualcosa sottovoce, in tedesco, e poi con la mano, la mano destra, lentamente mi accarezzava i capelli, e per quanto possa sembrare agghiacciante, quella mano era dolce, e calda, e soave, aveva una specie di saggezza dentro, una mano che ti poteva salvare, e, per quanto possa sembrare ripugnante, una mano che potevi amare, che finivi per amare, finivi per pensare com'era bello che fosse la mano destra di tuo padre, dolce, su di te. Cose del genere, mi facevo passare per la testa. Per allenarmi, capisci? Eva Braun era la mia palestra. Col tempo divenni bravissima. La sera fissavo mio padre, seduto in pigiama davanti alla tivù, finché non vedevo Hitler, in pigiama davanti alla tivù. Tenevo ferma l'immagine per un po', me la bevevo per bene, poi sfocavo e ritornavo a mio padre, alla sua faccia vera: dio, sembrava dolcissima, tutta quella stanchezza e quell'infelicità. Poi tornavo a Hitler, poi ripescavo mio padre, andavo avanti e indietro con la fantasia ed era un modo per sfuggire alla tortura, ai silenzi, a tutta quella merda lì. Funzionava. A parte rare volte funzionava. Va be'. Un bel po' di anni dopo lessi su una rivista che Eva Braun non era la figlia di Hitler, ma l'amante. La moglie, non so. Insomma, ci andava a letto. Fu un colpo. Mi mise un sacco di confusione in testa. Cercai di risistemare le cose, in qualche modo, ma non c'era verso. Non riuscivo a togliermi dalla mente l'immagine di Hitler che si avvicinava a quella bambina e iniziava a baciarla e tutto il resto, uno schifo, e la bambina ero io, Eva Braun, e lui diventava mio padre, tutto un pasticcio, una cosa orrenda. Se n'era andato in briciole, il gio-chetto, non c'era modo di rimetterlo insieme, aveva funzionato, ma non funzionava più. Finita lì. Non ho mai più voluto bene a mio padre fino a che non ha cambiato treno, come diceva lui. Buffa storia. Cambiò treno una domenica qualunque. Se ne stava lì a suonare, sotto la scala mobile, e gli arrivò vicino una signora tutta ingioiellata e anche un po' brilla. Lui stava suonando *When we were alive*, e lei si mise a ballare, davanti a tutti, con le borse della spesa in mano, e con una faccia beata. Tirarono avanti così per una mezz'ora. Poi lei se lo portò via, e se lo portò via per sempre. Tutto quel che lui disse, a casa, fu: ho cambiato treno. Lì, ad essere sincera, tornai a volergli un po' di bene, perché era come una liberazione, non so, si era anche pettinato un po' da latin lover, con la riga ben scolpita tra i capelli bianchi, e una ca-micia nuova, lì per lì mi venne da volergli bene, almeno un istan-te, fu come una liberazione. Ho cambiato treno. Anni di tragedia domestica cancellati da una frase da niente. Grottesco. Ma un sacco di volte è così, è così quasi sempre: si scopre alla fine che il dolore, tutto quel dolore, era inutile, che si è sofferto come be-stie, ed era inutile, non era né giusto né ingiusto, non era bello o brutto, era solo *inutile*, tutto quello che puoi dire alla fine è: era un dolore inutile. Roba da impazzire, se ci pensi, meglio non pensarci, tutto quello che puoi fare è non pensarci più, mai più, capisci?"

"Più o meno."

"Buono l'hamburger?"

"Sì."

Finì, comunque, che Diesel e Poomerang non arrivarono mai alla CRB perché all'incrocio tra la Settima Strada e il Boulevard Bourdon si trovarono davanti agli occhi, in mezzo al marciapie-de, il tacco a spillo di una scarpa nera, rotolato lì da chissà dove, ma immobile come un minuscolo scoglio nel torrente in piena della gente lanciata verso la pausa pranzo.

– Diavolo –, disse Diesel.

– E quello cos'è? –, nondisse Poomerang.

– Guarda –, disse Diesel.

– Diavolo –, nondisse Poomerang.

Fissavano quel tacco nero, a spillo, e fu un niente vedere – un attimo dopo l'inevitabile flash di una caviglia in nylon scuro – vedere il *passo* che l'aveva perso, esattamente il passo, inteso come ritmo e danza, compasso femmina smaltato nylon scuro. Lo videro da prima nel pendolo danzante di due gambe sottili, e poi nello scarto morbido che il seno, sotto la camicetta, raccoglieva rimandandolo ai capelli – corti neri, pensò Diesel – corti biondi, pensò Poomerang – lisci e sottili abbastanza da danzare a quel ritmo, che nei loro occhi era ormai diventato corpo femminile, e umanità e storia quando improvvisamente si increspò sul minuscolo controtempo di un tacco che si mise a oscillare, a un passo, e si piegò, al passo successivo, staccandosi dalla scarpa e da quel ritmo tutto – di femmina umanità e storia – costringendolo a una cadenza – non proprio a una caduta – dove ritrovare l'equilibrio di una immobilità – il silenzio.

C'era un gran casino intorno a loro, ma nulla sembrava poterli schiodare da lì, Diesel ancora più curvo del normale, gli occhi fissi a terra, Poomerang con la mano sinistra a lisciarsi avanti e indietro il cranio rapato: la destra appesa alla tasca dei pantaloni di Diesel, come sempre. Guardavano un tacco a spillo nero, ma stavano vedendo in realtà quella donna scomporsi e rallentare, la videro girarsi per un attimo dicendo

– Merda

senza neppure per un istante pensare di fermarsi, come avrebbe fatto una donna normale – fermarsi, tornare indietro, recuperare il tacco, provare a riappiccicarlo tenendosi con una mano a un segnale stradale, senso vietato – neanche pensando di fare una cosa così ragionevole, ma continuando invece a camminare, giusto col vezzo di dire

– Merda

nel momento stesso in cui, escludendo di stropicciare la propria bellezza nel controtempo di una zoppia obbligata, si sfila la scarpa ferita, con un gesto leggero, senza smettere di camminare, e diventa poi definitivamente leggenda, per loro due, sfilandosi anche l'altra – compasso scalzo cromato nylon scuro – prende le scarpe, le butta in un cassonetto blu mentre già guarda intorno per cercare quel che subito trova, una vettura gialla che risale il viale lentamente: alza un braccio, dal polso scivola giù qualcosa d'oro, la vettura gialla mette la freccia, si ferma, lei sale, detta un indirizzo mentre raccoglie la gamba sottile – piede scalzo – sul sedile facendo salire la gonna e per un attimo balenare la tiepida prospettiva di un pizzo da autoreggente che scompare per qualche centimetro di coscia – bianca – e poi riappare nell'orlo di uno slip, poco più di un lampo che però si infila negli occhi di un signore in abito scuro che non smette di camminare ma si trascina dietro, appiccicato sulla retina, il tiepido lampo, che gli arroventa la coscienza e si abbatte sulla recinzione della sua narcosi da uomo stancamente sposato, con gran rumore di lamiere e lamenti.

Quel che successe fu che Diesel e Poomerang rimasero impastoiati nell'uomo in scuro, in verità, risucchiati dalla composta scia del suo turbamento, che li commuoveva, per così dire, e che li spinse lontano, fino a vedere il colore del suo scendiletto – marrone – e sentire il puzzo della sua cucina. Arrivarono a sedersi a tavola con lui, e notarono che la moglie rideva troppo alle battute che sbrodolavano dalla tivù accesa, mentre lui, il signore in abito scuro, le versava la birra nel bicchiere, tenendo per sé la bottiglia di acqua minerale, tiepida e non gasata, a cui lo costringeva da anni il ricordo di quattro remote coliche renali. Trovarono nel secondo cassetto del suo scrittoio settantadue pagine di un romanzo, incompiuto, che si intitolava *L'ultima scommessa*, e un biglietto da visita – Dr. Mortensen – con stampate sul retro due labbra di rossetto viola. La radiosveglia era sintonizzata su 102.4 Radio Nostalgia, e sull'abat-jour del comodino, per schermare la luce, c'era un opuscolo dei Bambini di Dio che teorizzava l'immoralità di caccia e pesca: il titolo, un po' bruciacchiato dalla lampadina, recitava: *Vi farò pescatori di uomini.*

Stavano rovistando tra la biancheria intima della signora Mortensen quando, per banale e volgare associazione di idee, gli risalì nel sangue il ricordo del compasso femmina smaltato nylon scuro – scossa feroce che li costrinse a precipitarsi indietro fino al taxi giallo, e a farli rimanere lì, sul bordo della strada, un po' inebetiti dalla rovinosa scoperta – rovinosa scomparsa del taxi giallo nelle viscere della città – tutto il viale pieno di macchine, ma vuoto di taxi gialli e leggende accomodate sul sedile posteriore.

– Cristo –, disse Diesel.

– Sparita –, nondisse Poomerang.

Sulla superficie curva del tacco a spillo nero fissarono un'intera città, migliaia di strade, centinaia di auto gialle, cieche.

– Persa –, disse Diesel.

– Forse –, nondisse Poomerang.

– Come cercare un ago in un pagliaio.

– Cercare, ma non l'auto.

– Ce n'è a migliaia.

– Non l'auto gialla.

– Troppe auto.

– Non l'auto, le scarpe.

– Dove esattamente può andare un'auto gialla.

– Scarpe. Un negozio di scarpe.

– Dove lei ha detto che voleva andare.

– Un negozio di scarpe. Il più vicino negozio di scarpe.

– Ha guardato il taxista e ha detto...

– Il più vicino negozio di scarpe. Scarpe con tacco a spillo nere.

– ... il più bel negozio di scarpe, qui vicino.

– Toxon's, Quarta Strada, secondo piano, scarpe femminili.

– Toxon's, pergiuda.

La ritrovarono davanti a uno specchio, scarpe nere ai piedi, tacco a spillo, e un commesso che diceva

– Perfette.

Allora non la persero più. Per un numero imprecisabile di ore catalogarono i suoi gesti e gli oggetti intorno a lei, come se testassero dei profumi. Era qualcosa che ormai avevano respirato, quando, dopo una cena interminabile, la seguirono fin nel letto di un uomo che sapeva di acqua di colonia, e con il telecomando non la smetteva più di far ripartire il *Bolero* di Ravel. Davanti al letto c'era un acquario, con un pesce viola, e molte stupide bollicine. Lui faceva l'amore in religioso silenzio: aveva appoggiato la vera d'oro sul comodino, di fianco a una confezione da cinque di profilattici di marca. Lei gli premeva le unghie sulla schiena, abbastanza forte da farglliele sentire, abbastanza dolcemente da non lasciare segni. Al settimo *Bolero*, disse

– Scusa

scivolò via dal letto, si rivestì, si infilò le scarpe nere, tacco a spillo, e se ne uscì, senza dire nulla. L'ultima cosa che videro di lei, fu una porta chiusa, dolcemente.

Pioggia. Asfalto a specchio tutt'intorno al tacco a spillo nero, lucido occhio lì a guardarli.

– Pioggia –, disse Diesel.

Alzarono lo sguardo, luce diversa, grigia, poca gente, rumore di pneumatici e pozzanghere. Scarpe marce, acqua giù nel collo. Sugli orologi, un'ora inservibile.

– Andiamo –, disse Diesel.

– Andiamo –, nondisse Poomerang.

Camminava difficile, Diesel, e lento, strascicando il piede sinistro, scarpa ridicola, immane, appesa a una gamba che cambiava idea sotto il ginocchio, e curvava malamente, sghembando ogni passo in danze cubiste. E respirava difficile, come un ciclista in salita, un respiro che era ritmo sporco e pena. Poomerang conosceva quel passo e quel respiro a memoria. Ci rimaneva attaccato e li ballava elegante, sfoggiando una stanchezza da maratona di tango.

L'uno e l'altro, vicini, e poi pezzi marci di città sulla strada di casa, luci liquide di semafori, auto in terza a far rumore di sciacquone, un tacco per terra, sempre più lontano, occhio bagnato, senza più palpebre, senza ciglia, occhio finito.

La foto di Walt Disney era un po' più grande di quella di Eva Braun. Aveva una cornice di legno chiaro, e un piedino dietro, pieghevole: per tenerla su, all'occorrenza. Lui, Walt Disney, aveva i capelli bianchi e stava a cavalcioni di un trenino, sorridente. Era un trenino per bambini, con una locomotiva e tanti vagoni. Non aveva rotaie, ma ruote gommate, e stava a Disneyland, Anaheim, California.

"Capito?"

"Più o meno."

"Insomma, lui era il più grande, è stato il più grande. Un reazionario bestiale, se vuoi, ma ci sapeva fare con la felicità, era il suo talento, arrivava dritto alla felicità, senza tante complicazioni, e si è tirato dietro tutti, proprio tutti, il più grande noleggiatore di felicità che si sia mai visto, ne aveva per tutte le tasche, per tutti i gusti, con le sue storie di paperi e nani e bambi, se ci pensi, come abbia fatto, eppure si è messo lì e ha distillato da tutto il gran casino qualcosa che poi se uno ti chiede cos'è la felicità, anche se ti fa un po' schifo alla fine tu devi ammettere che, magari non proprio cos'è, ma che sapore ha, il gusto, voglio dire, come dire alla fragola o al lampone, la felicità ha quel gusto lì, non c'è santo, sarà roba falsa fin che vuoi, non sarà la felicità autentica, l'originale, per così dire, ma quelle erano copie favolose, meglio dell'originale, che tanto non c'è modo di..."

"Finito."
"Finito?"
"Sì."
"Com'era?"
"Insomma."
"Andiamo?"
"Andiamo."
Andiamo? Andiamo.

1.

– Questa casa fa schifo –, disse Shatzy.
 – Sì –, disse Gould.
 – È una casa che fa schifo, credimi.
 Tecnicamente parlando, Gould era un genio. A stabilirlo era stata una commissione di cinque professori che l'aveva esaminato, all'età di sei anni, sottoponendolo a tre giorni di test. In base ai parametri Stocken, risultò appartenere alla fascia delta: a quei livelli l'intelligenza è una macchina ipertrofica di cui è difficile intuire i limiti. Provvisoriamente gli assegnarono un QI di 108, cifra abbastanza mostruosa. L'avevano portato via dalla scuola elementare dove per sei giorni aveva cercato di sembrare normale, e l'avevano affidato a un'équipe di ricercatori universitari. A undici anni si era laureato in fisica teorica, con un lavoro sulla soluzione del modello di Hubbard in due dimensioni.
 – Cosa ci fanno le scarpe nel frigo?
 – Batteri.
 – Sarebbe?
 – Studio dei batteri. Dentro le scarpe ci sono dei vetrini. Batteri grampositivi.

31

– Anche il pollo con la muffa è una faccenda di batteri?

– Pollo?

La casa di Gould era su due piani. Aveva otto stanze e altre cose tipo un garage e una cantina. In salotto c'era una moquette che imitava delle piastrelle di cotto toscano ma dato che era alta quattro centimetri la cosa non le riusciva un granché bene. Nella stanza d'angolo, al primo piano, c'era un calciobalilla. Il bagno era tutto rosso, sanitari compresi. L'impressione generale era quella di una casa signorile dove l'FBI era passata a cercare un microfilm con le scopate del Presidente in un bordello del Nevada.

– Come fai a vivere qui dentro?

– Non è proprio che ci vivo.

– È casa tua, no?

– Più o meno. Io ho due stanze al college, giù all'università. C'è anche la mensa, lì.

– Un bambino non dovrebbe *vivere* in un college. Un bambino non dovrebbe nemmeno studiarci, in un posto del genere.

– Cosa dovrebbe fare, un bambino?

– Che ne so, giocare col suo cane, falsificare le firme dei genitori, avere sempre il sangue dal naso, cose così. Certo non vivere in un college.

– Falsificare cosa?

– Lascia perdere.

– Falsificare?

– Almeno una governante, ti potrebbero almeno prendere una governante, non ci ha mai pensato tuo padre?

– Io *ho* una governante.

– Veramente?

– In un certo senso.

– In quale senso, Gould?

Il padre di Gould era convinto che Gould una governante ce l'avesse, e che si chiamasse Lucy. Ogni venerdì, alle sette e un quarto, le telefonava per sapere se tutto era okay. Allora Gould gli passava al telefono Poomerang. Poomerang imitava benissimo la voce di Lucy.

– Ma Poomerang non è muto?

– Appunto. Anche Lucy è muta.

– Tu hai una governante muta?

– Non esattamente. Mio padre crede che io abbia una governante, la paga ogni mese con un vaglia postale, e io gli ho detto che è molto brava ma è muta.

– E lui per sapere come vanno le cose *le telefona*?

– Sì.

– Geniale.

– Funziona. Poomerang è bravissimo. Sai, non è la stessa cosa sentire uno star zitto o sentir tacere un muto. È un silenzio diverso. Mio padre non ci cascherebbe.

– Dev'essere un uomo intelligente tuo padre.

– Lavora nell'esercito.

– Già.

Il giorno della laurea di Gould, suo padre era volato dalla base militare di Arpaka fino a lì, ed era atterrato con un elicottero nel prato davanti all'università. C'era un sacco di gente. Il rettore aveva fatto un discorso molto bello. Uno dei passi più significativi era stato quello del biliardo. "Noi guardiamo alla tua avventura umana e scientifica, caro Gould, come alla parabola sapiente che l'intelligenza di un braccio divino ha impresso alla biglia della tua intelligenza, chinandosi sul panno verde del biliardo della vita. Tu sei una biglia, Gould, e corri tra le sponde del sapere tracciando l'infallibile traiettoria che ti porterà, con nostra gioia e consolazione, a rotolare dolcemente nella buca della fama e del successo. È sottovoce, ma con grande fierezza, che ti dico, figliolo: quella buca ha un nome: quella buca si chiama Premio Nobel." Di tutto il discorso, a Gould era rimasta impressa soprattutto la frase: tu sei una biglia, Gould. Poiché era comprensibilmente incline a credere ai suoi professori, si allineò all'idea che la sua vita sarebbe rotolata secondo una preordinata esattezza, e per anni, poi, si sforzò di sentire sotto la pelle dei suoi giorni la soffice carezza di un panno verde: e di riconoscere nell'incursione di certi imprevedibili dolori il geometrico trauma di sponde esatte, scientificamente infallibili. La sfortunata circostanza che voleva l'accesso alle sale biliardo vietato ai minori, gli impedì troppo a lungo di verificare come, nella realtà, la dorata immagine di un biliardo possa convertirsi in metafora precisa dell'errore, e luogo quasi dimostrativo della umana inaccessibilità all'esattezza. Una sola serata da Merry's avrebbe potuto fornirgli utili indicazioni sulla irrimediabile ingerenza del caso in qualsiasi figura geometrica. Sotto la luce affumicata appesa su panni verdi macchiati di unto avrebbe visto facce su cui era sancita, come in geroglifici, la disfatta di un'illusione, quella che voleva armonicamente intrecciate intenzione e realtà, immaginazione e fatti. Non gli sarebbe stato difficile, in definitiva, scoprire un mondo imperfetto, in cui era oltremodo improbabile sorprendere tra le fisionomie dei giocatori quella, solenne e rassicurante, di Dio. Ma, come detto, da Merry's entravi solo esibendo la patente, e questo permise alla bella metafora del rettore di rimanere per anni illogicamente intatta nella fantasia di Gould, come un'icona sacra scampata a un bombardamento. Così egli la ritrovò intonsa, dentro di sé, anni dopo, il giorno in cui d'improvviso scelse di devastare la sua vita. Perfino ebbe il tempo di rimirarla, in quel momento, con affettuosa e disperata cura, prima di dedicarle il commiato più feroce che gli riuscì di immaginare.

– Tu ce l'hai un lavoro, Shatzy?

– No, Gould.

– Vuoi fare la mia governante?

– Sì.

2

Dietro alla casa di Gould c'era un campo da pallone. Ci giocavano solo ragazzini, i grandi stavano in panchina a urlare, o sulla piccola tribuna in legno, a mangiare e urlare. C'era l'erba dappertutto, anche davanti alle porte e a centrocampo. Era un bel campo da pallone. Gould, Diesel e Poomerang stavano ore a guardare, dalla finestra della camera da letto. Guardavano le partite, gli allenamenti, tutto quello che c'era da guardare. Gould prendeva appunti. Aveva una sua teoria. Si era convinto che a ogni ruolo corrispondesse un preciso profilo morfologico e psicologico. Lui poteva riconoscere un centravanti prima ancora che si cambiasse e mettesse la maglia numero nove. Il suo pezzo di bravura era la lettura delle foto delle squadre: le studiava un po' e poi sapeva dirti in che ruolo giocava quello coi baffi e chi era l'ala destra. Aveva una percentuale di errore del 28 per cento. Lavorava per arrivare sotto il dieci, allenandosi ogni volta che poteva sui ragazzini del campo sotto casa. Faticava ancora molto sui terzini, perché identificarli era relativamente semplice, ma capire quale giocava a destra e quale a sinistra presentava delle significative difficoltà. Di solito il terzino destro era fisicamente più compatto e psicologicamente più rudimentale. Aveva un approccio razionale alle cose, e procedeva secondo deduzioni logiche, generalmente prive di varianti fantasiose. Si tirava su le calze quando gli cadevano, e di rado sputava per terra. Il terzino sinistro invece tendeva col tempo ad assumere su di sé tratti del suo diretto antagonista, l'ala destra, notoriamente elemento caratteriale, imprevedibile, con forti tendenze anarchiche e notevoli fragilità mentali. L'ala destra tramuta la sua zona del campo in una terra senza regole dove l'unico riferimento stabile è la linea laterale, una striscia di gesso bianco che egli cerca con ossessiva disperazione. Il terzino sinistro, che in quanto terzino dispone di una dotazione psicologica di base piuttosto votata all'ordine e alle geometrie, è costretto ad adattarsi a un ecosistema per lui scomodo, ed è dunque, per vocazione, un soccombente. La necessità di riaggiornare continuamente le sue reazioni a schemi del tutto imprevedibili lo condanna a una perenne precarietà spirituale, e spesso anche fisica. Questo può spiegare la sua tendenza, facilmente rilevabile, a tenere i capelli lunghi, a farsi espellere per proteste e a farsi il segno della croce al fischio di inizio. Detto questo, distinguerlo da un terzino destro, in una foto, è pressoché impossibile. Gould, a volte, ci riusciva.

Diesel guardava perché gli piacevano i colpi di testa. Provava un piacere tutto particolare a sentire l'impatto del cranio contro il pallone, e ogni volta che accadeva diceva Pazzesco, tutte le sante volte, con un sorriso buono sulla faccia. Pazzesco. Una volta un ragazzino, là sotto, colpì di testa, la palla finì sulla traversa, rimbalzò indietro, il ragazzino la ricolpì di testa, centrò il palo, si tuffò in avanti e andò a raccogliere la palla di testa prima che toccasse terra, sfiorandola appena e mettendola in rete. Allora Diesel disse Davvero pazzesco. Le altre volte, invece, diceva solo Pazzesco.

Poomerang guardava perché cercava un'azione che aveva visto anni prima, alla tivù. A suo parere era stata così bella che non poteva essere sparita per sempre, doveva certamente vagolare per tutti i campi del mondo, e lui la stava aspettando, lì, su quel campo di ragazzini. Si era informato sul numero di campi da pallone che esistono al mondo – unmilioneottocentoquattro – ed era perfettamente consapevole che le possibilità di vederla transitare proprio da lì erano minime. Ma in base a un calcolo effettuato da Gould, non erano comunque molto minori di quelle che ci sono a nascere muti. Dunque, Poomerang la aspettava. Di preciso, l'azione era la seguente: rinvio lungo del portiere, il centravanti salta sulla tre quarti e allunga il pallone di testa, il portiere avversario esce dall'area e calcia al volo, il pallone vola indietro oltre centrocampo, salta tutti i giocatori, rimbalza ai margini dell'area, scavalca il portiere stupefatto e si insacca a fil di palo. Da un punto di vista squisitamente calcistico, si trattava di una bizzarria deplorevole. Ma Poomerang sosteneva che sotto il profilo puramente estetico aveva visto poche volte qualcosa di più armonioso ed elegante. "Era come se tutto fosse finito in un acquario – nondiceva, cercando di spiegare –, come se tutto si muovesse a mollo nell'acqua, senza spigoli e lentamente, col pallone a nuotare nell'aria, senza fretta, e i giocatori tramutati in pesci, a guardare in su a bocca aperta, ruotando tutti insieme la testa a destra e sinistra, svagolati e dispersi, col portiere a branchie spalancate mentre il pallone lo scavalcava, e alla fine la rete di un pescatore furbo, a raccogliere il pesce palla e gli occhi di tutti, pesca miracolosa nel silenzio più assoluto da abisso marino su una distesa di alghe verdi rigate in bianco da un palombaro geometra." Era il sedicesimo del secondo tempo. La partita finì due a zero.

Ogni tanto Gould scendeva e andava a piazzarsi ai bordi del campo, dietro la porta di destra, di fianco al prof. Taltomar. Passavano decine di minuti senza dirsi niente. Sempre con gli occhi fissi verso il campo. Il prof. Taltomar aveva una certa età e, dietro le spalle, migliaia di ore di calcio guardato. Del gioco gli importava relativamente poco. Lui osservava gli arbitri. Li studiava. Teneva sempre stretta tra le labbra una sigaretta senza filtro, spenta, e biascicava periodicamente frasi del tipo "lontano dall'azione", o "regola del vantaggio, coglione". Spesso scuoteva la testa. Era l'unico ad applaudire a cose come un'espulsione o la ripetizione di un rigore. Aveva alcune discutibili certezze che compendiava in una massima con cui da anni chiosava qualsiasi discussione: "il mani in area è sempre volontario, il fuorigioco non è mai dubbio, le donne sono tutte puttane". Sosteneva che l'universo era "una partita giocata senza arbitro", ma a modo suo credeva in Dio: "fa il guardalinee, e sballa tutti i fuorigioco". Una volta, semiubriaco, aveva ammesso in pubblico di aver fatto l'arbitro, da giovane. Poi si era chiuso in un misterioso silenzio.

Gould gli attribuiva, non a torto, una conoscenza smisurata del regolamento, e andava a cercare, da lui, quello che non gli riusciva di trovare negli insigni accademici che quotidianamente lo allenavano al Nobel: la certezza che l'ordine fosse una proprietà dell'infinito. Così, quello che accadeva fra loro era questo:

1. Gould arrivava, non salutava nemmeno e si metteva di fianco al professore, fissando il campo.

2. Per decine di minuti non scambiavano né una parola né uno sguardo.

3. A un certo punto Gould, continuando a fissare il gioco, diceva una cosa tipo: "Cross da destra, il centravanti colpisce al volo di interno destro, centra in pieno la traversa che si spezza in due, la palla carambola contro l'arbitro, finisce tra i piedi dell'ala destra che di piatto destro tira a fil di palo dove un terzino blocca con una mano e poi libera alla viva il parroco".

4. Il prof. Taltomar prendeva tempo sfilandosi dalle labbra la sigaretta e scuotendo via una cenere immaginaria. Poi sputava per terra qualche briciola di tabacco e mormorava piano: "Partita sospesa fino a risistemazione avvenuta della traversa, con conseguente ammenda alla società ospitante per incuria nella manutenzione del terreno. Alla ripresa del gioco, rigore alla squadra ospite e cartellino rosso per il terzino. Una giornata di squalifica, se non è diffidato".

5. Per un po' continuavano, senza commenti, a fissare il campo da gioco.

6. A un certo punto Gould se ne andava dicendo "Grazie, professore".

7. Il prof. Taltomar mormorava, senza girarsi, "Stai bene, figliolo".

Accadeva più o meno una volta la settimana.

A Gould piaceva molto.

I bambini hanno bisogno di certezze.

Un'ultima cosa importante, succedeva in quel campo. Ogni

tanto, mentre Gould stava lì col professore, capitava che un pallone rotolasse oltre il fondo, proprio verso di loro. Alle volte gli passava proprio accanto e si fermava qualche metro più in là. Allora il portiere faceva qualche passo verso di loro e gridava: "Palla!". Il prof. Taltomar non muoveva un muscolo. Gould guardava il pallone, guardava il portiere, e poi rimaneva immobile.

– La palla, per piacere!

Spaesato, finiva per fissare nel vuoto, davanti a sé, rimanendo immobile.

3.

Il venerdì, alle sette e un quarto, il padre di Gould telefonò per sapere da Lucy se tutto era okay. Gould disse che Lucy se n'era andata con un rappresentante di orologi conosciuto a Messa, la domenica prima.

– Orologi?

– Anche altra roba, tipo catenine, crocefissi, cose così.

– Cristo, Gould. Bisogna mettere l'annuncio sul giornale. Come l'altra volta.

– Sì.

– Fa' mettere subito quell'annuncio sul giornale e poi usa i questionari, okay?

– Sì.

– Ma non era anche muta, quella?

– Sì.

– Gliel'avete detto, all'orologiaio?

– Gliel'ha detto lei.

– Lei?

– Sì, per telefono.

– Da non crederci, gente.

– Già.

– Ne hai ancora copie dei questionari?

– Sì.

– Nel caso fanne delle fotocopie, okay?

– Pronto?

– Gould?

– Pronto.

– Gould mi senti?

– Adesso ti sento.

– Se rimani senza questionari, fanne delle fotocopie.

– Pronto?

– Gould mi senti?

– ...

– Gould!

– Sono qui.

– Mi hai sentito?

– Pronto?

– C'è la linea disturbata.

– Adesso ti sento.

– Sei ancora lì?

– Sono qui...

– Pronto!

– Sono qui.

– Ma che cazzo succede a...

– Ciao papà.

– Li fanno con la merda, 'sti telefoni?

– Ciao.

– Li fate con la merda, questi telef

Clic.

Dato che non poteva venire a fare i colloqui di selezione, il padre di Gould faceva compilare alle candidate un questionario che lui stesso aveva redatto e che si faceva mandare per posta, riservandosi di scegliere la nuova governante di Gould in base alle risposte ottenute. Le domande erano 37, ma era molto raro che le candidate arrivassero alla fine. In genere si fermavano intorno alla quindicesima (15. Ketchup o maionese?). Molto spesso si alzavano e se ne andavano dopo aver letto la prima (1. Può la candidata ricostruire la serie di fallimenti che l'hanno portata oggi, alla sua età, e in stato di disoccupazione, a concorrere per un posto scarsamente retribuito e non privo di incognite?). Shatzy Shell sistemò sul tavolo le foto di Eva Braun e di Walt Disney, infilò un foglio nella macchina da scrivere, e batté la cifra 22.

– Leggimi un po' la 22, Gould.

– Veramente dovresti iniziare dalla prima.

– Chi l'ha detto?

– Ha il numero 1, si inizia sempre dal numero 1.

– Gould?

– Sì.

– Guardami bene negli occhi.

– Sì.

– Tu credi veramente che quando le cose hanno un numero, e una cosa in particolare ha il numero 1, allora quel che noi dobbiamo fare, che tu devi fare, e io, e tutti, è incominciare proprio da lei, per la precisa ragione che quella è la cosa numero 1?

– No.

– Splendido.

– Quale volevi?

– La 22.

– 22. È in grado la candidata di ricordare la cosa più bella che le è occorso di fare quando era bambina?

Shatzy rimase per un attimo a scuotere la testa e a mormorare incredula "le è occorso di fare". Poi si mise a scrivere.

Quando ero piccola la cosa più bella era andare a vedere il Salone della Casa Ideale. Era all'Olympia Hall, un posto enorme, sembrava una stazione, con il tetto fatto a cupola, enorme. Invece dei binari e dei treni c'era il Salone della Casa Ideale. Non so se ha presente, colonnello. Lo facevano tutti gli anni. La cosa incredibile è che costruivano delle vere e proprie case, e tu giravi, come in un paese assurdo, con le stradine e i lampioni agli angoli, e le case erano tutte diverse, e molto pulite, nuove. Era tutto molto a posto, le tendine, il vialetto, c'erano anche i giardini, era un mondo da sogno. Potevi pensare che era tutto di cartone e invece lo facevano con mattoni veri, anche i fiori erano veri, tutto era vero, ci avresti potuto abitare, potevi salire le scale, aprire le porte, erano case vere. È difficile da spiegare ma tu camminavi lì in mezzo e sentivi una cosa molto strana nella testa, come una sorta di meraviglia dolorosa. Voglio dire, quelle erano case vere, e tutto, ma poi, in realtà, le case vere erano diverse. La mia aveva sei piani, le finestre tutte uguali e una scala di marmo, con dei piccoli pianerottoli a ogni piano, e un odore di disinfettante dappertutto. Era una bella casa. Ma quelle erano diverse. Avevano i tetti strani, e delle forme stilose, con le finestre a bovindo, e la veranda davanti, o delle scale che salivano e giravano, e terrazzini, balconi, cose così. E un lampioncino sulla porta. O il garage con il portone colorato. Erano vere, ma non erano vere: era questo, che ti fregava. A ripensarci adesso, c'era già tutto nel titolo, Salone della Casa Ideale, ma tu che ne sapevi, allora, di cos'era ideale e cosa no. Non ce l'avevi il concetto di *ideale*. Così ti prendeva di sorpresa, alle spalle, per così dire. Ed era una sensazione strana. Credo che potrei farle capire esattamente la cosa se riuscissi a spiegarle perché la prima volta che ci andai finì che scoppiai a piangere. Sul serio. A piangere. C'ero andata perché mia zia lavorava lì, e aveva i biglietti gratis. Lei era molto bella, una signora alta, con dei lunghi capelli neri. L'avevano presa per fare la mamma che lavorava in cucina. Il fatto è che ogni tanto le animavano, quelle case, cioè ci mettevano della gente dentro a far finta di vivere lì, che ne so, un signore seduto in salotto a leggere il giornale e fumare la pipa, e perfino dei bambini, in pigiama, a letto, nei letti a castello, una meraviglia, noi non li avevamo mai visti i letti a castello. Era sempre per ottenere quell'effetto di *ideale*, capisce? Anche loro, i personaggi, erano *ideali*. Mia zia faceva l'*ideale* in cucina, tutta elegante, e bella, con un grembiule disegnato: metteva a posto aprendo gli sportelli di una cucina americana, li apriva e li chiudeva in continuazione, ma con dolcezza, e tirava fuori tazzine e piatti, cose così, tutto il tempo. Sorridendo. Alle volte venivano anche delle star del cinema, o dei cantanti famosi, e facevano la stessa cosa, coi fotografi che li fotografavano e la foto, il giorno dopo, sul giornale. Mi ricordo una tutta impellicciata, una cantante, credo, coi brillanti alle dita, che guardava l'obbiettivo e intanto passava un aspirapolvere Hoover. Noi non sapevamo nemmeno cos'era, l'aspirapolvere. Questa era un'altra cosa bella del Salone della Casa Ideale: quando uscivi da lì, avevi la testa piena di cose che non avevi mai visto, e che non avresti mai più visto. Era così. Comunque la prima volta ci andai con mia madre, e c'era proprio all'ingresso un paesino di montagna ricostruito, tale e quale, con i prati e i sentierini, una bellezza. Dietro avevano disegnato un fondale enorme con i picchi delle montagne e un cielo blu. Io incominciai a sentirmi dentro la testa strane cose. Sarei rimasta lì a guardare per sempre. Mia madre mi portò via e finimmo in un posto in cui c'erano solo bagni, uno dopo l'altro, bagni da non crederci, e l'ultimo si intitolava "Ora e allora", c'era un sacco di gente a guardare, era una specie di scena, a destra vedevi un bagno come li facevano cento anni fa e a sinistra un bagno identico ma con tutte le cose moderne, di oggi. La cosa incredibile è che nelle vasche da bagno c'erano due modelle, non c'era l'acqua ma c'erano due signorine, e, questo è geniale, erano gemelle, capisce?, due gemelle, che stavano nella stessa identica posizione, una in una tinozza di rame e l'altra in una vasca tutta smaltata bianca, e l'altra cosa pazzesca è che erano *nude*, giuro, completamente nude, sorridevano al pubblico e tenevano le braccia in una posizione studiata che faceva intravedere le tette ma non le lasciava proprio vedere, una via di mezzo, e tutti commentavano molto seriosamente gli arredi del bagno, ma con l'occhio in realtà guizzavano in continuazione a controllare se caso mai le braccia non si fossero spostate un po', quel poco che bastava per vedere le tette delle gemelle, che, tra parentesi, vede le cose strane che uno finisce di ricordare, si chiamavano gemelle Dolphin, anche se adesso, a ripensarci, mi sa che fosse un nome d'arte. Le dico questa storia del bagno perché anche questo c'entra col fatto che io sia scoppiata a piangere, alla fine. Voglio dire, era tutto un insieme di cose che ti sconcertava, fin dall'inizio, una macchina che ti lavorava ai fianchi e ti predisponeva, per così dire, a qualche cosa di speciale. Comunque, andammo via da lì, dalle gemelle nude, ed entrammo nel corridoio centrale. C'erano tutte quelle Case Ideali, una in fila all'altra, ognuna col suo giardino, alcune che sembravano antiche, o vecchie, e altre più moderne, con una spider posteggiata davanti. Una meraviglia. Camminavamo lentamente, e a un certo punto mia madre si fermò e disse Guarda questa com'è bella, era una casa a due piani, con una veranda davanti, il tetto spiovente e dei lunghi comignoli di mattoni rossi. Non aveva niente di straordinario, era *ideale* in un modo molto normale, e forse proprio per questo ti fregava. Rimanemmo lì a guardarla, in silenzio. C'era tutta la gente che ci passava attorno, chiacchierando, e tutto quel rumore che c'è sempre al Salone della Casa Ideale, ma io iniziai a non sentir più niente, come se tutto a poco a poco si spegnesse, nella mia testa. E a un certo punto successe che dalla finestra della cucina, una grande finestra, al pian terreno, con delle tendine aperte, io vidi la luce accendersi, dentro, e entrare una signora, sorridente, con dei fiori in mano. Si avvicinò al tavolo, posò i fiori, prese un vaso e andò al lavandino per riempirlo di acqua. Faceva tutto come se nessuno la stesse guardando, come se fosse in un angolo remoto del mondo, dove c'era solo lei, e quella cucina. Prese i fiori e li mise nel vaso, poi posò il vaso al centro del tavolo, dando una sistematina a qualche rosa che scappava da una parte. Era una signora bionda, con un cerchietto che le teneva indietro i capelli. Si voltò, andò verso il frigo, lo aprì e si chinò a prendere una bottiglia di latte e qualcos'altro. Richiuse il frigo con una leggera mossa del gomito, perché aveva le mani occupate. E io non potevo sentirlo, ma sentii distintamente il clac della porta che si chiudeva, preciso, metallico e un po' caldo. Io non ho mai più sentito nulla di così esatto, e definitivo, e salvifico. Allora guardai per un attimo la casa, tutta la casa, il giardino, i comignoli, la sedia sulla veranda, tutto. E poi scoppiai a piangere. Mia madre si spaventò, pensava mi fosse successo qualcosa, e in effetti qualcosa mi era realmente successo, ma lei pensò che mi era scappata la pipì, era una cosa che mi succedeva spesso, quando ero bambina, mi scappava la pipì e mi mettevo a piangere, così lei pensò che esattamente quello era successo e incominciò a trascinarmi verso i bagni. Dopo, quando vide che sotto ero asciutta, iniziò a chiedermi cosa avevo, e non la smetteva più di chiedermelo, una tortura, perché ovviamente io non sapevo cosa rispondere, riuscivo solo a ripetere che andava tutto bene, che stavo bene E allora perché piangi?

– Non sto piangendo.

– Sì che stai piangendo.

– Non è vero.

Era una specie di *lancinante, dolorosa meraviglia*. Non so se ha presente, colonnello. È un po' come quando si guardano i trenini elettrici, soprattutto se c'è il plastico, con la stazione e le gallerie, le mucche nei prati e i lampioncini accesi di fianco ai passaggi a livello. Succede anche lì. Oppure quando si vede nei cartoni animati la casa dei topolini, con le scatole di fiammiferi al posto dei letti, e il quadro del nonno topo alla parete, la libreria, e un cucchiaio che fa da sedia a dondolo. Ti senti una specie di consolazione, dentro, quasi una *rivelazione*, che ti spalanca l'anima, per così dire, ma contemporaneamente senti una specie di fitta, come la sensazione di una perdita irrimediabile, e definitiva. Una dolce catastrofe. Credo che c'entri il fatto di essere sempre *fuori*, in quei momenti lì, sei sempre lì che li guardi *da fuori*. Non ci puoi entrare, nel trenino, questo è il fatto, e la casa dei topi è qualcosa che rimane lì, nella televisione, e tu sei irrimediabilmente *davanti*, la guardi ed è tutto quello che puoi fare. Anche quella Casa Ideale, quel giorno, ci potevi anche entrare, se volevi, facevi un po' di coda e poi potevi entrare a visitare gli interni. Ma se lo facevi, non era la stessa cosa. C'era un mucchio di roba interessante, era curioso, potevi anche toccare i soprammobili, ma non c'era più quella meraviglia di quando l'avevi vista da fuori, quella sensazione non c'era più. È una cosa strana. Quando ti accade di vedere il posto dove saresti *salvo*, sei sempre lì che lo guardi *da fuori*. Non ci sei mai dentro. È il *tuo* posto, ma tu non ci sei mai. Mia madre continuava a chiedermi perché ero triste, e io avrei voluto dirle che non ero triste, al contrario, avrei dovuto spiegarle che c'entrava piuttosto qualcosa tipo la felicità, tipo la devastante esperienza di averla vista, di colpo, e in quella idiota casa lì. Ma come si faceva. Anche adesso, non riuscirei. C'è anche un po' da vergognarsi. Quella era una stupida Casa Ideale fatta apposta per fregarti, era tutto un grande e idiota business di geometri e muratori, era una solenne truffa, per dirla tutta. Per quanto ne so io l'architetto che l'aveva disegnata poteva essere un perfetto imbecille, uno che a pranzo andava all'uscita delle scuole a strusciarsi contro le ragazzine e a sussurrargli Succhiami il cazzo e cose del genere. Non so. D'altronde, non so se l'ha notato anche lei, in genere, se c'è qualcosa che ti colpisce come una *rivelazione*, puoi scommetterci che è una cosa fasulla, voglio dire, una cosa che non è *vera*. Prenda l'esempio del trenino. Lei può stare a guardare per ore una stazione *vera* e non succede niente, poi basta un'occhiata a un trenino e, tac, si scatena tutto quel ben di dio. Non ha senso, ma è dannatamente così, e alle volte più è idiota, la cosa che ti becca, più ci rimani appeso, con la meraviglia, come se ci fosse bisogno di una certa dose di impostura, di deliberata impostura, per ottenere tutto quello, come se tutto avesse bisogno di essere falso, almeno per un po', per riuscire, dopo, a diventare qualcosa come una *rivelazione*. Anche i libri, o i film, è la stessa cosa. Più fasulli di così si muore, e se va a vedere chi ci sta dietro può scommetterci che troverà solo solenni figli di puttana, ma intanto ci vedi dentro cose che ad andare in giro per la strada te le sogni, e nella vita vera non le troverai mai. La vita vera non *parla* mai. È solo un gioco d'abilità, roba che vinci o perdi, te lo fanno fare per distrarti, così non pensi. Lo usò anche mia madre, 'sto trucco, quel giorno. Dato che non la smettevo di piagnucolare, mi trascinò fin davanti a una macchina tutta luci e scritte, una bella macchina, sembrava una *slot machine*, o qualcosa del genere. L'aveva messa su una ditta che faceva margarina. L'avevano studiata bene, niente da dire. Il gioco consisteva nel fatto che c'erano sei biscotti, su un piatto, e alcuni erano fatti col burro e altri con la margarina. Tu li assaggiavi, uno a uno, e ogni volta dovevi dire se erano fatti con la margarina o col burro. A quei tempi la margarina era una cosa un po' esotica, non si avevano molte idee su cosa fosse, giusto si pensava che procurasse meno guai del burro e che sostanzialmente facesse schifo. Il problema era quello. Così loro studiarono quella macchina, e il gioco era che se il biscotto ti sembrava fatto col burro schiacciavi il pulsante rosso, e se invece ti sembrava che sapesse di margarina schiacciavi quello blu. Era divertente. E io smisi di piangere. Questo è indubbio. La piantai di piangere. Non che fosse cambiato qualcosa dentro la mia testa, continuavo ad avere appiccicata addosso quella lancinante meraviglia dolorosa, e di fatto non me ne sarei liberata mai più, perché quando un bambino scopre che c'è un posto che è il suo posto, quando gli fai balenare per un attimo la *sua* Casa, e il *senso* di una Casa, e soprattutto l'idea che *ci sia*, una Casa, poi è fatta per sempre, fottuto fino alla fine, da lì non si torna indietro, continuerai ad essere uno che passa da lì per caso, con addosso una lancinante meraviglia dolorosa, e quindi sempre più allegro degli altri e sempre più triste, con tutte quelle cose, mentre vagoli, da ridere e da piangere. Nel caso specifico, comunque, io smisi di piangere. Funzionò. Mangiavo biscotti, schiacciavo pulsanti, si accendevano luci, e non piangevo più. Mia madre era contenta, pensava che fosse tutto passato, mica poteva capire, lei, ma io sì, capivo tutto alla perfezione, sapevo che non era passato niente, che non sarebbe passato mai più, ma intanto non piangevo, e giocavo col burro e la margarina. Sa le volte, poi, che ho risentito addosso quella sensazione... Mi pare di non avere fatto altro, da allora. Con la mente altrove, lì a schiacciare pulsanti blu o rossi, cercando di indovinare. Un gioco d'abilità. Te lo fanno fare per distrarti. Dato che funziona, perché mai non ci dovresti stare? Tra l'altro, quando finì il Salone della Casa Ideale, quell'anno, la ditta che faceva margarina comunicò che ci avevano giocato in centotrentamila, a quel gioco, e che a indovinare tutti e sei i biscotti era stato solo l'8 per cento dei concorrenti. Lo comunicarono con un certo trionfalismo. Credo che più o meno sia la mia stessa percentuale di successo. Voglio dire che se penso a tutte le volte che mi ci sono messa, a cercare di indovinare, schiacciando i tasti blu e rossi di 'sta vita qui, devo averci azzeccato più o meno l'8 per cento delle volte, è una percentuale che mi sembra plausibile. Lo dico senza trionfalismo. Ma dev'essere andata più o meno così. Per come la vedo io.

Shatzy si voltò verso Gould, che non aveva perso una riga.
– Com'è?
– Mio padre non è colonnello.
– No?
– Generale.
– Va be', generale. E il resto?
– Se vai avanti a questo ritmo finirai quando non avrò più bisogno di una governante.
– Questo è vero. Fammi un po' vedere...

Gould le porse la lista delle domande. Shatzy ci diede un'occhiata, poi si fermò su una domanda del secondo foglio.

– Questa è veloce. Leggi un po'...

– 31. Può la candidata esporre per sommi capi qual è il sogno della sua vita?

– Posso.

Il mio sogno è fare un western. Ho incominciato a farlo quando avevo sei anni e conto di non schiattare prima di averlo finito.

– Voilà.

Da quando aveva sei anni, Shatzy Shell lavorava a un western. Era l'unica cosa che le stesse veramente a cuore, nella vita. Ci pensava in continuazione. Quando le venivano delle buone idee, accendeva il suo registratore portatile e le diceva lì dentro. Aveva centinaia di cassette registrate. Lei diceva che era un western bellissimo.

4.

Fecero secca Mami Jane nel numero di gennaio, in una storia intitolata *Binario sicario*. Così vanno le cose.

5.

Quella storia del western, tra l'altro, era vera. Shatzy ci lavorava da anni. All'inizio aveva accumulato idee, poi si era messa a riempire quaderni d'appunti. Adesso usava il registratore. Ogni tanto lo accendeva e ci diceva delle cose dentro. Non aveva un metodo preciso, ma andava avanti, senza fermarsi. E il western cresceva. Iniziava con una nuvola di sabbia e tramonto.

La solita nuvola di sabbia e tramonto, come ogni sera, fumata dal vento sulla terra e dentro il cielo, mentre Melissa Dolphin spazza la strada davanti a casa, frullata dal fiume d'aria rotondo, con irragionevole cura, e inutile, spazza. Ma portando i suoi anni, sessantatré, con calma e gratitudine. Sorella gemella di Julie Dolphin, che ora la guarda, dondolandosi sotto la veranda, al riparo dal vento maggiore: attraverso la polvere, guardandola, lei sola, la comprende.

A destra, allineato ai bordi della via centrale, corre il paese. A sinistra, il nulla. Non c'è frontiera oltre il loro steccato, ma solo una terra decretata inutile, e abolita dai pensieri. Sassi e niente. Quando muore qualcuno, da quelle parti, dicono: le sorelle Dolphin l'hanno visto passare. Non c'è casa più ultima, lì, della loro casa. Né altrove, dicono.

Così è con stupefatta sorpresa che Melissa Dolphin alza lo sguardo verso quel nulla e vede la figura di un uomo, sfocata nella nuvola di sabbia e tramonto, lentamente avvicinarsi. Benché avesse visto talvolta sparire qualcosa, in quella direzione – rovi, animali, un vecchio, sguardi inutili – *comparire* qualcosa, mai. Qualcuno.

– Julie... –, dice piano, e si volta verso la sorella.

Julie Dolphin è in piedi, sulla veranda, e stringe nella mano destra un Winchester modello 1873, canna ottagonale, calibro 44-40. Guarda quell'uomo – lentamente cammina col cappello abbassato sugli occhi, spolverino fino ai piedi, trascina qualcosa, un cavallo, qualcosa, un cavallo e qualcosa, un fazzoletto gli protegge il volto dalla polvere. Julie Dolphin solleva il fucile, fa scivolare il calcio di legno contro la spalla destra, piega la testa ad allineare occhio, mirino, uomo.

– Sì, Melissa –, dice piano.

Mira in mezzo al petto, e spara.

L'uomo si ferma.

Alza lo sguardo.

Si abbassa il fazzoletto che gli nascondeva la faccia.

Julie Dolphin lo guarda. Ricarica. Poi piega la testa ad allineare occhio, mirino, uomo.

Mira in faccia, e spara.

L'eco del colpo se lo ingoia la polvere. Julie Dolphin fa saltare via la cartuccia dall'otturatore: Morgan rossa, calibro 44-40. Rimane in piedi, a guardare.

L'uomo ci mette un po' a raggiungere Melissa Dolphin, in mezzo alla strada, immobile. Si toglie il cappello.

– Closingtown?

– Dipende –, risponde Melissa Dolphin.

Precisamente così iniziava il western di Shatzy Shell.

6.

– Ti accompagno.

– Perché?

– Voglio vedere questa benedetta scuola –, disse Shatzy.

Così uscirono, tutt'e due, si poteva andare con il pullman, oppure a piedi, Facciamo un pezzo a piedi poi magari prendiamo il pullman. Okay, ma copriti.

– Cos'hai detto?

– Non so, Gould, cos'ho detto?

– Copriti.

– Ma va'.

– Giuro.

– Te lo sei sognato.

– Hai detto copriti, come se fossi mia madre.

– Dài, andiamo.

– L'avevi detto.

– Finiscila.

– Giuro.

– E copriti.

La strada era un po' in discesa, e c'erano per terra tutte le foglie cadute dagli alberi, perciò Gould camminava strascicando i piedi, come se avesse due talpe al posto delle scarpe, talpe che scavavano tunnel tra le foglie, facendo un rumore da sigaro che si accende, ma moltiplicato per mille. Rumore giallo, e rosso.

– Mio padre fuma il sigaro.

– Davvero?

– Gli piaceresti.

– Io *gli piaccio*, Gould.

– Come lo sai?

– Si capisce, dalla voce.

– Veramente?

– Si capiscono un sacco di cose, dalla voce.

– Ad esempio?

– Ad esempio, se senti uno con una voce bella, ma molto bella, una bella voce da uomo, no?

– Eh.

– Allora puoi giurarci, è brutto.

– Brutto.

– Peggio che brutto, molto brutto, tutto unto, che so, è alto così, o ha le mani grassocce, che gli sudano sempre, sempre un po' umide, hai presente?

– Boh.

– Come boh?

– Non so, non mi piace stringere le mani, non ho una grande esperienza in fatto di mani.

– Non ti piace stringere le mani.

– No. È idiota.

– Ah sì?

– Gli adulti hanno sempre mani troppo grandi, non ha senso che le facciano stringere proprio *a me*, è idiota anche solo pensare di farlo, non può uscirne altro che un pasticcio.

– Una volta ho visto alla tivù che consegnavano i Premi Nobel. Be', uno saliva, tutto vestito elegante, e poi non faceva che stringere mani, dall'inizio alla fine.

– Quella è un'altra storia.

– Quella è una storia che mi interessa. Raccontamela, Gould.

– In che senso?

– Il Nobel.

– E allora?

– Com'è che hanno deciso di fartelo vincere?

– Non hanno *deciso* di farmelo vincere.

– L'hai vinto, e basta?

– Non danno il Premio Nobel ai bambini.

– Potrebbero fare un'eccezione.

– Smettila.

– Okay.

– ...

– ...

– ...

– Va be', e allora com'è andata, Gould?

– Niente, è una sciocchezza, così, credo che sia un modo di dire.

– Strano modo di dire.

– Non ti piace, eh?

– Non è che non mi piaccia.

– Non ti piace.

– Lo trovo un po' strano, ecco. Come fai a dire a un bambino che lui vincerà il Nobel, può essere intelligente e tutto quello che vuoi, ma non puoi saperlo, magari lui non è *così* intelligente, magari *non vuole* vincere il Nobel, e comunque, anche se fosse, perché dirglielo?, è meglio lasciarlo in pace, lui fa quello che deve fare e poi una mattina si sveglierà e gli diranno l'hai sentita la notizia?, hai vinto il Nobel, fine.

– Guarda che nessuno mi ha detto...

– È come dire a uno quando morirà.

– ...

– ...

– ...

– Era solo un esempio, Gould.

– ...

– E dài, Gould, era solo un esempio... Gould, guardami.

– Che c'è?

– Era solo un esempio.

– Va bene.

Gould si fermò, e si voltò indietro. C'erano le due strisce scavate dai piedi in mezzo alle foglie, belle lunghe, fino a lontano. Potevi immaginare che qualcuno, magari ore dopo, ci avrebbe camminato mettendo i piedi nelle due corsie, lentamente, divertendosi a tenerli sempre nelle due corsie. Gould fece un salto di fianco e si allontanò camminando piano, cercando di non lasciare tracce. Guardò indietro le due strisce che si interrompevano, di colpo. *Le avventure dell'uomo invisibile*, pensò.

– Il pullman, Gould. Lo prendiamo?

– Sì.

Faceva tutto il viale e poi girava nel corso dove la strada risaliva, costeggiando il parco e passando davanti all'ospedale degli animali. Era un pullman rosso. A un certo punto arrivava alla scuola.

– Ehi, è bella –, disse Shatzy.

– Sì.

– È veramente bella, non l'avrei mai detto.

– Da qui non si vede, ma continua dietro, ci sono tutti i campi sportivi e poi va avanti ancora, per un sacco di tempo.

– Bella.

Se ne stettero lì, uno di fianco all'altra, a guardare. C'erano ragazzi che entravano e uscivano, e un grande prato, prima della scalinata, con dei sentierini e un paio di alberi enormi, un po' storti.

– Sai il campo, sotto casa, dove giocano a pallone? –, disse Gould.

– Sì.

– Ci sono quei ragazzini, che giocano a pallone.

– Sì.

– La cosa strana è che anche quando non c'è nessun pallone, in giro, loro ci giocano. Ogni tanto li vedi che tirano, nell'aria, o fanno finta di palleggiare. Magari ci danno di testa, ma non c'è nessun pallone, stanno solo corricchiando mentre aspettano che arrivi l'allenatore, o inizi la partita. Delle volte non sono nemmeno vestiti da calcio, hanno ancora la borsa in mano, e il cappotto addosso, ma intanto passano all'ala, o dribblano una sedia, cose così.

– ...

– ...

– ...

– Per me è uguale.

– ...

– La scuola, voglio dire, per me è quella cosa lì.

– ...

– Anche se non c'è nessun libro aperto, o professore, o scuola, niente, io... è la stessa cosa... non smetto mai di... non smetto mai. Hai capito?

– Forse.

– È una cosa che mi piace. Non smetto mai di pensarci.

– Buffo.

– Capisci?

– Sì.

– Non c'entra il Nobel, capisci?

Il bello è che neanche si guardavano, erano ancora lì, in piedi, con gli occhi a girovagare sulla scuola, il prato, gli alberi e tutto.

– Non parlavo sul serio, Gould.

– Veramente?

– Certo, dicevo così per dire, non mi devi stare ad ascoltare,
sono l'ultima persona che devi ascoltare se l'argomento è la scuo-
la. Credimi.
– Va bene.
– Non è il mio forte, la scuola, tutto qui.
– ...
– Scusa, Gould.
– Niente.
– Okay.
– Sono contento che ti piace.
– Cosa?
– Qui.
– Sì.
– È bello, qui.
– Sì. Però torna a casa, poi, okay?
– Certo che torno.
– Fa' così: torna.
– Sì.
– Okay.
Allora si guardarono. Prima no. Si guardarono un po'. Gould
aveva un cappello di lana, un po' storto, che un orecchio era
sotto il cappello e l'altro no. A vederlo così bisognava avere un
occhio della madonna per capire che era un genio. Shatzy gli
tirò giù il cappello sull'orecchio scoperto. Ciao, disse. Gould
attraversò il cancello e iniziò a risalire il viale centrale, in mezzo
al grande prato, senza mai voltarsi. Sembrava piccolissimo, in
mezzo a tutta quella scuola, e Shatzy pensò che non aveva mai
visto, in tutta la sua vita, qualcosa di più piccolo di quel ragazzino e la sua cartella, che risalivano il viale diventando, a ogni
passo, più piccoli. Pensò che era uno scandalo permettere a un
bambino di essere così solo, e che minimo minimo avrebbero
dovuto mettergli alle calcagna un drappello di ussari, o qualcosa del genere, per scortarlo lungo quel viale e poi dentro, nelle

aule, una ventina di ussari, anche qualcuno di più. Ma così, era tremendo.

– Così è tremendo –, disse a due ragazzotti che stavano uscendo, con i libri sotto il braccio e certe scarpe che sembravano scarpe a fumetti.

– Qualcosa che non va?

– C'è tutto che non va.

– Ah sì?

I ragazzotti sghignazzavano.

– Lo conoscete uno che si chiama Gould?

– Gould?

– Sì, Gould.

– Il ragazzino?

Sghignazzavano.

– Sì, il ragazzino.

– Certo che lo conosciamo.

– Cosa c'è da sghignazzare?

– Il signor Nobel, chi non lo conosce?

– Cosa c'è da sghignazzare?

– Ehi, sta' calma, sorella.

– Allora, lo conoscete o no?

– Sì che lo conosciamo.

– Siete suoi compagni?

– Chi, noi?

– Voi.

Sghignazzavano.

– Quello non è compagno di nessuno.

– Cosa vuol dire?

– Non è compagno di nessuno, ecco cosa vuol dire.

– Non viene a scuola con voi?

– Lui ci vive, a scuola.

– E allora?

– E allora niente.

– Andrà a lezione come tutti gli altri, no?
– Ma che ti frega a te?, cosa sei, una giornalista?
– Non sono una giornalista.
– È la sua mammina.
Sghignazzavano.
– Non sono la sua mammina. Lui ce l'ha una mamma.
– E chi è, Marie Curie?
– Fottiti.
– Ehi, sorella, prendila calma.
– Prendila calma tu.
– Tu sei fuori di testa.
– Fottiti.
– Ehi.
– Lasciala stare, è matta quella.
– Ma che cazzo vuole...
– Dài, lascia perdere...
– È matta.
– Vieni via, dài.
Non sghignazzavano più.
– NON FARETE TANTO I FURBI QUANDO ARRIVERANNO GLI USSA-
RI –, gli gridò dietro Shatzy.
– Ma senti quella.
– Lascia perdere, dài.
– LI APPENDONO PER LE PALLE, QUELLI COME VOI, E POI CI FAN-
NO IL TIRO A SEGNO.
– È matta.
– Incredibile.
Shatzy tornò a voltarsi verso la scuola. Vi appendono per le
palle, mormorò piano. Poi tirò su col naso. Faceva un freddo
niente male. Guardò il grande prato, e gli alberi un po' storti. Li
aveva già visti, degli alberi così, ma non si ricordava più dove. Da-
vanti a qualche museo, forse. Faceva un freddo niente male. Tirò
fuori i guanti e se li mise. Porco mondo, pensò. Guardò l'ora.

C'erano ragazzi che uscivano e ragazzi che entravano. La scuola era bianca. Il prato era ingiallito. Porco mondo, pensò.

Poi si mise a correre.

Imboccò il viale e lo fece tutto di corsa, fino alla scalinata, salì due gradini per volta ed entrò nella scuola. Si fece tutto un lungo corridoio, poi salì al secondo piano, entrò in una specie di mensa, uscì dall'altra parte, ridiscese di un piano, aprì tutte le porte che trovò, finì di nuovo fuori dalla scuola, attraversò un campo sportivo e un giardino, entrò in un edificio giallo, a tre piani, salì la scala, guardò in biblioteca e nei gabinetti, entrò negli uffici, prese un ascensore, seguì una freccia che diceva FONDAZIONE GRABENHAUER, tornò indietro, infilò un corridoio dipinto di verde, aprì la prima porta, guardò dentro l'aula, vide un signore in piedi dietro alla cattedra e nei banchi nessuno, tranne un ragazzino, seduto in terza fila, con una lattina di Coca in mano.

– Shatzy.

– Ciao Gould.

– Che ci fai qui?

– Niente, volevo solo sapere se andava tutto bene.

– Va tutto bene, Shatzy.

– Tutto a posto?

– Sì.

– Bene. Come si fa a uscire da qui?

– Scendi giù e poi segui le frecce.

– Le frecce.

– Sì.

– Okay.

– Ci vediamo.

– Ci vediamo.

Nell'aula rimasero Gould e il professore.

– È la mia nuova governante –, disse Gould. – Si chiama Shatzy Shell.

– Carina –, osservò il professore, che stando ai fatti si chiamava Martens. Poi riprese la sua lezione, che stando ai fatti era la sua lezione numero 14.

– E in effetti appare questo il cuore di tale singolare esperienza, per quanto solo parzialmente sondabile, e oscuro – articolò il prof. Martens nella lezione n. 14. – Si prenda l'esempio di un passante che ordinatamente sintonizzando il suo agire a un previo progetto, messo a punto nel mattino, passeggi con una precisa meta sulla corsia ben delimitata e non equivocabile di una strada cittadina. E si supponga che di colpo egli si trovi ad incontrare la trascurabile presenza, sul selciato, di un tacco a spillo nero, non previsto, né, d'altra parte, prevedibile.

E ne rimanga come stregato.

Lui solo, si badi bene, e non gli altri mille umani che, in analoghe disposizioni d'animo e comportamentali, hanno visto il tacco a spillo nero, ma con preciso automatismo l'hanno relegato nell'utile corsia marginale di oggetti curiosi sostanzialmente non atti a penetrare nel sistema dell'attenzione, come da pragmatica impostazione dello stesso. Mentre invece, il nostro uomo, soggetto d'improvviso ad accecante epifania, blocca il suo cammino, spirituale e no, perché irrimediabilmente sottratto a se stesso da un'immagine che risuona come un richiamo impossibile da eludere, quasi un canto capace all'apparenza di riverberare all'infinito.

Questo è strano – articolò il prof. Martens nella lezione n. 14.

Quando, nell'orda di materiale che la percezione si incarica di transitare dall'esperienza a noi, un particolare, e solo quello, sguscia dal magma del tutto, e sfuggendo a qualsiasi controllo arriva a *ferire* la superficie della nostra automatica non attenzione. Di solito non c'è ragione perché istanti come quelli accadano, e tuttavia accadono, accendendo repentinamente in noi un'emozione inusuale. Sono come promesse. Come bagliori di promesse.

Promettono mondi.

Si direbbe – articolò il prof. Martens nella lezione n. 14 – che certe epifanie di oggetti sfuggiti all'equivalenza insignificanza del reale siano minuscole feritoie attraverso cui è dato intuire – forse raggiungere – la pienezza di mondi. Di mondi. Nella nullità di un tacco a spillo perso per strada, filtra luce di donna, la luce di donna, di un mondo – disarticolò il prof. Martens nella lezione n. 14 – tanto che c'è da chiedersi, in fine, se proprio quella / forse è quella la porta unica per l'autenticità dei mondi

non c'è in nessuna donna tutta la donna che c'è in un tacco a spillo perso per strada / lì c'è a portata di mano qualcosa che assomiglia / qualcosa che è il nocciolo ultimo della immane collettiva esperienza e storia giacente sotto il nome di donna / diciamo la sua verità cangiante / più precisamente ciò che nel reale corrisponde a quanto nel nostro orizzonte percettivo accade in quanto emozione e sensazione riportabile all'espressione linguistica *donna*

non c'è in nessuna donna tutta la donna che c'è in un tacco a spillo perso per strada: e se questo è vero l'autenticità sarebbe allora una metropoli sotterranea percepibile per il bagliore di feritoie minuscole che la annunciano, oggetti-luminescenze intagliati nella superficie blindata del reale, fiammate che sono annunciazione e scorciatoia, segnale e porta, angeli – disarticolò il prof. Martens nella sua lezione n. 14. Aggiungendo: e non mi si venga a parlare della *madeleine* di Proust. Ci si è *accasati*, in quell'immagine oscenamente domestica, borghese, tinellica / si è neutralizzato in essa il bruciore delle feritoie vere, ridotte a fenomeni in sé insignificanti di memoria involontaria e chissà perché, in quanto involontaria, rivelatrice / distesi sul lettino del dottore abbiamo svenduto i bagliori epifanici del sottosuolo come rigurgiti deprimenti di personali e individuali subconsci / li abbiamo consegnati a una cura consolatoria, come se fossero calcoli renali, da drenare e pisciare via nella minzione dei ricordi, i ricordi / la memoria / diuresi dell'anima / imperdonabile vigliaccheria / come se – disarticolò il prof. Martens nella sua lezione n. 14, scendendo dalla cattedra e avvicinandosi a Gould –

come se
l'uomo che rimane stregato dal tacco a spillo, nero, fosse in quel
momento, se stesso: e avesse una *sua* biografia, e una *sua* memoria.
Questa è la menzogna. Gli occhi che vedono i bagliori sono termi-
nali irripetibili di mondo. Sono combinazioni di cose accadute, oggettive costellazioni di eventualità confluite in un solo attimo nello
stesso luogo. Non c'è niente di soggettivo. Ogni bagliore è un acca-
dimento di oggettività. È l'autentico che sfregia il reale
                                                        pensa che oc-
chi, capaci di essere solo reali, e basta, occhi senzastoria
                                                        dopo, so-
lo dopo, allora è storia
                    ascolta, dopo, solo dopo, allora è storia
                                                        nella
ambizione di rendere eterno quel bagliore lo si converte a storia,
per quel che si può
                    pensa alla mente che può farlo
                                                quanta leggerez-
za, e forza, per tenere sospeso un bagliore per tutto il tempo necessario a vederlo sciogliersi in storia
                                    quello sarebbe coniare sto-
rie, *quello* bisognerebbe saper fare, rimanendo in ascolto tutto il
tempo necessario, aspettando la radura nascosta nella lama del
bagliore, accogliendone il passo e le misure, il respiro, l'andatura, camminando i suoi sentieri, respirandone i tempi, fino ad avere, in mano, nella voce, quell'istante spalancato in luogo, e *addol-
cito* nella linea curva di una storia, nella linea retta di una storia
affilato
            puoi immaginare gesto più bello? – disarticolò il prof.
Martens nella lezione n. 14.
    Il prof. Martens era il docente di Gould per la materia mecca-
nica quantistica. Aveva la mania delle bici, dalle quali, peraltro,
cadeva di frequente a causa di una labirintite curata male. Un suo
avo aveva combattuto nella battaglia di Charlottenburg, e lui ne
aveva le prove. Diceva.

7.

Un'altra bella scena era quella del menu. Dentro il saloon. Non il menu. La scena. Era dentro al saloon.

Dove ballava tutto un gran putiferio di cose, voci, rumori, colori, ma non dimenticare – diceva Shatzy – la puzza. Quella è importante. Devi tenere bene in mente la puzza. Sudore, alcool, cavallo, denti cariati, piscio e dopobarba. Hai in mente? Finché non giuravi di avere in mente non continuava.

All'inizio era tutta una cosa fra Carver, il tipo del saloon, e lo straniero, quello delle sorelle Dolphin. Carver parlava sempre asciugando dei bicchieri. Nessuno l'aveva mai visto lavarne uno.

– Sei tu lo straniero?

– Cos'è, una nuova marca di whiskey?

– È una domanda.

– Ne ho sentite di più originali.

– Quelle buone le teniamo da parte per i clienti coi soldi.

Lo straniero posa sul bancone una moneta d'oro e dice:

– Sentiamo.

– Whiskey, señor?

– Doppio.

Shatzy diceva che c'era ancora qualcosa da registrare, ma in sostanza era quasi perfetto. Il dialogo, intendeva.

– Prendete sempre a fucilate quelli che arrivano in paese?

– Sorelle Dolphin, eh?

– Due signore. Gemelle.

– Loro.

– Bella coppia.

– Mai visto nessuno usare il fucile come loro –, dice Carver e inizia ad asciugare un altro bicchiere.

– Nel senso?

– Non l'hai ancora sentita la storia del fante di cuori?

– No.

– Sono famose, per quella storia. Funziona così. Loro si mettono a quaranta passi da te, tu tiri in aria un mazzo di carte, loro sparano, tu raccogli le carte per terra, e alla fine ti ritrovi in mano cinquantun carte normali e una con due fori in mezzo.

– Il fante di cuori.

– Già.

– Tutte le volte il fante di cuori?

– Gli piace quella carta. Ci dev'essere una storia dietro.

– E quando si può vedere, il numero?

– Non si può vedere. L'ultima volta è stato due anni fa e c'è scappato il morto. Fine delle repliche.

– L'hanno fatto secco loro?

– Era uno che veniva da fuori, un idiota. Gli avevano raccontato la storia del fante di cuori e lui non voleva crederci, diceva che quelle due vecchie zitelle non avrebbero beccato una carta da gioco neanche se l'arrotolavi e gliela infilavi nella canna del fucile. Continuò a dirlo per giorni, lo faceva ridere da matti, quella storia di arrotolare la carta e tutto. Alla fine le sorelle Dolphin decisero che si erano stufate. Non era tanto per quella storia della carta, era la faccenda delle zitelle che le faceva andare in bestia, qui tutti sanno che è meglio evitare l'argomento, e invece quello non la smetteva più, le vecchie zitelle qui, le vecchie zitelle là. Le fece impazzire. Un altro whiskey?

– Prima la storia.

– Finì che lui scommise mille dollari che non ce l'avrebbero mai fatta, le due zitelle. Sembrava sicuro di sé. Loro arrivarono, coi loro fucili. C'era tutto il paese, a guardare. L'idiota sghignazzava tutto tranquillo, contò i quaranta passi, prese il mazzo di carte e lo tirò in aria. Finì steso per terra che le carte erano ancora per aria, a cadere come foglie morte: due colpi dritti al cuore. Stecchito. Le sorelle Dolphin si voltarono e senza dire una parola se ne tornarono a casa.

– Bingo.

– Ce ne stavamo tutti lì, di sasso, che non sapevamo nemmeno dove guardare. Un silenzio della madonna. Si mosse solo lo sceriffo: si avvicinò al cadavere, lo rivoltò sulla schiena, se ne stette un po' a guardarlo, sembrava cercasse qualcosa. Poi si girò verso di noi: scuoteva la testa e sorrideva.

Carver smise di asciugare il bicchiere. Sorrideva anche lui.

– L'idiota aveva fatto il furbo. Il fante di cuori l'aveva tolto dal mazzo e l'aveva nascosto. Indovina dove.

– Taschino del gilè.

– Giusto sopra il cuore. Me la ricordo ancora, quella carta. Tutta sporca di sangue. E in mezzo: due fori così, sembravano una firma.

– Whiskey, Carver.

– Sì, señor.

Al processo – diceva Shatzy – il giudice aveva cercato nei suoi libri qualcosa che permettesse di uccidere un baro disarmato senza finire sulla forca. Non la trovò. Allora disse Vaffanculo, assolte. Prese da parte lo sceriffo e gli disse qualcosa, solo a lui. Poi andò a ubriacarsi, selvaggiamente.

– Carver?

– Sì, señor.

– Perché sono vivo?

– Questo è un saloon, la chiesa è più giù, dall'altra parte della strada.

– Perché le sorelle Dolphin mi hanno sparato e io sono qui a bere whiskey?

– Cartucce a salve. Le sorelle non lo sanno, gliele confeziona Truman, Morgan rosse calibro 44-40, un lavoro ben fatto, sputate quelle vere. Ma sono a salve. Ordini dello sceriffo.

– E loro non lo sanno?

Carver solleva le spalle. Lo straniero vuota il bicchiere. C'è odore di sudore, alcool, cavallo, denti cariati, piscio e dopobarba.

Se chiedevi a Shatzy cosa cavolo c'entrava il menu, lei ti diceva c'entra, c'entra. Calma, è solo l'inizio.

8.

Dato che il bagno era proprio in cima alle scale, quando Shatzy salì al piano di sopra per andare a dormire, passò davanti al bagno. Dentro c'era Gould. E quel che si sentiva da fuori era la sua voce. La sua voce che faceva delle voci.

– Non siamo al tuo college del cazzo, lo sai Larry?... Guardami, e respira... andiamo, respira... E VACCI PIANO CON QUELLA ROBA, CRISTO!

– Ha il sopracciglio a pezzi, Maestro.

– Vacci piano lo stesso, per la miseria... ascolta Larry, mi ascolti?

– Sì.

– Se non la smetti di fare il signorino quello ti fa tornare a casa con la faccia di un altro.

– Sì.

– Ti piacerebbe la faccia di un altro?

– No.

– Respira... così, signorino del cazzo...

– Non sono un...

– LO SEI, MERDOSISSIMO SIGNORINO DEL CAZZO, respira... dàgli dell'acqua... L'ACQUA... ascoltami, mi ascolti?, non lo freghi quello se lo stai ad aspettare, capito?

– ...

– Accorcia, Larry, devi entrargli dentro e stare sui suoi pugni, li devi cercare quei pugni, hai capito, smettila di scappare, non sei qui per venire bene nelle fotografie, cerca i suoi pugni, PIANTALA CON QUELL'ACQUA, quando senti i suoi pugni allora sei alla

66

distanza giusta, è lì che devi lavorare, sinistro al fegato e mon-
tante, quello ha una guardia che ci entrerebbe un frigorifero,
LARRY!
– Sì.
– Va' sui suoi pugni e poi colpisci. Ripeti.
– La mano... mi fa male la mano.
– RIPETI, PER DIO!
– Va' sui suoi pugni...
– Va' sui suoi pugni Larry.
DONG!
– Vaffanculo Larry!
– ... 'culo.
Terza ripresa qui sul ring del Toyota Master Building, Larry Gor-
man e León Sobilo, sulla distanza delle otto riprese, Gorman appa-
re già segnato sul volto, Sobilo sempre a centro ring... nella sua ca-
ratteristica positura, non elegantissima ma efficace... un grande
combattente, si ricorderà il suo incontro con Harder... dodici ripre-
se feroci... jab sinistro di Sobilo, ancora un jab... Gorman pedala al-
l'indietro, Gorman alle corde, poi scivola via con eleganza...
*COS'ERA QUELLO, LARRY? NON STAI BALLANDO IL TANGO, PER
DIO*
Sobilo non lo molla, ancora con il jab, e ancora... gancio de-
stro, DOPPIA CON IL SINISTRO, GORMAN VACILLA... CERCA L'ANGO-
LO, TUTTI IN PIEDI... Sobilo in forcing, Gorman è rannicchiato al-
l'angolo...
ADESSO, LARRY!
MONTANTE DI GORMAN, GANCIO DESTRO, SINISTRO AL CORPO,
SOBILO SEMBRA TOCCATO DURO, INDIETREGGIA VERSO CENTRO
RING
CHIUDI LARRY, CAZZO, ADESSO...
Gorman lo incalza... tiene le braccia distese lungo il corpo,
davvero uno strano spettacolo amici ascoltatori... Sobilo si fer-
ma... Gorman oscilla sul busto, ha sempre la guardia abbassa-

ta... jab di Sobilo, Gorman schiva, ED ENTRA NELLA GUARDIA DI SOBILO,
DESTRO
DIRETTO DESTRO...
SINISTRO
GANCIO SINISTRO...
E DESTRO
GANCIO DESTRO, SOBILO AL TAPPETO, AL TAPPETO, SOBILO AL TAPPETO, UNA COMBINAZIONE MICIDIALE, SOBILO AL TAPPETO, NON SEMBRA AVERE LE FORZE PER RIALZARSI... DESTRO SINISTRO DESTRO A VELOCITÀ VERTIGINOSA... SOBILO PROVA AD ALZARSI... SI ALZA, SOBILO IN PIEDI, IL CONTEGGIO È FINITO, SOBILO IN PIEDI, MA È FINITA, È FINITA, L'ARBITRO INTERROMPE L'INCONTRO, È FINITA, A UN MINUTO E SEDICI SECONDI DELLA TERZA RIPRESA, K.O. TECNICO, AMICI ASCOLTATORI, È BASTATO UN LAMPO DI CLASSE A LARRY GORMAN PER PORTARSI VIA LA VITTORIA, QUI, AL TOYOTA MASTER BUILDING...
– Dove cazzo l'hai imparato quel passo di tango?
– Al college, Maestro.
– Non dire stronzate.
– Se vuole glielo insegno.
– Mettiti questo addosso, dài.
– Che faccia ho?
– La tua.
– Okay.
Rumore di sciacquone. Poi di rubinetto, e spazzolino da denti. Poi più niente. La porta si aprì e Gould era in pigiama. Shatzy lo guardò, immobile.
– E quello cosa sarebbe?
– Quello cosa?
– Quella televisione.
– È una radio.
– Ah.

– Brutta rogna, quel Sobilo.

– Italiano?

– Argentino. Un combattente. Brutto da vedere, ma una rogna. Mai finito al tappeto, prima.

– Gould?

– Sì.

– Perché in bagno non ti fai semplicemente le pippe, come tutti i ragazzini?

– Me le faccio a letto, è più comodo.

– Giusto.

– 'notte.

– 'notte.

9.

Il sabato Shatzy li invitò tutti fuori a cena, così loro il pomeriggio passarono da Wizwondk, il barbiere, a farsi tagliare i capelli. Era pieno di gente, c'era la coda fuori dalla porta. Il sabato tutti si tagliavano i capelli.

– Il sabato a casa mia tutti fanno il bagno –, disse Diesel.

Quello sdraiato e insaponato fin nelle narici continuava a scatarrarsi la gola, ma in quella posizione certo non poteva sputare, e quindi incamerava. C'era da morire a pensare quello che avrebbe scaracchiato, al momento buono. Pale a girare dal soffitto mulinando peli capelli vecchie pubblicità di brillantina e profumo di acqua di colonia. Muri gialli, specchi con Brigitte Bardot mai invecchiata nel cuore di Wizwondk, qualcuno dice di lui che era prete, a casa sua, poi una storia di bambine, qualcosa del genere, Wizwondk il barbiere: il giovedì tagliava capelli gratis, "lo so io perché, e non ve lo dirò mai". Poomerang se li faceva rapare a zero, Gould "li tagli meno che può, per favore". Diesel

non stava nelle sedie, così rimaneva in piedi, appoggiato al lavabo, e Wizwondk saliva su uno sgabello, saliva e scendeva, e tagliava, sfumatura alta, riga in centro. Per ora, comunque, tutti in
coda, nel caldo di fuori, ad aspettare.

– K.O. tecnico alla terza ripresa –, disse Gould.

– Merda –, disse Diesel, prese una banconota bisunta dalla tasca e la passò a Poomerang. – Mi vuoi spiegare com'è rimasto in
piedi per tutto quel tempo?

– Te l'avevo detto, quello era una rogna.

– Non bisogna fare fretta agli artisti, e Gorman è un artista –,
nondisse Poomerang, intascando.

– E Mondini cosa dice? –, disse Diesel.

– Mondini aveva una faccia così, non voleva spiccicare parola.
Dice che Larry fa il furbo, va là sopra e balla il tango.

– Baila baila.

Avanti un altro, disse Wizwondk.

Mondini era l'allenatore di Larry. Il Maestro, come dicono loro. Quello che l'aveva scoperto. Aveva capelli in testa duri e ricci
come paglietta per lavare i piatti. Aveva tutta una storia.

POOMERANG – Mondini faceva il lattoniere, senza capirci molto, ma lo faceva. Riparò la latrina di una palestra e si innamorò
della boxe. Al primo incontro finì al tappeto per sei volte. Tornato negli spogliatoi, si vestì, uscì e aspettò che comparisse quello
che l'aveva spianato. Aveva un nome russo, Kozalkev. Mondini
non stava in piedi dalle botte prese, ma lo seguì senza farsi vedere
fino a quando quello non entrò in un bar. Mondini entrò anche
lui. Ordinò una birra e andò a sedersi di fianco al russo. Aspettò
un po', poi gli disse: Insegnami. Kozalkev aveva combattuto cin-
quantatré volte, vendeva gli incontri, e ogni tanto si faceva dare
dei pivelli per raddrizzare un po' il suo record. Vaffanculo, rispose. Mondini, con grande calma, gli svuotò la birra sui pantaloni.
Si fecero una rissa a calci e bicchierate fino a quando non li presero di forza e li cacciarono in cella, giù al commissariato. Per

70

un'ora rimasero nella penombra, soli e silenziosi. Poi il russo disse: Prima cosa: la boxe la fai se hai fame. Non importa di cosa. Al mattino erano arrivati ai trucchi per colpire nelle reni senza farsi vedere dall'arbitro e protestando perché l'avversario si gira. Un pugno nelle reni è una cosa che ti fa male fin dentro agli occhi, per inciso.

DIESEL – Mondini diceva che per imparare a boxare basta una notte. E una vita intera per imparare a combattere. Lui smise a trentaquattro anni. Una carriera come tante, un solo incontro memorabile. Dodici riprese ad Atlantic City, con Barry "King" Moose. Finirono al tappeto quattro volte a testa. Sembrava dovessero ammazzarsi. L'ultima ripresa la passarono appoggiati l'uno all'altro, sfiniti, testa contro testa, con i pugni, sotto, a penzolare come batacchi scarichi: occuparono quegli ultimi tre minuti a insultarsi come bestie. Alla fine la diedero vinta a Moose, aveva degli agganci. Mondini cercò di dimenticare. Però una volta, che erano tutti davanti al televisore, e c'era qualcosa su un omicidio ad Atlantic City, qualcuno lo sentì mormorare: Bel posto, ci ho passato una settimana, una volta, una domenica sera.

– La diamo una ritoccatina a tutti questi capelli bianchi? –, disse Wizwondk. Il lunedì, giorno di chiusura, andava per cimiteri, pareva avesse parenti dappertutto. E la sera, a casa, suonava la chitarra. Gli altri aprivano le finestre, e ascoltavano.

POOMERANG – Mondini smise che aveva trentaquattro anni. L'ultimo incontro lo fece contro un nero di Filadelfia, anche lui agli sgoccioli. Quando lo vide salire sul ring, Mondini chiamò la moglie, che stava sempre in prima fila e le disse:

– Hai preso i soldi?
– Sì.
– Okay. Tutto su di me, ai punti.
– Ma...
– Non discutere. Su di me ai punti. E speriamo solo che quello ce la faccia a stare in piedi fino alla fine.

Mondini finì al tappeto alla seconda ripresa e poi di nuovo alla settima. Non combatteva male, ma non gli riusciva di veder partire quel maledetto gancio sinistro. Il nero lo staccava bene, non si vedeva che partiva. Gliene staccò uno alla decima, e lo mise giù secco. Mondini vide tutto mescolato per un po'. Poi vide sua moglie che lo guardava, chinata sul lettino degli spogliatoi. Allora azzardò un sorriso.

– Non preoccuparti. Ricominceremo.

– Già fatto –, gli rispose la moglie. – Ho puntato tutto sull'altro.

Fu con quei soldi che aprì la palestra. E divenne Mondini, quello vero. Il Maestro. Trovarne altri, di maestri come lui.

Il ragazzo seduto proprio sotto il calendario della Berbaluz (tinture e shampoo) iniziò a tremare come un dannato. Tremava tutto, ma forte. Scivolò giù dalla sedia e finì disteso per terra. Schiumava bava dalla bocca e digrignava i denti. A ogni respiro tirava fuori un sibilo che faceva paura. Wizwondk si fermò, con le forbici e il pettine in mano. Tutti guardavano, nessuno si muoveva. Il grassone che stava seduto proprio sulla sedia vicina disse

– Ma che gli prende a questo?

Nessuno rispose. Il ragazzo era proprio messo male, sbatteva braccia e gambe per terra, e la testa gli andava per conto suo, con gli occhi di traverso e quella bava che non la smetteva di imbrattargli la faccia.

– Che schifo, cazzo!

Il grassone si era alzato, guardava il ragazzo disteso davanti a lui e si passava le mani sulla giacca, come per pulirsele. Era impallidito, aveva la fronte lucida di sudore.

– E fatelo smettere, no? È un'indecenza!

Wizwondk non riusciva a muoversi. Qualcun altro si alzò ma nessuno osava avvicinarsi. Un vecchietto che era rimasto seduto mormorò qualcosa come

– Bisogna farlo respirare...

Wizwondk disse
– Il telefono...
Il ragazzo picchiava la testa per terra, non si lamentava, niente, solo quel sibilo micidiale...

DIESEL – Una bella palestra. Palestra Mondini. Proprio sopra la porta, tanto per evitare equivoci, c'era scritto, in rosso, LA BOXE LA FAI SE HAI FAME. Poi c'era una foto di Mondini giovane, che mostrava i pugni, e una di Rocky Marciano, autografata. C'era un ring azzurro, un po' più piccolo di quello regolamentare. E attrezzi dappertutto. Mondini apriva alle tre del pomeriggio. La prima cosa che faceva era attaccare l'orologio, quello che dava i round. C'era solo la lancetta dei secondi e ogni tre giri squillava e si fermava per un minuto. Mondini aveva una specie di riflesso condizionato. Quando l'orologio suonava sputava per terra e sorrideva: come se fosse uscito indenne da qualcosa. Viveva in un tempo suo, frazionato in round da tre minuti e pause da uno. Quando chiudeva la palestra, la sera tardi, l'ultima cosa che faceva, al buio, era staccare l'orologio. Poi se ne andava a casa, come una nave a cui avevano ammainato le vele.

POOMERANG – Portò un paio di pivelli fino al titolo nazionale, gente senza grande talento, ma lui li lavorava bene. Li massacrava di esercizi, poi, quando erano alla frutta, se li sedeva davanti e incominciava a parlare. Di tutto. E in mezzo alle altre cose, di boxe. Dopo mezz'ora quelli si alzavano e non avrebbero saputo ripetere nulla. Ma quando salivano sul ring azzurro, a fare i pugni, gli tornava tutto in mente, come tenere la guardia, come fintare il gancio, come girare intorno ai mancini. Appoggiato alle corde, Mondini li guardava in silenzio, senza perdere una mossa. Poi li mandava a casa senza dirgli una parola. Il giorno dopo, ricominciava. Gli allievi si fidavano di lui. Riusciva a tirare fuori il meglio da ciascuno di loro. Quando il meglio era prendersele di santa ragione ogni volta che salivano sul ring, Mondini li chiamava da parte, una sera come le altre, e gli diceva Ti riporto a casa, okay? Li caricava sulla sua berlina vecchia di vent'anni, e parlando di tutt'altro li portava a casa. Quando scendevano dalla macchina, scendevano anche dal ring. Lo sapevano. Qualcuno diceva: Mi spiace Maestro. Lui scrollava le spalle. E finiva lì. Andò avanti così per sedici anni. Poi arrivò Larry Gorman.

Il ragazzo incominciò a pisciarsi addosso. Gli si allagarono i pantaloni, e poi il piscio finì per scivolare sulle piastrelle del pavimento. Il grassone gli girava attorno, era fuori di sé:

– Vacca troia, è uno schifo... ma che cazzo, smettila bastardo, vuoi smetterla?

Più nessuno pensava di avvicinarsi, perché il ragazzo continuava a contorcersi, e il grassone metteva paura tanto era incazzato. Continuava a urlare.

– Finiscila bastardo, mi senti? finiscila, si è pisciato addosso questo piccolo bastardo, cazzo, si è pisciato addosso, come una bestia, porco cazzo...

Era in piedi davanti a lui, e d'improvviso gli tirò un calcio, nel fianco, poi si guardò la scarpa, un mocassino nero, per vedere se si era sporcato, e la cosa lo fece imbestialire definitivamente.

– Vacca troia, guarda che schifezza, non è possibile, è uno schifo, fatelo smettere!

Prese a colpirlo, dappertutto, a calci. Allora Wizwondk fece due passi avanti. Aveva in mano le forbici. Le teneva come un pugnale.

– Adesso basta signor Abner –, disse.

Il grassone non lo sentì nemmeno. Tirava calci come un matto contro il corpo del ragazzo. Urlava e colpiva, il ragazzo continuava a tremare, aveva la faccia coperta di bava e ogni tanto faceva uscire quel sibilo, ma più debole, lontano. La gente era impietrita. Wizwondk fece altri due passi avanti.

DIESEL – Larry Gorman aveva allora sedici anni. Un bel fisico, da medio massimo, una bella faccia, non da pugile, una bella famiglia, su ai quartieri alti. Entrò in palestra una sera che era già

74

tardi. E chiese di Mondini. Il Maestro stava appoggiato alle corde, a guardare due che facevano i pugni. Quello biondo scopriva
sempre il fianco destro. L'altro non c'aveva cuore. Il Maestro masticava amaro. Larry gli si avvicinò e disse: Salve, mi chiamo
Larry, e vorrei fare la boxe. Mondini si girò, lo guardò per bene,
poi gli indicò la scritta rossa sulla porta, e si rimise a seguire i due
che se le davano. Larry neanche si voltò. La scritta l'aveva già letta. LA BOXE LA FAI SE HAI FAME. In effetti non ho ancora fatto cena, disse. L'orologio squillò, i due smisero di darsele, Mondini
sputò per terra e disse Molto spiritoso. Vattene. Un altro se ne sarebbe andato. Ma Larry era diverso, lui non se ne andava mai. Si
sedette su una panchetta in un angolo, e non si mosse da lì. Mondini andò avanti ancora per due ore, poi la palestra iniziò a svuo-
tarsi, tutti prendevano la loro roba e se ne andavano. Rimasero
loro due. Mondini si mise il cappotto sulla tuta, spense la luce,
andò verso l'orologio e disse: Se arriva qualcuno, abbaia. Poi
staccò l'orologio, e se ne andò. Il giorno dopo, alle tre del pomeriggio, tornò in palestra, e Larry era lì. Sulla panchetta. Dammi
una sola buona ragione per cui dovrei allenarti, gli disse Mondini. Vedere che effetto fa allenare il prossimo campione del mondo, rispose Larry.

POOMERANG – In un certo senso, Mondini lo odiava. Però
passò un anno a ridisegnargli il fisico, a forza di esercizi massa-
cranti. Gli toglieva i soldi da dosso, come diceva lui. Larry lavorava senza discutere, e intanto guardava gli altri, e imparava. Un
allievo modello, non fosse stato per quella mania di non starsene
mai zitto. Parlava in continuazione. Commentava. Non potevano salire sul ring, che lui cominciava. Magari era lì a saltare la
corda, o anche per terra all'ottantesimo piegamento. Al primo
pugno, partiva a commentare. Diceva la sua. Correggeva, consi-
gliava, si incazzava. Lo faceva abbastanza a bassa voce, in genere, ma insomma era sfinente. Una sera, che era suppergiù un anno dal giorno in cui era arrivato, c'erano due sul ring, a fare i

pugni, e lui non la smetteva. Ce l'aveva che uno dei due, quello più basso, non sapeva nascondere i colpi. Ed era troppo lento di gambe. Cos'è, s'è cagato nelle scarpe?, diceva. Mondini fermò i due. Fece scendere quello basso, si voltò verso Larry e gli disse: Sali. Gli mise i guantoni, il casco protettivo e il paradenti. Larry non era mai salito sul ring e non aveva mai dato un pugno a qualcuno in vita sua. L'altro era un massimo leggero, con sei incontri alle spalle, tutti vinti. Una promessa. Guardò il Maestro perché non sapeva bene cosa fare. Mondini fece un cenno col capo che voleva dire dacci giù duro che se mai ti fermo io. Larry si mise in guardia. Quando incrociò lo sguardo dell'altro, sorrise e con il paradenti che gli traballava in bocca riuscì a dire: Paura?

Wizwondk era ormai davanti al grassone. Ma quello non sembrava nemmeno vederlo. Continuava a prendere a calci quel ragazzo e a urlare, aveva proprio perso la testa.

– Piccolo bastardo figlio di puttana, vattene a casa tua a fare 'ste schifezze, crepaci pure a casa tua, ma lasciami in pace, hai capito, questo è un posto civile, diteglielo che questo è un posto civile, che non può permettersi...

Si guardava intorno, il grassone. Cercava qualcuno che gli desse ragione, ma erano tutti impietriti, guardavano e rimanevano immobili, non uno che riuscisse a staccare gli occhi da lì, tutti immobili. Solo Wizwondk, con le sue forbici in mano, sembrava ancora vivo.

– Si tolga da lì, signor Abner –, disse, forte.

Allora il signor Abner, continuando a gridare, appoggiò un piede sulla faccia del ragazzo, proprio su tutta quella bava, e iniziò a schiacciare, come se dovesse spegnere una sigaretta enorme, e intanto si tirava su la gamba del pantalone, per non sporcarsi. Wizwondk fece un passo avanti e gli piantò le forbici nel fianco. Una volta, e poi un'altra, senza dire niente. Il grassone si voltò, era stupefatto, per stare in piedi dovette togliere il piede dalla faccia del ragazzo. Barcollava, e non gridava più, ma si avvicinò a Wizwondk e lo prese per il collo, stringeva con tutt'e due le mani, mentre il sangue gli colava dalla giacca e sui pantaloni. Wizwondk sollevò ancora le forbici e gliele piantò nel collo, e poi, quando il grassone traballò, nel petto. Le forbici si spezzarono. Il grassone aveva un fiotto di sangue che gli esplodeva ritmicamente dalla giugulare e schizzava per la stanza. Crollò a terra trascinandosi giù il tavolino delle riviste. Il ragazzo era ancora là, si sentiva il rumore della testa che batteva per terra, non aveva mai smesso, come un orologio impazzito, non gli stava fermo niente, del corpo. Solo il respiro, sembrava essersi fermato. Wizwondk lasciò cadere per terra il moncherino di forbici che gli era rimasto in mano. L'altro pezzo sbucava dal petto del signor Abner, e colava sangue.

DIESEL – Passarono i tre minuti, e l'orologio squillò. Mondini disse Basta così. Sfilò il casco a Larry e iniziò a slegargli i guantoni. Larry respirava affannosamente. Mondini gli disse Ti riporto a casa okay? Ci misero un po', sulla berlina vecchia di vent'anni, a raggiungere i quartieri dei ricchi. Si fermarono davanti a una villetta tutta finestre e lampioncini. Mondini spense il motore e si girò verso Larry.

– Tre minuti e non gli hai tirato un solo pugno.

– Tre minuti e non mi son preso neanche un pugno –, rispose Larry.

Mondini fissò gli occhi sul volante. Era vero. Larry aveva passato il round a muoversi sulle gambe con un'agilità impressionante, e a ballare in tutte le direzioni, come se avesse avuto le rotelle sotto i piedi. L'altro aveva buttato dentro tutti i pugni che conosceva, senza mai riuscire a beccarlo. Se n'era sceso dal ring incazzato come una bestia.

– Quella non è boxe, Larry.

– Non volevo fargli del male.

– Non dire cazzate.

– Davvero, non volevo fargli...

– Non dire cazzate.

Mondini buttò un'occhiata alla villetta. Sembrava un annuncio pubblicitario per vendere felicità.

– Perché diavolo vuoi fare la boxe?

– Non lo so.

– Che diavolo di risposta è?

– È quel che dice anche mio padre. Che diavolo di risposta è? Fa l'avvocato, lui.

– Si vede.

– Bella casa eh?

– Si vede dalla tua faccia.

Rimasero per un po' lì, in quel silenzio da ricchi. Larry giochicchiava col portacenere della macchina. Lo apriva e lo chiudeva. Mondini non giochicchiava con niente perché stava ripensando a quello che aveva visto sul ring: il più grande talento che mai gli fosse passato per le mani. Era ricco, figlio di un avvocato e senza uno schifo di buona ragione per fare la boxe.

– Ci vediamo domani –, disse Larry, aprendo la portiera.

Mondini scrollò le spalle.

– Vaffanculo Larry.

– 'culo –, rispose lui allegramente, e se ne andò a casa.

Rimase per sempre il loro modo di salutarsi. Anche durante gli incontri, all'angolo, quando suonava la campana, Larry si alzava, Mondini sfilava via lo sgabello e immancabilmente si salutavano così.

– Vaffanculo Larry.

– 'culo.

Poi Larry andava, e vinceva. Ne vinse dodici una in fila all'altra. Tredici, con Sobilo.

Wizwondk crollò in ginocchio. Il ragazzo continuava a contorcersi, per terra. A un metro da lui, il grassone schizzava sangue dappertutto, con gli occhi sbarrati e le mani, ogni tanto, a brancolare nell'aria. Intorno, gli altri si svegliarono dall'incantesimo. Qualcuno scappò via. In due andarono verso Wizwondk e lo rialzarono dicendogli qualcosa. Qualcuno prese il telefono e chiamò la polizia. Gould si ritrovò spinto davanti, a pochi passi da quei due corpi che sussultavano come pesci sul fondo di un secchiello da pescatore. Provò a tornare indietro, ma non ci riusciva. C'era improvvisamente un odore terribile. Si voltò e vide su uno specchio una foto in bianco e nero, con una squadra di calcio in posa, tutti sudati e sorridenti, con una grande coppa posata per terra, proprio in mezzo. Si fece largo a spintoni e si fermò proprio davanti alla foto, appoggiandosi al lavandino. Cercò di spegnere tutto quello che c'era intorno a lui e iniziò dall'ala destra: era in canottiera e mutande, ma aveva i calzettoni giù, i baffi da stupido e rideva con una malinconia bestiale. Il libero era l'unico non sudato, e il più alto: facile. Riconobbe il mediano di spinta nella faccia stravolta di un tracagnotto che stava ai bordi della foto e il centravanti nella faccia da attore di quello che stringeva un manico della coppa e guardava fisso nell'obbiettivo. Incominciò a stentare quando si mise alla ricerca dei terzini. Avevano tutti facce da terzini. Cercò di studiare le gambe, quando si vedevano. Ma c'era un gran casino intorno, gente che spingeva, qualcuno che urlava, non riusciva a concentrarsi. Si arrese un attimo prima di capire che quello in tuta, ma sudato, era il terzino sinistro, naturalmente espulso. Chiuse gli occhi. E iniziò a vomitare.

Wizwondk passò qualche anno in prigione. Quando capirono che era innocuo, gli permisero di farsi mandare la sua chitarra. Suonava tutte le sere, roba allegra. Dalle altre celle, gli altri lo ascoltavano.

10.

Bordi del campo, dietro la porta di destra. Stavano fermi lì, a guardare. Il prof. Taltomar con la sua cicca spenta tra le labbra. Gould con un cappello di lana in testa, e le mani in tasca.

Minuti e minuti.

Poi Gould, continuando a fissare il gioco, disse:

– Pazzesco temporale sul campo. Ventesimo del secondo tempo. Cross da sinistra, il centravanti della squadra ospite, in evidente fuorigioco, stoppa di petto, l'arbitro fischia ma il fischietto, pieno d'acqua, non funziona, il centravanti tira di collo pieno, l'arbitro fischia di nuovo ma il fischietto fa ancora cilecca, la palla si insacca nel sette, l'arbitro prova a fischiare con le dita ma si sbava nella mano e basta, il centravanti parte come un invasato verso la bandierina del corner, si toglie la maglia, si appoggia alla bandierina, accenna un passo di qualche stupida danza brasiliana e poi finisce incenerito da un fulmine che ha preso in pieno la suddetta bandierina.

Il prof. Taltomar prese tempo sfilandosi dalle labbra la sigaretta e scuotendo via una cenere immaginaria.

Il caso era, obbiettivamente, complesso.

Alla fine sputò per terra qualche briciola di tabacco e mormorò piano:

– Goal annullato per posizione irregolare. Centravanti ammonito per essersi tolto la maglia. Trasportate fuori dal campo le sue ceneri, la panchina può effettuare la necessaria sostituzione. Previa la sostituzione del fischietto arbitrale e l'installazione di una nuova bandierina del corner, si riprende il gioco con una punizione da battersi nel punto esatto dell'avvenuto fuorigioco. Nessuna sanzione per la squadra ospitante. Ci manca ancora che uno sia responsabile se il centravanti avversario ha una sfiga della madonna.

Silenzio.

Poi Gould disse
– Grazie, professore.
e se ne andò.
– Stai bene, figliolo –, mormorò il prof. Taltomar senza nean-
che girarsi.
La partita era inchiodata sullo zero a zero.
L'arbitro correva poco ma ci sapeva fare.
Faceva un freddo cane.
I bambini hanno bisogno di certezze.

11.

– Passami la signorina Shell.
    – Sì.
Gould passò la cornetta a Shatzy. Dall'altra parte del filo c'era
suo padre.
    – Pronto?
    – Signorina Shell?
    – Sono io.
    – Parente con quello della benzina?
    – No.
    – È un peccato.
    – Lo penso anch'io.
    – Alla domanda numero 31 lei ha risposto che fa un western.
    – Esatto.
    – Che il sogno della sua vita è fare un western.
    – Già.
    – Le sembra una buona risposta?
    – Non ne avevo altre.
    – ...
    – ...

– Ma cos'è?, un film?

– Prego?

– Questo western... cos'è, un film, un libro, un fumetto, cosa diavolo è?

– In che senso?

– Mi sente?

– Sì.

– Cos'è?, un film?

– Cos'è cosa?

– IL WESTERN, cos'è?

– È un western.

– ...

– ...

– Un western?

– Un western.

– ...

– ...

– Signorina Shell?

– Eccomi.

– Va tutto bene lì?

– A meraviglia.

– Gould è un ragazzino speciale, lo ha capito questo?

– Credo di sì.

– Voglio che non abbia pasticci intorno, mi spiego?

– Più o meno.

– Deve pensare a studiare, e poi tutto verrà da sé.

– Sì, generale.

– È un ragazzino forte, ce la farà.

– È probabile.

– La conosce la storia della mano di Joaquín Murieta?

– Prego?

– Joaquín Murieta. Era un bandito.

– Fantastico.

– Il terrore del Texas, passò anni a seminare il terrore nel Texas, un bandito feroce, ci sapeva fare, stese undici sceriffi in tre anni, aveva una taglia sulla testa che sembrava una collezione di zeri.

– Davvero?

– Alla fine per prenderlo dovettero mobilitare l'esercito. Ci misero un po', ma lo presero. E sa cosa fecero?

– No.

– Gli tagliarono una mano, la mano sinistra, quella con cui sparava. La misero in un sacco e la spedirono in giro per il Texas. Fece il giro di tutte le città. Lo sceriffo riceveva il pacco, esponeva la mano al saloon, poi la rimetteva nel sacco e la spediva alla città vicina. Era come un avvertimento, capisce?

– Sì.

– Così la gente capiva chi era il più forte.

– Già.

– Be', sa qual è la cosa curiosa della faccenda?

– No.

– C'è che a dirla tutta mandarono in giro quattro mani di Joaquín Murieta, per sveltire la pratica, quella vera e altre tre tagliate a qualche altro fottuto messicano, e un giorno sbagliarono i calcoli, in una città che si chiamava Martintown ne arrivarono due contemporaneamente, due mani di Joaquín Murieta, tutt'e due sinistre.

– Splendido.

– Sa cosa disse la gente?

– No.

– Neanch'io.

– Prego?

– Neanch'io.

– Ah.

– Una bella storia, no?

– Sì, è una bella storia.

– Pensavo che le potesse servire, per il suo western.

– Ci penserò su.

– L'ultima volta che sono passato da lì, dentro il frigorifero c'era un aeroplano di plastica giallo e l'elenco del telefono.

– Adesso è tutto a posto.

– Conto su di lei.

– Certo.

– Deve bere latte, quel ragazzo, gli prenda quello con le vitamine.

– Sì.

– E il calcio, ha bisogno di calcio, è sempre stato un po' giù di calcio.

– Sì.

– Poi un giorno le spiego.

– Cosa?

– Perché io sto qui e Gould sta lì. Non le sembrerà una grande idea, immagino.

– Non so.

– Sono sicuro che non le sembra una grande idea.

– Non so.

– Poi le spiegherò, vedrà.

– D'accordo.

– Era un problema, prima, con quella ragazza muta. Era una brava ragazza, ma non era semplicissimo spiegarsi.

– Immagino.

– Sono più tranquillo, con lei, signorina Shell.

– Bene.

– Lei parla.

– Già.

– È tremendamente più pratico.

– Sono d'accordo.

– Bene.

– Bene.

– Mi passa Gould?

– Sì.

Il padre di Gould telefonava ogni venerdì, alle sette e un quarto di sera.

12.

Bella la puttana di Closingtown, bella. Neri i capelli della puttana di Closingtown, neri. Decine di libri, nella sua stanza, al primo piano del saloon, li legge quando aspetta, storie con un inizio e una fine, se glielo chiedi te le racconterà. Giovane la puttana di Closingtown, giovane. Tenendoti tra le gambe ti sussurra: *amore*.

Diceva Shatzy che costava come quattro birre.

Sete di lei, nei pantaloni di tutta la città.

Volendosi attenere ai fatti, lei, laggiù, ci era arrivata per fare la maestra. Avevano la scuola ridotta a magazzino, da quando se n'era andata la signorina McGuy. Così a un certo punto era arrivata lei. Aveva messo tutto a posto, e i ragazzini avevano incominciato a comprare quaderni, matite e tutto. Secondo Shatzy ci sapeva fare. Faceva le cose semplici, e aveva libri che si potevano capire. Finì che ci presero gusto anche i ragazzini più grandi, ci andavano quando potevano, la maestra era bella, e alla fine riuscivi a leggere le frasi scritte sotto le facce dei banditi, quelle appese nell'ufficio dello sceriffo. Erano ragazzini che erano già uomini, quelli. Lei fece l'errore di rimanere con uno di loro, da sola, nella scuola deserta, una sera qualunque. Se lo strinse addosso, e ci fece l'amore con tutta la voglia del mondo. Dopo, quando la cosa si venne a sapere, gli uomini ci sarebbero anche passati sopra, ma le donne dissero che quella era una puttana, non una maestra.

Giusto, disse lei.

Chiuse la scuola e passò a lavorare dall'altra parte della strada, in una stanza al primo piano del saloon. Sottili le mani della puttana di Closingtown, sottili. Si chiamava Fanny.

Tutti l'amavano, ma solo uno l'amava, ed era Pat Cobhan. Lui restava di sotto, beveva birre, e aspettava. Quando tutto era finito, lei scendeva.

Ciao Fanny.

Ciao.

Andavano avanti e indietro, dall'inizio della città alla fine, tenendosi stretti, nel buio, e parlando di quel vento che non finiva mai.

Buona notte Fanny.

Buona notte.

Aveva diciassette anni, Pat Cobhan. Verdi gli occhi della puttana di Closingtown, verdi.

Se vuoi capire la loro storia – diceva Shatzy – devi sapere quanti colpi aveva una pistola, a quei tempi.

Sei.

Lei diceva che era un numero perfetto. Pensaci. E fallo suonare, quel ritmo. Sei colpi, uno due tre quattro cinque sei. Perfetto. Lo senti il silenzio, dopo? Quello sì è un silenzio. Uno due tre quattro. Cinque sei. Silenzio. È come un respiro. Ogni sei colpi è un respiro. Puoi respirare veloce, o piano, ma ogni respiro è perfetto. Uno due tre quattro cinque. Sei. Respira silenzio, adesso.

Quanti colpi c'erano, in una pistola?

Sei.

Allora ti raccontava quella storia.

Pat Cobhan ride, di sotto, con schiuma di birra nella barba e odore di cavallo nelle mani. C'è un violinista che suona, e ha un cane ammaestrato. La gente gli tira una moneta, il cane va a raccoglierla e poi torna dal padrone, camminando sulle zampe posteriori, e gli infila la moneta nella tasca. Il violinista è cieco. Pat Cobhan ride.

Fanny lavora, di sopra, con il figlio del pastore tra le gambe. *Amore*. Il figlio del pastore si chiama Young. Si è tenuto la camicia addosso, e ha i capelli neri inzuppati di sudore. Qualcosa come un terrore, negli occhi. Fanny gli dice Scopami Young, ma lui si irrigidisce e scivola via dalle cosce aperte – calze bianche con pizzi fino a sopra il ginocchio e poi più niente. Lui non sa dove guardare. Le prende una mano e se la preme sul sesso. Sì, Young, lei dice. Lo accarezza, Sei bello Young, dice. Si lecca il palmo della mano, guardandolo negli occhi, poi torna ad accarezzarlo, sfiorandolo appena. Dài, dice Young. Dài. Lei stringe nel palmo della mano il suo sesso. Lui chiude gli occhi e pensa non devo pensare. A niente. Lei guarda la propria mano, e poi il sudore sulla faccia di Young, sul petto, e di nuovo la propria mano che scivola sul suo sesso. Mi piace il tuo cazzo, Young, lo voglio, il tuo cazzo. Lui è disteso sul fianco, appoggiato su un braccio. Il braccio trema. Vieni Young, lei dice. Lui ha gli occhi chiusi. Vieni. Lui si gira sopra di lei, e spinge in mezzo alle cosce aperte. Così, Young, così, lei dice. Lui apre gli occhi. Qualcosa come un terrore, negli occhi. Lui fa una smorfia, e scivola via. Aspetta, Young, lei dice, tenendogli la testa fra le mani e baciandolo. Aspetta, lui dice.

Pat Cobhan ride, di sotto, e dà un'occhiata alla pendola, dietro al bancone. Chiede un'altra birra e gioca con una moneta d'argento, cercando di farla rimanere in bilico sul bordo del bicchiere vuoto.

Mi vuoi sposare, Fanny?

Non dire sciocchezze, Pat.

Lo dico sul serio.

Smettila.

Io ti piaccio, Fanny?

Sì.

Tu mi piaci, Fanny.

La moneta gli cade nel bicchiere, Pat Cobhan rovescia il bicchiere, cade la moneta, sul legno del bancone, e cola un resto di birra, liquido e schiuma. Lui prende la moneta e l'asciuga sui pantaloni. La guarda. Gli verrebbe da annusarla. La riposa sull'orlo del bicchiere. Dà un'occhiata alla pendola. Pensa: Young, bastardo, la vuoi finire? Dolce il profumo della puttana di Closingtown, dolce.

Fanny scivola con le labbra sul sesso di Young, lui la guarda e questo gli piace. Le mette una mano tra i capelli e se la spinge contro. Lei gli prende la mano e gliela allontana, continuando a baciarlo. Lui la guarda. Le rimette la mano nei capelli, lei si ferma, alza gli occhi verso di lui e gli dice Stai buono Young. Sta' zitta, lui dice, e con la mano le spinge la testa verso il suo sesso. Lei lo prende in bocca e chiude gli occhi. Scivola sempre più velocemente, avanti e indietro. Così, puttana, lui dice. Così. Lei apre gli occhi e vede la pelle lucida di sudore, sul ventre di Young. Vede i muscoli che si contraggono, a scatti, come in una specie di agonia. Dài, lui dice. Non smettere. Una specie di agonia. Lui la guarda. Gli piace. La guarda. Poi le appoggia le mani sulle spalle, la stringe forte e d'improvviso la spinge indietro, coricandosi su di lei. Fai piano Young, lei dice. Lui chiude gli occhi, e si muove contro di lei. Piano, Young. Lei cerca con una mano il suo sesso, lui gliela allontana. Spinge forte in mezzo alle cosce. Merda, dice. Merda. Ha i capelli attaccati alla fronte, bagnati di sudore. Merda. Scivola di nuovo via, di colpo. Lei gira la testa da una parte, alza gli occhi al cielo per un istante, e sospira. E lui la vede. La vede.

Pat Cobhan alza gli occhi e fissa la pendola, dietro al bancone. Poi guarda lo scalone che sale al primo piano. Poi guarda il bicchiere di birra, pieno, davanti a sé.

Ehi, Carver.

Pat?

Tienimela in fresco.

Te ne vai?

Torno.

Tutto bene, Pat?

È okay, sì, è okay.

Va bene.

Tienimela in fresco.

Rimane appoggiato al bancone. Si gira e getta uno sguardo alla porta del saloon. Sputa per terra, poi schiaccia il grumo di saliva con lo stivale, e guarda la polvere umida, per terra. Rialza la testa.

Sta' attento che non ci piscino dentro, capito?, e sorride.

Perché non vai a casa, Pat?

Vacci tu, Carver.

Dovresti andartene a casa.

Non dirmi quello che devo fare.

Carver scuote la testa. Pat Cobhan ridacchia. Solleva il bicchiere di birra e beve un sorso. Riposa il bicchiere, si gira, guarda lo scalone che porta al primo piano, guarda le lancette nere sul quadrante bianco ingiallito, bastardo, dice piano.

Young si è voltato, ha allungato una mano verso il cinturone appeso alla sedia, ha estratto dalla fondina la pistola e adesso la tiene stretta in pugno. Fa scivolare la canna sulla pelle di Fanny. Bianca la pelle della puttana di Closingtown, bianca. Lei fa per alzarsi. Sta' giù, lui dice. Le tiene premuta la canna della pistola sotto il mento. Non muoverti. Non urlare. Cosa diavolo fai, lei dice. Zitta. Fa scivolare la canna della pistola sulla pelle, sempre più giù. Le apre le gambe. Appoggia la pistola sul suo sesso. Ti prego Young, lei dice. Lui spinge lentamente la pistola. Poi la tira fuori e adagio la rinfila dentro. Ti piace?, dice. Lei inizia a tremare. Non era questo che volevi?, lui dice. Spinge in fondo la pistola. Lei inarca la schiena, appoggia una mano sulla guancia di Young, dolcemente. Ti prego, Young, dice. Ti prego. Lo guarda. Lui si ferma. Sta' calmo, lei dice. Sei un bravo ragazzo, Young, vero? Tu sei un bravo ragazzo. Le colano lacrime dagli occhi, le scendono sul viso dappertutto. Fatti baciare, mi piace baciarti, vieni qui Young, baciami. Parla piano, senza smettere di guardarlo. Resta con me, facciamo l'amore, vuoi? Sì, lui dice. E ricomincia a muovere la pistola, avanti e indietro. Facciamo l'amore, dice. Lei chiude gli occhi. Ha una smorfia di dolore che le sfigura il volto. Ti supplico, Young. Lui guarda la canna della pistola entrare e uscire dalla carne. Vede che è rigata di sangue. Solleva con il pollice il cane della pistola. Mi piace fare l'amore, dice.

'affanculo, dice Pat Cobhan. Si scosta dal bancone e si volta. Torno, dice. Passa accanto al tavolo dei fratelli Castorp, li saluta portando due dita a sfiorare la tesa del cappello. Nero.

In gamba, Pat?

Sì signore.

Vento bastardo, oggi.

Sì signore.

Non la smetterà mai.

Mio padre dice che si stancherà.

Tuo padre.

Dice che nessun cavallo può galoppare per sempre.

Il vento non è un cavallo.

Mio padre dice di sì.

Dice così?

Sì signore.

Digli che si faccia vedere, ogni tanto.

Sì signore.

Diglielo.

Sì signore.

Bravo.

Pat Cobhan saluta e va verso lo scalone. Guarda in cima e non vede niente. Sale qualche gradino. Pensa che vorrebbe avere una pistola. Suo padre non vuole che lui giri con una pistola. Così non ti metterai nei pasticci. Nessuno spara a un ragazzo disarmato. Si ferma. Getta uno sguardo alla pendola, giù, dietro al bancone. Non riesce a ricordarsi esattamente quanto tempo è passato. Cerca di ricordarsene, ma non riesce. Guarda il saloon da lassù e pensa che è come essere un uccello appollaiato su un ramo. Sarebbe bello aprire le ali, sfiorare la testa di tutti e andarsi a posare sul cappello del cieco che suona. Avrei penne lucide, nere, pensa mentre con la mano destra controlla nella tasca dei pantaloni la sagoma dura del suo coltello. Piccolo coltello, la lama piegata dentro l'anima di legno. Guarda davanti a sé e non vede niente. Una porta chiusa, senza rumori, niente. Sono solo uno stupido, pensa. Rimane fermo lì, abbassa lo sguardo, vede il suo stivale sul gradino. Polvere spessa sul cuoio consumato. Dà due colpi, col tacco, sul legno. Poi si china e con un dito si lucida la punta. In quell'istante sente da sopra arrivare il rumore secco di uno sparo, e un urlo breve. E capisce che tutto è finito. Poi sente un secondo colpo, e, uno dopo l'altro, il terzo e il quarto e il quinto. Rimane immobile. Aspetta. Ha uno strano ronzio in testa e tutto sembra lontano. Sente qualcuno che lo spintona, e gente che corre gridando su per lo scalone. Negli occhi ha la punta lucida del suo stivale. Aspetta. Ma non sente nulla. Allora si rialza, si volta e scende lentamente lo scalone. Attraversa il saloon, esce, sale a cavallo. Cavalca tutta la notte e all'alba arriva ad Abilene. Il giorno dopo riparte, verso nord, attraversa Bartleboro e Connox, costeggia il fiume fino a Contertown, e per giorni cavalca verso le montagne. Berbery, Tucson City, Pollak, fino a Full Creek, dove passa la ferrovia. Segue i binari per miglia e miglia. Quarzsite, Coltown, Oldbridge, e poi Rider, Rio Solo, Sullivan e Preston. Dopo ventidue giorni arriva in un posto chiamato Stonewall. Guarda la cima degli alberi e il volo degli uccelli. Scende da cavallo, prende un pugno di polvere e la fa scivolare piano tra le dita. Non c'è vento, qui, pensa. Vende il cavallo, compra una pistola. Cinturone, fondina e pistola. La sera va al saloon. Non parla con nessuno, rimane tutto il tempo seduto a bere e guardare. Li studia tutti, uno per uno. Poi sceglie un uomo che sta giocando, mani bianche e senza calli, speroni luccicanti. Una barba tagliata sottile, con cura e tempo.

Quell'uomo bara, dice.

Qualcosa che non va, ragazzo?

Non mi piacciono i bastardi, tutto qui.

Porta fuori la tua lingua di merda, e veloce.

Non mi piacciono i vigliacchi, tutto qui.

Ragazzo.

Non mi son mai piaciuti.

Facciamo una cosa.

Sentiamo.

Io non ho sentito niente, tu ti alzi, sparisci e per tutto il tempo che ti rimane ringrazi il cielo per com'è andata a finire.

Facciamone un'altra. Tu posi le carte, ti alzi e vai a barare da qualche altra parte.

L'uomo spinge indietro la sedia, si alza lentamente, si volta e rimane in piedi, con le braccia lungo i fianchi e le mani a sfiorare le pistole. Guarda il ragazzo.

Pat Cobhan sputa per terra. Si alza. Si guarda la punta degli stivali, come se stesse cercando qualcosa. Poi solleva gli occhi verso l'uomo.

Idiota, dice l'uomo.

Pat Cobhan impugna di scatto la pistola. Ma non estrae. Sente il sesto colpo, allora. Poi più niente, per sempre.

Silenzio.

Che silenzio.

Attaccata alla porta del frigo Shatzy teneva una poesia di Robert Curts. L'aveva copiata perché le piaceva. Non tutta, ma le piaceva verso la fine dove diceva: muoiono nello stesso respiro, gli amanti. Aveva anche un bel finale, ma la cosa migliore era quel verso. Muoiono nello stesso respiro, gli amanti.

E un'altra cosa. Shatzy canticchiava sempre una canzone, abbastanza stupida, che aveva imparato da bambina. Aveva un sacco di strofe. Il ritornello iniziava così: rossi i prati del nostro paradiso, rossi. Non era un granché, come canzone. Era così lunga che a cantarla tutta potevi creparci su. Veramente.

Young morì in cella, il giorno prima del processo. Suo padre andò a trovarlo, e gli sparò in faccia, a bruciapelo.

13.

Gould aveva ventisette professori. Quello che preferiva, comunque, era Mondrian Kilroy. Era un uomo di una cinquantina d'anni, con una strana faccia da irlandese (non era irlandese). Portava sempre ai piedi delle pantofole di panno grigio, così tutti pensavano che vivesse lì all'università, e qualcuno che fosse nato lì. Insegnava statistica.

Una volta Gould era entrato nell'aula 6, e seduto in un banco qualunque ci aveva trovato il prof. Mondrian Kilroy. La cosa strana era che stava piangendo. Gould si sedette qualche banco più in là, e aprì i suoi libri. Gli piaceva studiare nelle aule vuote. Di solito non ci trovava professori che piangevano. Mondrian Kilroy disse qualcosa piano, e Gould rimase un po' in silenzio poi rispose che non aveva capito. Allora Mondrian Kilroy parlò voltandosi verso di lui, e disse che stava piangendo. Gould vide che non aveva fazzoletti in mano, o cose del genere, e che aveva il dorso delle mani bagnato, e le lacrime che gli colavano fin dentro il colletto di una camicia blu. Vuole un fazzoletto?, chiese. No, grazie. Vuole che le porti qualcosa da bere? Meglio di no, grazie. Continuava a piangere, su questo non c'era dubbio.

Per quanto insolita, la cosa non era da considerarsi completamente illogica, dato l'indirizzo che da alcuni anni avevano preso gli studi del prof. Mondrian Kilroy, vale a dire la natura delle sue ricerche, le quali, da alcuni anni, si erano appuntate su una materia di studio piuttosto singolare, vale a dire: lui studiava gli oggetti curvi. Non si ha idea di quanti oggetti curvi esistano, e solo Mondrian Kilroy, seppur per approssimazione, ne sapeva stimare l'impatto sulla rete percettiva dell'uomo, e, in definitiva, sulla sua disposizione etico-sentimentale. In genere gli riusciva difficile focalizzare la questione in presenza dei colleghi, spesso propensi a giudicare simili ricerche "esageratamente laterali" (qualsiasi cosa volesse significare una simile espressione). Ma era sua convinzione che la presenza di superfici curve nell'indice dell'esistente fosse tutt'altro che accidentale, e anzi rappresentasse in qualche modo la via di fuga attraverso cui il reale sfuggiva al suo destino di struttura forte, ortogonalmente organizzata, e fatalmente bloccata. Era ciò che, in generale, "rimetteva in movimento il mondo", per usare i termini precisi dello stesso prof. Mondrian Kilroy.

Il senso di tutto ciò emergeva abbastanza chiaro – e comunque in forma indubitabilmente curiosa – dalle sue lezioni, e in alcune di esse in particolare, e con inusuale nitore in una, quella nota come lezione n. 11, dedicata, per la precisione, alle *Nymphéas* di Claude Monet. Com'è noto, le *Nymphéas* non sono propriamente un quadro, bensì un insieme di otto grandi decorazioni murali che, se accostate, darebbero l'impressionante risultato finale di una composizione lunga novanta metri e alta due. Monet vi lavorò per un numero imprecisato di anni, decidendo, nel 1918, di regalarle al suo Paese, la Francia, in omaggio alla vittoria nella prima guerra mondiale. Continuò a lavorarci fino alla fine dei suoi giorni, e morì, il 5 dicembre 1926, prima di poterle vedere esposte al pubblico. Curioso *tour de force*, esse ottennero dalla critica giudizi contraddittori, venendo di volta in volta descritte come capolavori profetici o decorazioni buone tutt'al più per ingentilire le pareti di una *brasserie*. Il pubblico continua ancor oggi a tributare loro un'incondizionata e rapita ammirazione.

Come amava sottolineare lo stesso prof. Mondrian Kilroy, le *Nymphéas* presentano un tratto clamorosamente paradossale –

sconcertante, lui amava dire – e cioè la deprecabile scelta del soggetto: per novanta metri di lunghezza e due di altezza, esse non fanno che immortalare uno stagno di ninfee. Qualche albero, di sfuggita, un po' di cielo, forse, ma sostanzialmente: acqua e ninfee. Sarebbe difficile trovare soggetto più insignificante, e in definitiva kitsch, né è facile comprendere come a una simile baggianata un genio possa pensare di dedicare anni di lavoro e decine di metri quadrati di colore. Un pomeriggio e il dorso di una teiera sarebbero stati più che sufficienti. E tuttavia, proprio in questa assurda mossa *inizia* la genialità delle *Nymphéas*. È così evidente – diceva il prof. Mondrian Kilroy – quel che Monet voleva fare: dipingere il niente.

Dovette essere per lui una tale ossessione, dipingere il niente, che, riletti a posteriori, tutti i suoi ultimi trent'anni di vita ne sembrano posseduti – come interamente assorbiti. E precisamente da quando, nel novembre del 1893, acquistò un ampio terreno adiacente alla sua proprietà di Giverny, e concepì l'idea di costruirvi un grande bacino per fiori acquatici – in altri termini, uno stagno pieno di ninfee. Progetto che potrebbe essere riduttivamente interpretato come il senile imporsi di un hobby estetizzante e che invece il prof. Mondrian Kilroy non esitava a definire come la consapevole, strategica prima mossa di un uomo che sapeva benissimo dove voleva arrivare. Per dipingere il niente, prima doveva trovarlo. Monet fece qualcosa di più: lo produsse. Non dovette sfuggirgli che la soluzione del problema non era ottenere il nulla saltando il reale (qualsiasi pittura astratta è in grado di fare una cosa del genere), ma piuttosto ottenere il nulla attraverso un processo di progressivo decadimento e dispersione del reale. Capì che il nulla che cercava era il tutto, sorpreso in un istante di momentanea assenza. Lo immaginava come una zona franca tra ciò che era e ciò che non era più. Non gli sfuggì che sarebbe stata una faccenda piuttosto lunga.

– Mi scuso, la prostata chiama –, era solito dire il prof. Mondrian Kilroy giunto a questo punto della sua lezione n. 11. Guadagnava il bagno e ne tornava pochi minuti dopo, visibilmente sollevato.

Riferiscono le cronache che Monet, in quei trent'anni, passò molto più tempo a lavorare nel suo parco che a dipingere: ingenuamente, scindono in due un gesto che in realtà era unico, e che lui compì con ossessiva determinazione ogni istante dei suoi ultimi trent'anni: *fare* le *Nymphéas*. Coltivarle o dipingerle erano solo nomi diversi per una stessa avventura. Possiamo immaginare che ciò che aveva in mente fosse: aspettare. Aveva avuto l'astuzia di scegliere, come punto di partenza, una frangia del mondo in cui il reale si dava con un elevato grado di evanescenza e monotonia, prossimo a un insignificante mutismo. Uno stagno di ninfee. Da lì, il problema era portare quella porzione di mondo a scaricare qualsiasi residua scoria di significato, arrivando a dissanguarla e svuotarla e dissiparla fino al punto da farle sfiorare la più completa scomparsa. Il suo deprecabile *esserci* sarebbe allora divenuto poco più che la presenza simultanea di assenze diverse, e svaporate. Per ottenere un simile, ambizioso, risultato, Monet si affidò a un trucco piuttosto banale, ma collaudato – un marchingegno la cui devastante efficacia è testimoniata da qualsiasi vita matrimoniale. Nulla può diventare così insignificante come qualsiasi cosa se ti ci svegli di fianco tutte le mattine della tua vita. Quello che fece Monet fu portarsi, in casa, la porzione di mondo che intendeva ridurre a nulla. Creò uno stagno di ninfee nel preciso punto in cui gli sarebbe stato impossibile evitare di vederlo. Solo un coglione – argomentava il prof. Mondrian Kilroy nella sua lezione n. 11 – potrebbe credere che imporsi una simile, quotidiana intimità con quello stagno fosse un modo per conoscerlo e capirlo e rubargli il suo segreto. Era un modo di smantellarlo. Si può dire che a ogni sguardo posato su quello stagno Monet si avvicinasse di un passo all'indifferenza assoluta, bruciando ogni volta residui di stupore e rimasugli di meraviglia. Si può perfino

ipotizzare che quel suo inesausto lavorare sul parco – testimonia-
to dalle cronache – ritoccando qui e là, mettendo e togliendo fiori, tracciando e ritracciando bordi e linee, altro non sia stato che
un accurato intervento chirurgico su tutto ciò che resisteva al lo-
gorio dell'abitudine e si intestardiva a increspare la superficie
dell'attenzione, incrinando il quadro di assoluta insignificanza
che si andava formando negli occhi del pittore. Cercava la roton-
dità del nulla, Monet, e dove l'abitudine si dimostrava impotente
non esitava a intervenire con la ruspa.

– Vran –, annotava con effetto onomatopeico il prof. Mondrian Kilroy, accompagnando l'espressione con un gesto inequi-
vocabile.

– Vran.

Un giorno si svegliò, uscì dal letto, scese nel parco, arrivò sul
bordo dello stagno e quel che vide fu: nulla. Un altro si sarebbe
accontentato. Ma è costitutiva del genio un'ostinazione illimitata
che lo porta a inseguire i propri scopi con un'ipertrofica ansia di
perfezione. Monet iniziò a dipingere: ma chiuso nel suo studio.
Nemmeno per un attimo pensò di montare il cavalletto sui bordi
dello stagno, di fronte alle ninfee. Gli fu immediatamente chiaro
che, dopo aver faticato anni a fabbricare quelle ninfee, le avrebbe
dipinte rimanendo chiuso nel suo studio, e cioè confinato in un
luogo da cui, per attenersi alla verità dei fatti, quelle ninfee non
poteva vederle. Attenendosi alla verità dei fatti: lì, le poteva *ricordare*. E questo scegliere la memoria – non l'approccio diretto della vista – fu un geniale, estremo aggiustamento del nulla, giacché
la memoria – e non già la vista – assicurava un millimetrico con-
tromovimento percettivo che frenava le ninfee a un passo dall'essere troppo insignificanti e le intiepidiva con la suggestione del
ricordo quel tanto che bastava a fermarle un attimo prima del ba-
ratro dell'inesistenza. Erano un nulla, ma *erano*.

Finalmente, poteva dipingerle.

Qui, di solito, il prof. Mondrian Kilroy faceva una pausa piuttosto teatrale, tornava a sedersi dietro la cattedra e concedeva all'uditorio qualche istante di silenzio che veniva usato variamente, ma per lo più con una certa educazione. Era questo il momento in cui, generalmente, i suoi colleghi uscivano dall'aula, articolando una ragnatela di microespressioni facciali che volevano significare vivace approvazione e sincero disappunto per la rete di impegni che, come si poteva capire, impediva loro di trattenersi ulteriormente. Il prof. Mondrian Kilroy non dava mai segno di notarle.

Non che a Monet importasse, propriamente, di dipingere il nulla. Il suo non era un vezzo da artista stanco e nemmeno la vuota ambizione a un virtuosistico *tour de force*. Aveva in mente qualcosa di più sottile. Il prof. Mondrian Kilroy si fermava un attimo, a questo punto, fissava l'uditorio e abbassando la voce, quasi stesse scandendo un segreto, diceva: Monet aveva bisogno del nulla, affinché la sua pittura potesse essere libera di ritrarre, in assenza di un soggetto, se stessa. Contrariamente a ciò che un consumo ingenuo potrebbe suggerire, le *Nymphéas* non rappresentano delle ninfee, ma lo sguardo che le guarda. Sono il calco di un determinato sistema percettivo. Ad essere precisi: di un sistema percettivo vertiginosamente anomalo. Altri colleghi certo più autorevoli di me – annotava il prof. Mondrian Kilroy con vomitevole falsa modestia – hanno già rilevato come le *Nymphéas* siano senza coordinate, cioè appaiano galleggianti in uno spazio senza gerarchie in cui non esistono vicinanza e lontananza, sopra e sotto, prima e dopo. Tecnicamente parlando, esse sono lo sguardo di un occhio impossibile. Non è sulla riva dello stagno, il punto di vista che le vede, non è in aria, non è a pelo d'acqua, non è da lontano, non è addosso. È dappertutto. Forse un dio astigmatico, potrebbe vedere così – amava chiosare, ironicamente, il prof. Mondrian Kilroy. Lui diceva: le *Nymphéas* sono il nulla, visto dall'occhio di nessuno.

Cosicché guardare le *Nymphéas* significa guardare uno sguardo – diceva – e per di più uno sguardo non riconducibile a una qualche nostra esperienza precedente, ma uno sguardo unico e irripetibile, uno sguardo che non potrebbe mai essere il nostro. Detto in altri termini: guardare le *Nymphéas* è un'esperienza limite, un compito pressoché impossibile. La cosa non dovette sfuggire a Monet, il quale a lungo si occupò, e preoccupò, con maniacale pignoleria, di studiare una particolare sistemazione delle *Nymphéas* che ne riducesse per quanto possibile la non vedibilità. Ciò che gli riuscì di trovare fu un elementare espediente, in sé ingenuo, che pure ancor oggi dimostra una certa efficacia e che, come irrilevante corollario, ebbe quello di far scivolare quelle ninfee nel raggio di studi del prof. Mondrian Kilroy. Monet volle che le *Nymphéas* fossero disposte – secondo una precisa sequenza – su otto pareti curve.

– Curve, signori –, scandiva il prof. Mondrian Kilroy, con trasparente soddisfazione.

Per uno studioso che aveva dedicato ampi saggi all'arcobaleno, alle uova sode, alle case di Gaudí, alle palle di cannone, agli svincoli autostradali e alle anse dei fiumi – per uno studioso che aveva consacrato alle superfici curve anni di riflessione e analisi – per il prof. Mondrian Kilroy, insomma, doveva sembrare una commovente epifania scoprire come quell'anziano pittore, spintosi in bilico sull'orlo dell'impossibile, si fosse lasciato accompagnare, per salvarsi, dal curvo incedere di pareti clementi, sfuggite alla condanna di qualsiasi angolo. Così era con elettrizzata soddisfazione che il prof. Mondrian Kilroy si sentiva in diritto, a questo punto, di proiettare la diapositiva n. 421, rappresentante il prospetto delle due sale dell'Orangerie di Parigi dove le *Nymphéas* di Monet furono installate, nel gennaio del 1927, e dove, ancora oggi, sarebbe dato al pubblico di vederle, se solo *vederle* non fosse un termine totalmente inadeguato al gesto, impossibile, di guardarle.

(Diapositiva n. 421)

Non c'è un solo centimetro delle *Nymphéas* che non sia una superficie curva, signori. E con questo il prof. Mondrian Kilroy approdava al vero cuore della sua lezione n. 11, di tutte la più limpidamente chiara. Si avvicinava all'uditorio e da qui alla fine srotolava tutto con alluvionale, e metodica, passione.

Io li ho visti, gli uomini, là dentro, con addosso le *Nymphéas*. Sbucare dalla porta e immediatamente già sentirsi persi, come SBALZATI dal consueto compito di vedere, EIETTATI fuori dall'abitacolo di un preciso punto di vista e dilagAAAAti in uno spazio di cui vanamente cercano l'inizio. Un inizio. In certo modo le *Nymphéas* gli ruotano intorno, seppur immobili, messe in movimento dalla curvatura che le schiera a guscio intorno al vuoto delle due sale, fatalmente suggerendo una sorta di panoramica a cui gli uomini si concedono, provando a girarsi su se stessi, e orbitando occhi a 360 gradi, in fanciullesca meraviglia. Non di rado, macchiati da un sorriso. Forse per un attimo si illudono di avere visto, accomodati in una percezione parente di quella cinematografica, ma è immediata la disillusione che li porta, meccanicamente, a cercare la distanza giusta, e la sequenza appropriata, e cioè esattamente le due cose a cui proprio il cinema li ha disabituati, dettando a ogni passo proprio distanza e sequenza, e così diseducandoli alla scelta dello sguardo, essendo il cinema uno sguardo costantemente obbligato, per così dire vicario, despota, tiranno: quando invece, quelle ninfee, sembrano suggerire piuttosto la vertigine di una percezione libera – dettato, come si sa, proibitivo. Ne sono come dispersi, gli uomini. Allora, prendono tempo. Vagano, si rigirano, deambulano, ristanno, sfilano, arretrano, talvolta si siedono – per terra o su apposita, pietosa, panchina – consci di vedere qualcosa che amano, ma tutt'altro che sicuri di vederla, veramente, vederla. Molti iniziano a chiedersi quanto. Quanto ci avrà messo, quanto saranno alte, quanti chili di colore avrà usato, quanti metri di lunghezza, quanto. Scantonano, è ovvio, gli piace pensare che sapendo cosa si ha davanti,

sarebbe infine possibile averlo, effettivamente, davanti, e non sopra sotto addosso accanto, dove cioè le *Nymphéas* dimorano, in-
curanti di qualsiasi quantificazione – semplicemente ovunque.
Prima o poi, osano e si avvicinano. Vanno a vedere. Ma proprio
da vicino. Toccherebbero, potessero – ci appoggiano gli occhi,
non potendo le dita. E definitivamente cessano di vedere, non
riuscendo più a risalire a nulla, solo scorgendo pennellate grasse
e anarchiche, come fondi di piatti sporchi, senape, mostarda e
maionese blu, o cromatiche virgole da pareti di cesso impressio-
nista. Ridono. E tornano subito indietro a riacquisire il punto in
cui gli era chiaro quanto meno cosa *non* stavano vedendo: delle
ninfee. Rinculando non omettono di domandarsi come potesse
quell'uomo vedere da lontano e dipingere da vicino, sottile trucco che li ammalia, lasciandoli, al termine del loro viaggetto a ri-
troso verso il centro della sala, inutili come prima, e per di più,
stregati: momento esatto in cui la consapevolezza di non saper
vedere acquista una venatura dolorosa, appaiata ormai, com'è, alla sotterranea certezza che quanto sfugge al loro sguardo sarebbe
stato pungente piacere, e indimenticabile ricordo di bellezza. Allora si arrendono. E mettono mano al supremo succedaneo del-
l'esperienza, al sigillo di qualsiasi sguardo mancato. Liberano dal
tepore di custodie grigie felpate la disfatta della loro macchina
fotografica.
    Fotografano le *Nymphéas*.
    Commovente. La stampella gettata contro i cannoni del nemi-
co. Obbiettivi da 50 mm lanciati in picchiata come retinei kamika-
ze contro flotte di ninfee sfuggenti. Neanche il flash è concesso
dai precetti senza pietà del regolamento: impressionano pellicole
cercando umane inquadrature – impossibili – corrette da mortifi-
canti piegamenti sulle ginocchia, torsioni del busto, pencolamenti
oltre il baricentro. Mendicano uno sguardo qualsiasi, fidando forse nel miracoloso e chimico soccorso della camera oscura. I più
commoventi – di tutti, i più commoventi – urlano la loro disfatta

frapponendo tra obbiettivo e ninfee la mortificante presenza corporale di un parente, in genere posizionato, come per simbolico gesto di resa, di spalle alle ninfee. Per anni, poi, saluterà ospiti e amici, da sopra un comò, con un sorriso spento come di cugino naufragato, anni prima, in uno stagno di *nymphéas, hélas, hélas.* Se li porta via, il vecchio pittore canaglia, così, perduti in un compito impossibile, guardare uno sguardo inesistente, conquistati e vinti, saccheggiati dalla sua astuzia, gli uomini semplicemente, da lui, le sue ninfee, colori, pennelli maledetti, lo sguardo che lui vide, mai più visto, acqua, ninfeeeeeeeeee e. Ancor oggi lo odierei, per questo. Non si perdonano i profeti di profezie illeggibili, e a lungo ho pensato che lui fosse di quella genìa, la peggiore di tutte, i cattivi maestri, convinto com'ero che, in definitiva, lo sguardo che si era immaginato restava sguardo inutile perché inaccessibile ad altri e riservato a lui, che non aveva saputo renderlo guardabile. C'era da disprezzarlo, per questo, giacché tolta quell'acrobazia percettiva – quella ammattita escursione oltre qualsiasi punto di vista, alla ricerca di un qualche infinito – tolta quella pionieristica avventura della sensibilità restava un mare di ninfee sfocate, un ipertrofico saggio di impressionismo, questa deleteria tecnica ruffiana in cui la media intelligenza borghese adoooooora riconoscere l'irruzione del moderno, elettrizzata dall'idea che quella sia stata una rivoluzione, e quasi commossa all'idea di poterla amare, benché rivoluzione, constatando quanto in fondo non abbia fatto male a nessuno – *new for you*, finalmente una rivoluzione ideata espressamente per le signorine di buona famiglia, in omaggio in ogni scatola l'emozione della modernità – puah. Non si poteva che odiarlo, per quel che aveva fatto, e io l'ho odiato ogni singola volta che sono entrato nelle due sale dell'Orangerie, a Parigi, sempre uscendone sconfitto, ogni singola volta, per vent'anni. E ancora lo odierei oggi – inutile profanatore di superfici curve – se non mi fosse accaduto, nel pomeriggio del 14 giugno 1983, di vedere qualcuno – una donna – entrare nella sala 2, la più grande e, sotto i miei occhi, vedere le *Nymphéas* – vedere le *Nymphéas* – svelandomi così che farlo era possibile, non per me, forse, ma in assoluto, per qualcuno, a questo mondo: quello sguardo c'era, lì dentro, e c'era un dove che ne era l'inizio, la parabola e la fine. Per anni in effetti avevo spiato le donne, lì dentro, sospettando istintivamente che se c'era una soluzione una donna l'avrebbe scoperta, non foss'altro che per oggettiva complicità tra enigmi. Naturalmente osservavo le donne belle, soprattutto le donne belle. Quella donna si staccò dal suo gruppo, donna orientale, un grosso cappello che le nascondeva in parte il viso, scarpe strane, si staccò e si diresse verso una parete della sala 2 – era al centro, prima, con il suo gruppo di turiste orientali, tutte donne – e si staccò da lì, come se avesse perso l'appiglio che la teneva aggrappata al suo gruppo, e ora una singolare forza di gravità la attirasse a cadere verso le ninfee, quelle esposte sulla parete a est, dove massima è la curvatura – verso le ninfee si lasciò cadere assumendo di colpo l'andatura di una foglia autunnale – cadeva a pendolo, oscillando in movimenti contraddittori e armonicamente contorti – mi piace dire: curvi – due stampelle, di legno, a premere sotto le ascelle – i piedi batacchi neri molli rotti dentro a suonare passi focomelici – uno scialle sulle spalle – scialle malattia – le braccia accartocciate malamente – sembrava una falena splendidaesausta, e io la guardai – come venisse da lunghissima migrazione, esausta, splendida, lì. Guadagnava centimetro dopo centimetro, con una fatica immensa, e non sembrava conoscere l'ipotesi di fermarsi. Avvitava ogni movimento intorno all'asse della sua malformazione, eppure procedeva, srotolava sussulti interpretabili come passi, e così avanzava, lumaca paziente, inseparabile dal male sua dimora – striscia di bava, dietro, ad appuntare la traiettoria del grottesco cammino – l'imbarazzo degli altri a risalirlo, macinando vergogna e disappunto, alla ricerca di scappatoie per gli occhi, ma non era facile smettere di guardarla – non si riusciva a guardare altrove – c'erano un sacco di persone, c'ero io, a un certo punto ci fu solamente lei. Arrivò fino a sfiorare le ninfee, poi prese a scivolargli accanto, replicando la curvatura della parete, ma arricchita di vocalizzi cinetici, accartocciata la linea curva in uno scarabocchio a ogni scossa più affaticato, riaggiornata a ogni istante la distanza, non meno indefinita delle ninfee, perché disseminata in quel movimento dalle mille direzioni, esplosa in quel corpo senza centro. Si fece l'intera sala, così, avvicinandosi e allontanandosi, sballottata dal pendolo ubriaco che le minutava dentro il tempo del suo male, mentre la gente si scostava, attenta a non turbare anche le più impensate evoluzioni del suo andare. E io, che per anni avevo cercato di guardare quelle ninfee, mai riuscendo a vedere altro che ninfee, piuttosto kitsch e deplorevoli oltretutto, me la lasciai passare accanto e improvvisamente capii, senza neppure spiare cosa facesse con gli occhi, con assoluta chiarezza capii che lei stava vedendo – lei era lo sguardo che quelle ninfee raccontavano – lo sguardo che da sempre le aveva viste – lei era l'angolazione esatta, il punto di vista preciso, l'occhio impossibile – lo erano le sue scarpe tozze, nere, lo erano il suo male, la sua pazienza, l'orrore delle sue mosse, le stampelle di legno, lo scialle malattia, il rantolo di gambe e braccia, la pena, la forza, e quell'irripetibile traiettoria sbavata nello spazio – perduta per sempre quando alla fine arrivò, si fermò, e sorrise.

Da quel 14 giugno 1983, la vita del prof. Mondrian Kilroy inclinò a una certa malinconia, coerentemente alle sue convinzioni teoriche che, dall'analisi delle *Nymphéas* di Monet, avevano concluso l'oggettivo primato della condizione del dolore come *conditio sine qua non* di una superiore percezione del mondo. Si era convinto che la sofferenza fosse l'unica via capace di condurre al di là della superficie del reale. Era la linea curva che dribblava l'ortogonale struttura dell'inautentico. Peraltro, il prof. Mondrian Kilroy aveva una vita felice, priva di significativi dolori, e casualmente al riparo dai capricci della sventura. Ciò gli rendeva problematiche le cose, date le premesse teoriche su esposte, facendolo sentire inesorabilmente inadeguato, e questa finiva per essere la sua unica ragione di sofferenza, il dolore di non avere dolori. Vittima di questo banale corto circuito teorico-sentimentale, il prof. Mondrian Kilroy scivolò a poco a poco in un'effettiva depressione nervosa che gli procurava saltuariamente perdite di memoria, giramenti di capo e illogici sbalzi d'umore. Gli accadeva di sorprendersi a piangere, talvolta, senza precise ragioni, né scusanti. Per un certo verso si rallegrava di simili cedimenti, ma non era così succube delle proprie teorie da non provare, ogni volta, un po' di vergogna. Un giorno, mentre stava appunto piangendo – del tutto gratuitamente – nascosto nell'aula 6, vide la porta aprirsi ed entrare un ragazzino. Era un suo allievo, si chiamava Gould. Al college era famoso perché si era laureato a undici anni. Era un ragazzo prodigio. Per un certo periodo aveva perfino vissuto lì, al college, subito dopo quella storia orrenda della madre. Era una bella signora bionda, la madre, simpatica. Ma non stava bene. Un giorno il marito la prese e la portò in clinica, una clinica psichiatrica. Disse che non si poteva fare altrimenti. Fu lì che il ragazzino finì al college. Non si sapeva bene nemmeno cosa avesse capito, lui, di tutta quella storia. Nessuno osava mai chiederglielo. Era un ragazzino educato, nessuno voleva spaventarlo. Ogni tanto il prof. Mondrian Kilroy lo guardava e pensava che avrebbe voluto fare qualcosa per lui. Ma non sapeva cosa.

Il ragazzino gli chiese se voleva un fazzoletto, o qualcosa da bere. Il prof. Mondrian Kilroy disse di no, che andava tutto bene. Rimasero un po' lì. Il ragazzino studiava. C'era una bella luce, che veniva dalle finestre. Il prof. Mondrian Kilroy si alzò, prese la giacca, e si diresse verso la porta. Quando passò davanti al ragazzino, gli sfiorò con la mano la testa, e borbottò qualcosa tipo Sei un bravo ragazzo, Gould.

Il ragazzino non disse niente.

14.

– Ciao.

– Ciao –, disse Shatzy.

– Cosa prendete?

– Due cheeseburger e due succhi d'arancia.

– Patatine?

– No, grazie.

– Se prendete le patate costa uguale.

– Non importa, grazie.

– Cheeseburger, drink e patate, è la combinazione n. 3 –, disse indicando una foto alle sue spalle.

– Bella foto, ma non ci piacciono le patate.

– Potete prendere un doppio cheeseburger, combinazione n. 5, non ci sono le patate e costa uguale.

– Uguale a cosa?

– A un cheeseburger e succo d'arancia.

– Un doppio cheeseburger costa come un cheeseburger singolo?

– Sì, se scegliete la combinazione n. 5.

– Incredibile.

– Combinazione n. 5?

– No. Vogliamo un solo cheeseburger. Uno a testa. Niente doppi cheeseburger.

– Come volete. Ma buttate via dei soldi.

– Non importa, grazie.

– Due cheeseburger e due succhi d'arancia, allora.

– Perfetto.

– Dessert?

– Vuoi la torta, Gould?

– Sì.

– Allora aggiungi una torta, grazie.

– Questa settimana per ogni dessert ordinato ce n'è un altro in regalo.

– Splendido.
– Cosa prendi?
– Niente, grazie.
– Ma *devi* prenderlo, è in regalo.
– Non mi piacciono i dessert, non li voglio.
– Ma io *devo* dartelo.
– In che senso?
– È l'offerta della settimana.
– L'ho capito.
– Quindi *devo* dartelo.
– Come sarebbe a dire *devi* darmelo, io non lo voglio, non mi piace, non voglio diventare grassa come Tina Turner, non voglio infilarmi mutande XXL, cosa devo fare, aspettare la prossima settimana per mangiare un cheeseburger e basta?
– Puoi sempre non mangiarlo. Prendere il dessert in regalo e non mangiarlo.
– E cosa lo prendo a fare?
– Puoi buttarlo.
– BUTTARLO?, io non butto niente, buttalo tu, ecco, fai così, lo prendi e lo butti, okay?
– Non posso, mi licenzierebbero.
– Cristo...
– Sono molto severi, qui.
– Va bene, okay, lasciamo stare, dammi 'sta torta.
– Sciroppo?
– Niente sciroppo.
– È gratis.
– LO SO CHE È GRATIS MA NON LO VOGLIO, OKAY?
– Come vuoi.
– Niente sciroppo.
– Panna?
– Panna?
– C'è la panna, se vuoi.

– Io non voglio nemmeno *la torta*, come diavolo fai a pensare che voglia LA PANNA?

– Non so.

– Lo so io: niente panna.

– Neanche per il ragazzino?

– Neanche per il ragazzino.

– Va bene. Due cheeseburger, due succhi d'arancia, una torta senza niente. Questo è per voi –, aggiunse, allungando verso Shatzy due cose avviluppate in carta trasparente.

– Cosa diavolo è?

– Chewingum, è in regalo, dentro c'è una pallina di zucchero, se la pallina è rossa vinci altri dieci chewingum, se è blu vinci una combinazione n. 6, gratis. Se la pallina è bianca, te la mangi e finisce lì. Comunque il regolamento è stampato sulla carta.

– Scusa un attimo.

– Sì?

– Scusa, eh...

– Sì.

– Mettiamo che per assurdo io prenda questo cavolo di chewingum, no?

– Sì.

– Mettiamo ancora più per assurdo che io me lo stia a masticare per un quarto d'ora e poi ci trovi dentro una pallina blu.

– Sì.

– Allora dovrei portartela, tutta insalivata, e posartela qui, e tu mi daresti una grassa, fritta e caldiccia combinazione n. 6?

– Gratis.

– E secondo te, quando me la mangerei?

– Subito, credo.

– Io voglio un cheeseburger e un succo d'arancia, l'hai capito questo? Non so cosa farmene di tre pezzi di pollo fritto più una patatina media più una pannocchia imburrata più una Coca media. NON SO COSA DIAVOLO FARMENE.

– Di solito li mangiano.
– Chi?, chi li mangia? Marlon Brando, Elvis Presley, King Kong?
– La gente.
– *La gente?*
– Sì, la gente.
– Senti, me lo fai un favore?
– Certo.
– Riprenditi 'sti chewingum.
– Non posso.
– Li tieni da parte per il prossimo obeso di passaggio, eh?
– Non posso, davvero.
– Cristo...
– Mi spiace.
– Ti spiace.
– Davvero.
– Dammi 'sti chewingum.
– Non sono male, sono al gusto papaia.
– *Papaia?*
– Il frutto esotico.
– Papaia.
– È la moda di quest'anno.
– Okay, okay.
– Basta così?
– Sì, tesoro, basta così.

Pagarono e andarono al tavolo. Appeso al soffitto c'era un monitor acceso sul canale *FoodTV*. Faceva delle domande. Se avevi la risposta giusta la scrivevi nell'apposito spazio sulla tovaglietta di carta e la consegnavi alla cassa. Vincevi una combinazione n. 2. In quel momento la domanda era: chi segnò il primo goal nella finale dei Campionati del Mondo 1966?

   1. Jeoffrey Hurst
   2. Bobby Charlton
   3. Helmut Haller

– Tre –, mormorò Gould.

– Non provarci nemmeno –, gli sibilò Shatzy, e aprì la confezione del cheeseburger. All'interno del coperchio le apparve una pecetta rosso fiammante. Sopra c'era scritto CONGRATULAZIONI!!! HAI VINTO UN ALTRO HAMBURGER! E più piccolo: Porta subito questo tagliando alla cassa, riceverai un hamburger gratis e un drink a metà prezzo! C'era anche un'altra frase, scritta di sbieco, ma Shatzy non la lesse. Richiuse con calma la confezione di plastica, lasciandoci il cheeseburger dentro.

– Andiamo –, disse.

– Ma non ho ancora nemmeno iniziato... –, disse Gould.

– Iniziamo un'altra volta.

Si alzarono, lasciando tutto lì, e andarono verso la porta. Li intercettò uno vestito da clown, solo che in testa aveva il cappellino del fast food.

– Un palloncino in omaggio, signora.

– Prendi il palloncino, Gould.

Sul palloncino c'era scritto IO MANGIO HAMBURGER.

– Se lo attaccate alla porta di casa potete partecipare al concorso DOMENIBURGER.

– Attaccalo alla porta, Gould.

– Ogni domenica viene estratta una casa con il palloncino esposto e un camioncino provvede a scaricargli davanti alla porta 500 cheesebaconburger.

– Ricordati di liberare il vialetto davanti alla porta, Gould.

– C'è anche un congelatore da 300 litri in offerta speciale. Per conservare i cheesebaconburger.

– Si capisce.

– Se prende quello da 500 litri le regalano anche un microonde.

– Splendido.

– Se ce l'ha già può prendere un phon professionale a quattro velocità.

– Nel caso dovessi fare lo shampoo ai cheesebaconburger?

– Prego?

– O farmi lo shampoo col ketchup.

– Scusi?

– Dicono che dia lucentezza ai capelli.

– Cosa, il ketchup?

– Sì, non hai mai provato?

– No.

– Prova. Anche la salsa bearnese non è male.

– Sul serio?

– Toglie la forfora.

– La forfora non ce l'ho, grazie a dio.

– Ti verrà sicuramente se continui a mangiare salsa bearnese.

– Ma io non la mangio mai.

– Sì, ma ti ci lavi i capelli.

– Io?

– Certo, si vede dal phon.

– Quale phon?

– Quello che hai attaccato alla porta.

– Ma io non ce l'ho attaccato alla porta.

– Pensaci bene, ce l'hai messo quando ti è volato via il microonde a quattro velocità.

– Volato via da dove?

– Dal congelatore.

– Dal congelatore?

– Domenica, non ti ricordi?

– Scherzi?

– Ho la faccia di una che scherza?

– No.

– Risposta esatta. Lei ha vinto 500 litri di palloncini, le saranno consegnati in cheeseburger, ci vediamo, ciao.

– Non capisco.

– Non importa. Ci vediamo, eh?

– Il palloncino.

– Prendi il palloncino Gould.
– Lo vuoi rosso o blu?
– Il bambino è cieco.
– Oh, scusi.
– Non importa. Succede.
– Il palloncino lo prende lei?
– No, lo prende il bambino. È cieco, mica scemo.
– Glielo do rosso o blu?
– Non ce l'ha color vomito?
– No.
– Strano.
– Solo rossi o blu.
– Vada per il rosso.
– Ecco.
– Prendi il palloncino rosso, Gould.
– Ecco, tieni.
– Ringrazia, Gould.
– Grazie.
– Prego.
– Abbiamo altro da dirci?
– Scusi?
– Pare di no. Arrivederci.
– In bocca al lupo per domenica!
– Crepi.

Uscirono dal fast food. C'era un'aria fredda e tersa, da inverno pulito.

– Pianeta di merda –, disse piano Shatzy.

Gould se ne stava lì, in mezzo al marciapiedi, fermo, con in mano un palloncino rosso. Sopra c'era scritto IO MANGIO HAMBURGER.

– Ho fame –, disse.

15.

– LARRY!... LARRY!... Larry Gorman sta avvicinandosi alla nostra postazione... è circondato dal suo clan... il ring è pieno di gente... LARRY!... non è semplice, per il campione, farsi largo... c'è Mondini, il suo coach... davvero una vittoria lampo, questa sera, qui al Sony Sport Club, ricordiamo, 2 minuti e 27 secondi sono bastati... LARRY, ecco, Larry, siamo in diretta, per la radio... Larry... siamo in diretta, allora, una vittoria lampo...

– Funziona questo microfono?

– Sì, siamo in diretta.

– Bel microfono, dove l'hai comprato?

– Non li compro io, Larry... senti... pensavi di chiudere così velocemente o...

– A mia sorella piacerebbe un sacco...

– Voglio dire...

– No, sul serio. Sai, lei fa l'imitazione di Marilyn Monroe, canta che è sputata Marilyn, la stessa voce, giuro, solo che non ha un microfono...

– Senti Larry...

– Di solito se la cava con una banana.

– Larry, vuoi dire qualcosa sul tuo avversario?

– Sì. Voglio dire qualcosa.

– Dilla.

– Voglio dire qualcosa sul mio avversario. Il mio avversario si chiama Larry Gorman. Perché si ostinano a mettermi davanti quei cosi nudi con dei guantoni? Stan sempre tra i piedi. Alla fine mi tocca sbatterli giù.

– CAZZO, GOULD, VUOI USCIRE DA LÌ?

La voce era quella di Shatzy. Veniva da fuori della porta. La porta del bagno.

– Arrivo, arrivo.

Musica di sciacquone. Rubinetto del lavabo *on*. Rubinetto del lavabo *off*. Pausa. Porta che si apre.

– È mezz'ora che ti aspettano.

– Arrivo.

A casa di Gould erano arrivati quelli della tivù. Volevano fare un servizio per lo special del venerdì sera. Titolo: "Ritratto di un genio bambino". Avevano piazzato la telecamera in salotto. Quel che avevano in mente era un'intervista di una mezz'ora. Contavano di tirarci fuori la storia tristissima di un ragazzino condannato dalla sua intelligenza alla solitudine e al successo. La genialità stava nell'aver trovato qualcuno la cui vita era una tragedia non perché era sfigato ma, al contrario, perché era un figo della madonna. Se non era proprio una genialità era sembrata almeno una buona idea.

Gould si sedette sul sofà, davanti alla telecamera. Poomerang si mise di fianco, seduto anche lui. Diesel non ci stava, sul sofà, così si sistemò per terra, anche se la cosa gli prese un po' di tempo. E poi non era chiaro chi l'avrebbe mai tirato su da lì. Comunque. Sistemarono i microfoni e accesero gli spot. L'intervistatrice si stirò un po' la gonna sulle gambe accavallate.

– Tutto bene, Gould? –, disse.

– Sì.

– Dovremmo solo provare i microfoni.

– Sì.

– Hai voglia di dirci qualcosa dentro, qualsiasi cosa?

– No, non ho voglia di dire qualcosa dentro questi microfoni, non lo farò mai neanche se mi pagate un birillione di...

– Va bene così, tutto a posto, okay, allora possiamo partire. Sei pronto?

– Sì.

– Guarda verso di me, okay? Lascia perdere la telecamera.

– D'accordo.

– Allora andiamo.

– Sì.

– Signor Gould... o posso chiamarti semplicemente Gould?

– ...

– Facciamo semplicemente Gould, va bene. Senti Gould, quando ti sei accorto che non eri un bambino qualunque, voglio dire, che eri un genio?

POOMERANG (nondicendo) – Dipende. Lei, ad esempio, quando si è accorta di essere cretina?, è successo tutto d'un colpo, o l'ha scoperto a poco a poco, dapprima confrontando i suoi voti con quelli dei compagni, poi notando che alle feste nessuno voleva giocare in squadra con lei quando si faceva "Indovina il film"?

– Gould?

– Sì?

– Volevo sapere... se ti ricordi, quando eri piccolo, di un aneddoto, qualcosa, per cui d'improvviso ti sentisti diverso dagli altri, diverso dagli altri bambini...

DIESEL – Sì, mi ricordo benissimo. Vede, si andava ai giardini, con gli altri, tutti bambini del quartiere... c'era l'altalena, lo scivolo, quelle cose lì... era un bel giardino, e si andava lì, al pomeriggio, se c'era il sole. Be', io non lo sapevo, allora, che ero... diverso, diciamo, insomma, ero già grande ma... non lo può sapere un bambino se è diverso o cosa... io ero il più grande, tutto lì, e così un giorno salii la scala dello scivolo, era la prima volta, non te lo lasciavano fare se eri troppo piccolo, ma quel giorno nessuno mi vide, nessuno sapeva nemmeno bene quanti anni avevo, così io mi misi a salire quella scala, e quel che successe è che arrivato in cima mi sedetti nello scivolo e non funzionò, non ci stavo, col culo, nello scivolo, non ci stavo, ha presente?, ce la mettevo tutta ma quel bastardo di sedere non ne voleva saper di entrare... era idiota ma non c'era nulla da fare, non ci stava, il culo, nello scivolo. Così alla fine dovetti tornare indietro. Scesi dallo scivolo, ma dalla parte della scala. Lei lo sa cosa vuol dire scendere da uno scivolo dalla parte della scala? Ha mai provato? Con tutti che la guardano? Ha mai provato che sensazione è? Facile che l'ha provato, vero? C'è un sacco di gente, in giro, che scende dallo scivolo dalla parte della scala. Ha notato? C'è un sacco di gente a cui è girata storta, questa è la verità.

– Gould?

– Sì?

– Tutto bene?

– Sì.

– Okay, okay. Allora, senti... vuoi dirci come sono i tuoi rapporti con gli altri ragazzini, hai degli amici?, giochi, fai degli sport, cose così?

POOMERANG (nondicendo) – A me piace andare sott'acqua. Là sotto è diverso. Non c'è rumore, non puoi far rumore, anche se vuoi, non puoi farlo, è senza rumore, là sotto. Ti muovi lento, non è che puoi fare dei gesti bruschi, o che so, dei gesti veloci, devi muoverti lento, tutti sono costretti a muoversi lenti. Non ti puoi far male, non ti possono dare quelle stupide pacche sulle spalle, o cose del genere, è un bel posto. Soprattutto, è il posto ideale per parlare, lo sa? quello mi piace davvero, parlare là sotto, è il posto ideale, puoi parlare e... puoi parlare, ecco, tutti possono parlare, chiunque, se vuole, può parlare, è fantastico come si parla là sotto. Peccato solo che non c'è mai... non c'è quasi mai nessuno, questo è il vero difetto della faccenda, che lì sotto non c'è nessuno, a parte te, voglio dire, sarebbe un posto fantastico, ma non c'è quasi mai nessuno, a cui parlare, di solito, non ci trovi mai nessuno. È un peccato, non crede?

– Vuoi che facciamo una pausa, Gould? Possiamo smettere e ricominciare quando vuoi.

– No, va bene così, grazie.

– Sicuro?

– Sì.

– C'è qualcosa di cui vuoi parlare?

– No, preferisco se mi fa delle domande, è più semplice.

– Davvero?

– Sì.

– Okay... senti...

– ...

– Senti... il fatto di essere un ragazzino... speciale, diciamo così... speciale... voglio dire, con gli altri ragazzini va tutto bene?
Funziona?

DIESEL – Sa una cosa? È un problema loro. Ci ho pensato tante volte, e ho capito che le cose stanno così, è un problema loro.
Io non ho problemi a stare con loro, posso prenderli per mano,
parlargli, posso giocarci insieme, io non è che mi ricordi proprio
sempre di essere fatto così, me lo dimentico, io, sono loro che
non se lo dimenticano mai. Mai. Alle volte si vede che magari gli
piacerebbe anche venirmi vicino, o che ne so, ma è come se avessero un po' paura di farsi del male, o una cosa del genere. Non
sanno prenderla per il verso giusto. Sono capaci magari di farsi
un sacco di storie in testa, su quello che io posso fare e non fare,
si immaginano chissà che, stanno sempre lì a pensare cosa può
darmi fastidio, che so, cosa mi potrebbe offendere, o far incazzare, e così va tutto in malora, non devono fare così. Nessuno gli ha
spiegato che quelli un po' speciali, come dice lei, alla fine sono
normali, hanno le stesse voglie degli altri, le stesse paure, mica è
diverso, si può essere speciali in una cosa e normali in tutto il resto, qualcuno dovrebbe spiegarglielo. Loro la fanno troppo complicata e così finisce che si stancano, poi lasciano perdere, li si
può anche capire, se ne stanno alla larga, sei un problema per loro, capisce?, un problema. Nessuno va al cinema con un problema, creda a me. Voglio dire: se solo hai uno straccio di amico con
cui andarci, al cinema, neanche ti sogni di andarci con un problema. Neanche si sognano di andarci con me. È così che va.

– Preferisci che parliamo della tua famiglia, Gould?

– Se vuole.

– Dimmi di tuo padre.

– Cosa vuole sapere?

– Non so... ti piace stare con tuo padre?

– Sì. Lui lavora nell'esercito.

– Sei fiero di lui?

– Fiero?

– Sì, voglio dire, sei... fiero... fiero di lui?

– ...

– E tua madre?

– ...

– Vuoi raccontarci di tua madre?

– ...

– ...

– ...

– Preferisci che parliamo della scuola? Ti piace essere quello che sei?

– In che senso?

– Voglio dire, tu sei famoso, la gente ti conosce, i tuoi compagni, i professori, tutti sanno chi sei. È una cosa che ti piace?

POOMERANG (nondicendo) – Senta, le racconto 'sta storia. Un giorno arriva uno, nel mio quartiere, uno di fuori, mi incrocia per strada e mi ferma. Voleva sapere se conoscevo Poomerang. Se sapevo dove poteva trovarlo. Io non dissi niente, così lui cominciò a spiegarmi, mi disse è uno senza capelli, alto più o meno come te, e non parla mai, lo conoscerai, no?, quello che non parla mai, lo conoscono tutti. Io continuai a stare zitto. Lui iniziò a scaldarsi, dài, disse, ne han parlato anche i giornali, quello che ha scaricato un camion di merda davanti alla CRB, per via di quella storia di Mami Jane, dài, uno sempre vestito di nero, lo conoscono tutti, va quasi sempre in giro con una specie di gigante, un suo amico. Sapeva tutto. Cercava Poomerang. E io ero lì. Vestito di nero. Zitto. Alla fine si incazzò. Urlava che se non mi andava di parlare potevo andare al diavolo, che modi sono, non si può nemmeno chiedere qualcosa a qualcuno, che mondo è.

Urlava. E io ero lì. Riesce a capire? Le riesce di capire che è una domanda idiota chiedermi se mi piace o no? Ehi, dico a lei, ce la fa a capire?

– Non ti va di parlare, Gould?

– Perché?

– Possiamo smettere, se vuoi.

– No, no, per me va benissimo.

– Be', non è proprio che mi stai semplificando le cose.

– Mi spiace.

– Non importa. Succede.

– Mi spiace.

– Non so, cosa vuoi che ti chieda?

– ...

– Non so, hai dei sogni, ad esempio... c'è qualcosa che ti sogni, per quando sarai grande, qualcosa che... un sogno, ecco.

DIESEL – Vorrei vedere il mondo. Sa qual è il problema? Nelle macchine non ci entro e sui pullman non mi fanno salire, son troppo grande, non ce l'hanno i sedili per me, è un po' come la storia dello scivolo, è sempre la stessa faccenda, non c'è soluzione. È idiota, vero? Però intanto io vorrei vedere il mondo, e non c'è un sistema, me ne devo stare qua, e guardare le foto sui giornali, o sull'atlante. Anche i treni, è solo un casino, ci ho provato, era un casino. Non c'è soluzione. Io vorrei solo starmene lì e vedere il mondo passare dietro ai vetri di qualcosa abbastanza grande da portarmi via, tutto lì, sembra una cosa da nulla, e invece. Se proprio lo vuole sapere, è l'unica cosa che davvero mi manca, voglio dire, io sono contento di esser così come sono, non avrei voluto essere uno qualunque, come tanti altri, mi sta bene di essere così. L'unica cosa è quella lì. Mi sa che son troppo grande per riuscire a vedere il mondo, da grande. Solo quello. Veramente, solo quello mi fa incazzare.

– Credo che possa bastare, Gould.

– Sì?

– Insomma, possiamo finire qui.

– Bene.

– Sei sicuro di non voler dire niente?

– In che senso?

– C'è qualcosa che vorresti dire, prima che smettiamo? Qualsiasi cosa.

– Sì. Forse sì. Una cosa.

– Bene Gould. Dilla allora.

– Lei sa chi è il prof. Taltomar?

– È un tuo professore?

– Più o meno. Non sta a scuola, lui.

– No?

– Lui sta sempre sul bordo di un campo da pallone, proprio dietro la porta. Stiamo insieme, lì, noi due. E guardiamo, capisce?

– Sì.

– Be', volevo dire che ogni tanto qualcuno tira, e la palla finisce fuori, oltre la porta, ci rotola anche vicino, alle volte, e poi si ferma, un po' più in là. Allora il portiere, di solito, fa qualche passo fuori dal campo, ci vede e ci grida Palla, per favore, la palla, grazie. E il prof. Taltomar non si muove mai, continua a guardare verso il campo, come se non fosse successo niente. Decine di volte, è successo, e noi quella palla non siamo mai andati a prenderla, capisce?

– Sì.

– Sa, io e il professore non è che parliamo tanto, guardiamo e basta, ma un giorno mi son deciso e gliel'ho chiesto. Gli ho chiesto: Perché non andiamo mai a prenderla, quella maledetta palla? Lui ha sputato per terra un po' di tabacco e poi ha detto: O guardi o giochi. Non ha detto altro. O guardi o giochi.

– ...

– ...

– E poi?

– E poi basta.

– Era questo che volevi dire, Gould?

– Sì, era questo.

– Nient'altro?

– No.

– Va bene.

– ...

– Allora va bene, finiamo qui.

– Va bene così?

– Sì, va bene così.

– Bene.

Che ce ne facciamo di questa roba?, disse Vack Montorsi quando vide il registrato. Vack Montorsi era il conduttore dello special del venerdì sera. Non terrebbe sveglio neanche un cocainomane, annotò mentre col telecomando andava avanti veloce, cercando qualcosa che non fosse deprimente. Avevano anche provato a intervistare il padre di Gould, ma lui aveva risposto che per quanto ne sapesse lui i giornalisti televisivi erano una banda di pervertiti con cui non voleva avere nulla a che fare. Così gli erano rimaste giusto un po' di riprese alla scuola di Gould e una serie discretamente noiosa di dichiarazioni rilasciate dai suoi professori. Dicevano cose tipo "il talento va salvaguardato" o "l'intelligenza di quel ragazzino è un fenomeno che induce a riflettere sulla". Vack Montorsi andava avanti veloce e scuoteva la testa.

– A un certo punto ce n'è uno che piange –, disse la giornalista, giocandosi l'ultima carta decente.

– Dov'è?

– Più avanti.

Vack Montorsi andò più avanti. Comparve un professore, in pantofole.

– È quello.

Era Mondrian Kilroy.

– Ma non piange...
– Piange dopo.
Vack Montorsi schiacciò *play*.
– "... in gran parte sono solo storie. La gente crede che le diffi-coltà di un bambino prodigio nascano dalle pressioni di quelli che gli stanno attorno, dalle attese bestiali che gli mettono addosso. Sono storie. Il vero problema lui ce l'ha dentro, e gli altri non c'entrano niente. Il vero problema è il talento. Il talento è come una cellula impazzita, cresciuta in modo ipertrofico e senza neces-sità. È come se ti costruissero una pista da bowling dentro casa. Ti devastano tutto, magari è anche bella, magari col tempo impari a giocare a bowling da dio, diventi il più grande giocatore di bowl-ing del mondo, ma casa tua come diavolo la raddrizzi, come la sal-vi da tutto quello, come fai a tenerti qualcosa che poi, al momento buono, dici Questa è casa mia, fuori dai coglioni, è casa mia. Non puoi riuscirci. Il talento è distruttivo, è oggettivamente distruttivo, quello che accade attorno non conta. Lavora là dentro, e distrug-ge. Bisogna essere molto forti, per salvare qualcosa. E quello è un ragazzino. Lei se la immagina una pista da bowling giusto in mez-zo alla casa di un ragazzino? Anche solo il rumore che fa, tutti i santi giorni, sempre quel fracasso, e la certezza che un silenzio, un silenzio vero, te lo puoi scordare. Case senza silenzio. Che case so-no? Chi gliela restituisce, a quel ragazzino, la sua casa? Lei, con la sua telecamera? Io con le mie lezioni? Io?"

E qui, effettivamente, il prof. Mondrian Kilroy tirava sul col naso, poi si levava gli occhiali, e si asciugava gli occhi con un grande fazzoletto blu, tutto stropicciato. Volendo, era qualcosa come un pianto.

– Tutto qui? –, chiese Vack Montorsi.
– Più o meno.
Vack Montorsi spense il videoregistratore.
– Cosa abbiamo d'altro?
– I gemelli e quella storia della falsa *Gioconda*.

– La *Gioconda* fa schifo.

Venerdì sera andò in onda uno special su quattro gemelli inglesi. Per tre anni erano andati a scuola a turno e nessuno se n'era accorto. Neanche la loro fidanzata. Che adesso aveva qualche problemino.

16.

Gould stava seduto per terra, sulla moquette alta quattro centimetri. Guardava una televisione. Quando tornò Shatzy erano le dieci passate. A lei piaceva andare a far la spesa di sera, sosteneva che la roba era stanca e così si lasciava comprare senza fare resistenza. Aprì la porta e Gould le disse ciao, senza togliere gli occhi dalla televisione. Shatzy lo guardò.

– Non aspettarti un granché, ma comunque se la accendi migliora.

Gould disse che non funzionava. Premeva tutti i tasti del telecomando ma non succedeva niente. Shatzy posò la spesa sul tavolo della cucina. Gettò uno sguardo verso il televisore spento. Era in finto legno, a meno che non fosse legno vero.

– Dove l'hai preso?

– Cosa?

– Dove l'hai preso il televisore?

Gould disse che l'aveva rubato Poomerang a un giapponese che vendeva piatti giapponesi fatti di cera. Disse che erano piatti nel senso delle cose da mangiare, tipo pollo e sedano, pesci crudi, cose così, da non crederci quanto erano perfetti, facevi fatica a capire che erano finti. Riuscivano a fare anche le minestre. Disse che non doveva essere facile fare una minestra di cera, bisognava saperci fare, non era una cosa che potevi improvvisare, così, su due piedi.

– Come sarebbe a dire *rubato*?

– Gliel'ha portato via.

– È diventato matto?

– Il giapponese gli doveva dei soldi.

Disse che Poomerang gli lavava la vetrina tutte le mattine e il giapponese aveva sempre una scusa buona per non pagare, così Poomerang gli aveva nondetto che era stufo di aspettare, aveva preso il televisore di finto legno e se l'era portato via. Disse che magari era anche legno vero, ma se stai in un negozio di roba da mangiare fatta di cera, perfettamente uguale a quella vera, finisci per aspettarti che tutto sia falso, lì dentro, non ti riesce più di fare distinzioni precise. Allora Shatzy disse che in effetti doveva essere così, e aggiunse che a lei succedeva quando leggeva i giornali. Gould premette un tasto rosso sul telecomando, ma non successe niente.

– Tu conosci qualcuno che è pazzo, Shatzy?

– Pazzo pazzo?

– Uno che i medici dicono che è pazzo.

– Un pazzo vero.

– Sì.

Shatzy disse che credeva di averne visti alcuni, sì. Non era un bel vedere, all'inizio. È che fumano tutto il tempo, e non hanno il senso del pudore. Facile che ti vengono vicino e intanto si tengono il pisello in mano, disse. Non lo fanno per cattiveria, è che gli manca il senso del pudore. Probabilmente c'entra col fatto che non hanno più niente da perdere. Il che è una grande fortuna, aggiunse. Dopo un po' comunque ti abitui e allora può essere perfino una cosa molto gradevole, anche se gradevole non è la parola giusta. Emozionante. Disse che poteva essere una cosa emozionante.

– Tu lo sai cosa succede nella testa a uno che diventa pazzo? –, chiese Gould.

Shatzy disse che dipendeva da che razza di pazzo era. Uno qualunque, disse Gould. Non so, disse Shatzy. Credo che gli si rompa qualcosa dentro, per cui hanno dei pezzi che non rispondono più agli ordini. Loro danno degli ordini ma quelli si perdono per strada, non arrivano, o arrivano molto tardi e poi non tornano più indietro, continuano a ordinare la stessa cosa, ossessivamente, e non c'è verso di annullarli. Così va tutto in malora, è una specie di anarchia organizzata, tu apri il rubinetto e si accende la luce, il telefono squilla quando accendi la radio, il frullatore parte quando vuole lui, apri la porta del bagno e ti trovi in cucina, cerchi la porta per uscire e non la trovi più. Facile che non ci sia proprio più. Sparita. Chiuso lì dentro per sempre. Shatzy si avvicinò al televisore. Voleva toccare il finto legno. Disse che se non puoi uscirci, da una casa così, devi pur trovare un modo di viverci. Loro lo fanno. Da fuori non ci si capisce niente, ma per loro è tutto molto logico. Disse che un pazzo era uno che per farsi lo shampoo infilava la testa nel forno.

– Ha l'aria di essere divertente –, disse Gould.

– No. Non credo che sia molto divertente.

Poi disse che secondo lei era legno vero.

Gould era seduto per terra, sulla moquette alta quattro centimetri. Continuava a guardare la televisione. Shatzy disse che a casa sua avevano un tavolo di plastica verde, ma se ti avvicinavi e guardavi bene scoprivi che era legno, il che è insensato, se ci pensi, ma allora c'era quella mania della plastica, tutto doveva essere di plastica. Allora Gould disse che sua madre era impazzita. Era successo un giorno. Adesso sta in un ospedale psichiatrico, disse. Shatzy non disse nulla, ma si chinò sul televisore dove c'era un'ammaccatura, una specie di ammaccatura, e con l'unghia tirò via un pezzo di roba dura, scura. Poi disse che doveva essergli caduto, quel televisore, non c'era da stupirsi se non funzionava. Un televisore caduto è un televisore morto, disse.

– Sono venuti a prenderla un giorno e io non l'ho mai più vista. Mio padre non vuole che io la veda così. Dice che non devo vederla così.

– Gould...

– Sì?

– Tua madre se n'è andata quattro anni fa a vivere con un professore che studia i pesci.

Gould riprovò a schiacciare qualche tasto sul telecomando ma non successe nulla. Shatzy andò in cucina e tornò con una lattina aperta di succo di pompelmo. La posò in bilico sul bordo del divano. Era un divano blu, e stava più o meno davanti al televisore. Gould si mise a grattarsi una gamba col telecomando, proprio sopra la caviglia. Se c'è una cosa capace di farti impazzire è l'elastico delle calze troppo stretto. Continuava a grattarsi con lo spigolo del telecomando. Shatzy riprese in mano la lattina, si guardò un po' attorno, poi la posò sul tavolo, di fianco al vaso di petunie. Sembrava una che fosse lì ad arredare l'appartamento. Si sentiva il rumore del frigorifero che dalla cucina fabbricava freddo, tremando come un vecchio ubriacone. Allora Gould disse che l'avevano portata via di mattino presto, così lui aveva sentito del trambusto ma aveva continuato a dormire, e quando si era svegliato suo padre era lì che camminava avanti e indietro, vestito in borghese, con la cravatta un po' allentata sul colletto aperto della camicia. Disse che una volta era andato a cercare quell'ospedale, ma non gli era riuscito di trovarlo perché nessuno ne sapeva niente, e non aveva incontrato nessuno che lo volesse aiutare. Disse che all'inizio aveva pensato di scriverle ogni giorno, ma suo padre sosteneva che lei doveva rimanere molto tranquilla ed evitare le emozioni, così lui si era chiesto se leggere una lettera poteva essere un'emozione e dopo averci pensato un po' aveva concluso che sì. Così non le aveva poi scritto. Disse che si era informato e gli avevano detto che a volte quelli che vanno in quegli ospedali poi tornano, ma non aveva mai osato chiedere a suo padre se lei sarebbe tornata. Suo padre non amava parlare di quella storia, e anzi adesso che erano passati degli anni proprio non ne parlava più, solo qualche volta di-

ceva che la mamma stava bene, ma non aggiungeva altro. Disse
che è strano ma se doveva ricordarsi di sua madre la ricordava
sempre che rideva, gli venivano in mente delle specie di foto e
lei era sempre lì che rideva, e questo nonostante il fatto che per
quanto lui potesse ricordare non si poteva dire che lei ridesse
spesso, ma questo era quello che gli succedeva, che se pensava a
lei, pensava a lei che rideva. Disse anche che nell'armadio della
camera da letto c'erano ancora tutti i suoi vestiti, e che lei sapeva imitare le voci dei cantanti, cantava con la voce di Marilyn
Monroe che sembrava sputata lei.
    – Marilyn Monroe?
    – Sì.
    – Marilyn Monroe.
    – Sì.
    – Marilyn Monroe.
    Shatzy si mise a ripetere piano Marilyn Monroe, Marilyn Mon-
roe, Marilyn Monroe, non la finiva più di ripeterlo, e a un certo
punto prese la lattina in mano, di nuovo, e la svuotò nel vaso di
petunie, Marilyn Monroe, Marilyn Monroe, fino all'ultima goc-
cia, poi la posò di nuovo sul tavolino, e disse Marilyn Monroe ancora un sacco di volte andando in cucina, tornando indietro, cercando le chiavi, chiudendo la porta di casa, e poi andando verso
la scala. Si tolse le scarpe. E un fermaglio con cui si teneva su i
capelli. Il fermaglio se lo mise in tasca. Le scarpe le lasciò lì.
    – Io vado a dormire, Gould.
    – ...
    – Scusami.
    – ...
    – Scusami, ma devo andare a dormire.
    Gould rimase seduto, a guardare la televisione.
    Pensò che doveva dire a Poomerang di riportarla indietro.
    Il giapponese aveva una bella radio, un modello vecchio, pote-
va prendere quella. Aveva tutti i nomi di città, sul vetro davanti, e

se giravi la manopola potevi spostare una piccola asta arancione, e viaggiare da tutte le parti del mondo.

Pensò che certe cose, con una televisione, non le potevi fare.

Poi non pensò più niente.

Si alzò, spense le luci, salì al piano di sopra, entrò in bagno, andò avanti nel buio fino al cesso, alzò l'asse e si sedette, senza neanche abbassarsi i pantaloni.

– Sono solo scivolato.

– 'sto cazzo.

– Le dico che sono scivolato.

– Sta' zitto, Larry. Respira forte.

– Cosa cazzo è 'sta roba?

– Non fare casino e respira, forte.

– NON HO BISOGNO DI 'STA ROBA, sono solo scivolato, cazzo.

– Va bene, sei scivolato. Adesso ascoltami. Quando ti alzi guarda bene cosa hai davanti. Se ne vedi due o tre, di negri con i guantoni, allora aspetta, tienili lontano con il jab, ma non colpire duro, prenderesti quello sbagliato, devi aspettare, hai capito?, tienili solo lontani, e quando riesci vai in clinch, restaci e respira. Non devi colpire duro fino a che non ne vedi uno solo, capito?

– Ci vedo benissimo.

– Guardami.

– Ci vedo benissimo.

– Fino a che non ti senti bene lascia stare i pugni e usa la testa.

– Devo tirarlo giù con una testata?

– Non è il momento di scherzare, Larry. Quello ti ha tirato giù.

– Ma che cazzo, come glielo devo dire, sono scivolato, è lei che non ci vede bene, la sa una cosa?, dovrebbe farsi curare, non vede più quello che...

– FINISCILA, PORCA VACCA DI UNA...

– È lei che...

– FINISCILA.

– ...

– Mi fai anche bestemmiare, porca la...

GONG.

– Non voglio perderla questa, Larry.

– La sta per vincere, Maestro.

– Vaffanculo.

– 'culo.

Grande tensione qui al St. Anthony Field, Larry Gorman contato sul finire della terza ripresa, toccato duro da un gancio velocissimo di Randolph, ora si tratta di vedere se è riuscito a recuperare, è una situazione nuova per lui, è la prima volta che finisce al tappeto nella sua carriera, è stato un gancio velocissimo di Randolph a sorprenderlo, INIZIO DEL QUARTO ROUND, Randolph parte come una furia, RANDOLPH, RANDOLPH, GORMAN SUBITO ALLE CORDE, non inizia bene per il pupillo di Mondini, Randolph sembra scatenato, MONTANTE, ANCORA MONTANTE, Gorman stringe la guardia, si sgancia sulla sinistra, respira, RANDOLPH TORNA SOTTO, non è un'azione molto composta ma sembra efficace, Gorman è costretto ancora a indietreggiare, ha ancora una buona agilità nelle gambe, JAB DI RANDOLPH A SEGNO, ANCORA UN JAB E GANCIO DESTRO, GORMAN VACILLA, DIRETTO A VUOTO DI RANDOLPH, GORMAN OSCILLA SUL BUSTO, RANDOLPH LO BRACCA, GORMAN DI NUOVO ALLE CORDE, TUTTO IL PUBBLICO IN PIEDI...

Gould si alzò dal cesso. Tirò l'acqua poi pensò che non aveva neanche pisciato e questo gli sembrò abbastanza stupido. Si avvicinò al lavabo e accese la luce. Dentifricio. Denti. Il dentifricio era al gusto *bubble gum*. Aveva delle specie di stelline dentro, era come una cosa di gomma con delle stelline dentro. Lo facevano così perché ai bambini piaceva, e alla fine si lavavano i denti senza fare storie. Sulla confezione c'era scritto proprio: per bambini. Dopo era come aver masticato chewingum per tutta una lezione di fisica. Però avevi i denti puliti, e non dovevi attaccare niente sotto al banco. Si sciacquò con l'acqua fredda e sputò il tutto diritto nel buco del lavandino. Si asciugò guardandosi nello specchio. Poi si voltò e ritornò verso il cesso. Si tirò giù la cerniera.

– Cristo, erano in tre, Maestro.

– Veramente?

– Non si può combattere contro tre.

– Già.

– Con due non c'è problema, ma tre è troppo. Così ho pensato di eliminarne uno.

– Ottima idea.

– Sa la cosa curiosa? Quando è andato giù quello, sono scomparsi anche gli altri due. Buffo, no?

– Molto buffo.

– Destro, sinistro, destro, e puf, scomparsi tutti e tre.

– Toglimi una curiosità: come hai fatto a scegliere quello da menare?

– Ho scelto quello vero.

– Ce l'aveva scritto in fronte?

– Era quello dei tre che puzzava di più.

– Ah.

– Scientifico. L'ha detto lei: usa la testa.

– Hai un culo della madonna, Larry.

– Destro, sinistro, destro: l'ha mai vista una combinazione così veloce?

– Non fatta da uno che sembrava morto.

– E lo dica, allora, dài, la smetta di borbottare e lo dica.

– Non ho mai visto un morto staccare una combinazione così veloce.

– L'ha detto, cristo, l'ha detto, ehi, dove sono i microfoni, per una volta che servono dove sono finiti?, l'ha detto, l'ho sentito con le mie orecchie, l'ha detto, l'ha detto, vero?

– Hai un culo della madonna, Larry.

Sciacquone.

Un po' rubata, questa, pensò Gould.

Andava tutto vagamente storto, quella sera, pensò. Poi si tirò su la cerniera, spense la luce e andò a dormire.

Passò del tempo.

Pezzi di notte.

A un certo punto si svegliò. C'era Shatzy seduta per terra, di fianco al suo letto. Aveva la camicia da notte con sopra una felpa rossa. Stava masticando il sedere di una biro blu.

– Ciao Shatzy.

– Ciao.

La porta era semiaperta, e veniva della luce, dal corridoio. Gould richiuse gli occhi.

– Mi è venuta in mente una cosa –, disse Shatzy.

– ...

– Mi senti?

– Sì.

– Mi è venuta in mente una cosa.

Se ne rimase un po' zitta. Forse cercava le parole. Mordicchiava la biro, si sentiva il rumore della plastica, e un rumore come di cannuccia. Poi si rimise a parlare.

– Ho pensato questa cosa. Sai le roulotte?, quelle che si attaccano alle macchine, le roulotte, hai presente?

– Sì.

– Mi hanno sempre messo una tristezza bestiale, non so perché, ma quando le sorpassi in autostrada ti viene una tristezza bestiale, vanno sempre lentissime, con il padre nella macchina che guarda fisso davanti, e tutti che lo sorpassano, e lui con la sua roulotte attaccata, e la macchina un po' bassa dietro, chinata, come una specie di vecchietta con un sacco della spesa enorme, che cammina chinata, così piano che tutti la sorpassano. È una cosa tristissima. Però, anche, è una cosa che non riesci a non guardare, voglio dire, mentre sei lì che la sorpassi, ci getti sempre un'occhiata, la *devi* guardare, anche se lo sai che è solo una tristezza, giurato che ti volti a guardarla, tutte le volte. E se ci pensi bene, la verità è che c'è qualcosa che ti attrae in quella roba lì, nella roulotte, se scavi e scavi, sotto tutti quegli strati di mestizia, alla fine arrivi a intuire che c'è qualcosa, là in fondo, che ti attira, qualcosa che si è andato a nascondere fin laggiù, un po' come se avesse voluto diventare più *prezioso*, in quel modo, qualcosa che solo a scoprirlo ti *piacerebbe*, ma ti piacerebbe sul serio. Capisci?

– Più o meno.

– È anni che ci sto dietro, a questa storia.

Gould si tirò un po' su le coperte, faceva una specie di freddo. Shatzy si avviluppò i piedi nudi in un maglione.

– Sai cosa? È un po' come con le ostriche. Mi piacerebbe un sacco mangiarle, è bellissimo vederle mangiare, ma mi han sempre fatto schifo, non c'è mai stato niente da fare, mi ricordano il catarro, hai presente?

– Sì.

– Come fai a mangiarle se ti ricordano il catarro?

– Non puoi.

– Appunto, non puoi. La roulotte, è la stessa cosa.

– Ti ricorda il catarro?

– Che c'entra, non mi ricorda il catarro, ma mi fa tristezza, capisci?, non sono mai riuscita a trovare una ragione, uno schifo di ragione per pensare dio come sarebbe bello avere una roulotte.

– Già.

– Per anni ci ho pensato e non ho mai trovato uno straccio di ragione buona.

Silenzio.

Silenzio.

– Sai una cosa, Gould?

– No.

– Ieri l'ho trovata.

– Una ragione buona?

– Ho trovato una ragione. Buona.

Gould aprì gli occhi.

– Veramente?

– Sì.

Shatzy si girò verso Gould, appoggiò i gomiti sul letto e si chinò su di lui fino a guardarlo negli occhi, proprio da vicino. Poi disse:

– Diesel.

– Diesel?

– Già. Diesel.

– Sarebbe?

– Sai quella storia che mi hai detto tu? Quella storia che lui vorrebbe vedere il mondo ma non lo fanno salire sui treni, sugli autobus, non lo fanno salire, e in macchina non ci sta, quella storia lì. Me l'hai detta tu.

– Sì.

– Una roulotte, Gould. Una roulotte.

Gould si tirò un po' su, sul letto.

– Cosa vuoi dire, Shatzy?

– Voglio dire che ce ne andiamo a vedere il mondo, Gould.

Gould sorrise.

– Tu sei matta.

– No. *Io* no, Gould.

Gould tornò a infilarsi un po' giù, sotto le coperte. Se ne stette un po' lì a pensare, in silenzio.

– Credi che ci starebbe, Diesel, nella roulotte?

– Garantito. Se ne sta seduto là dietro, se vuole si sdraia, e noi lo portiamo in giro. Avrebbe la sua casa, e sarebbe dove vuole.

– Gli piacerebbe.

– Certo che gli piacerebbe.

– È un'idea che gli piacerebbe.

Faceva una specie di freddo. C'era la luce che veniva dalla porta, e nient'altro. Ogni tanto passava una macchina, giù in strada. Se volevi la potevi sentire: chiederti dove andava, a quell'ora, e ricamarci su un sacco di storie. Shatzy guardò Gould.

– Avremmo la nostra casa, e saremmo dove vogliamo.

Gould chiuse gli occhi. Pensava a una roulotte che aveva visto in un cartone animato, andava come una matta su una strada tutta a strapiombo sul nulla, andava come una pazza sbandando da tutte le parti, sembrava sempre che stesse per cadere, ma non cadeva mai, e intanto, dentro, tutti stavano a mangiare, ed erano a casa loro, la roulotte era piccola ma li teneva come una mano che tenesse un animaletto, senza schiacciarlo, e se lo portasse in giro. Si erano anche dimenticati di lasciare uno a guidare la macchina, così se ne stavano tutti lì a mangiare, e avevano addosso qualcosa come una felicità, ma era qualcosa di più, come una splendida *idiota* felicità. Riaprì gli occhi.

– Chi guida?

– Io.

– E chi la compra la roulotte?

– Io.

– Tu?

– Io, certo. Ho dei soldi, io.

– Molti?

– Dei soldi.

– Costerà cara una roulotte.

– Vuoi scherzare? Dovrebbero pagarti, per comprare una roulotte.

– Non credo che loro la pensino così.

– Be', dovrebbero farlo.

– Non lo faranno.

– E allora pagheremo.

– Anch'io ho dei soldi.

– Vedi? Non è un problema.

– Ne avranno una che costa poco, no?, in mezzo alle altre.

– Certo che ce l'avranno. Vuoi che in tutto questo dannato Paese non ci sia una roulotte che costa esattamente i soldi che noi abbiamo in tasca?

– Sarebbe idiota.

– Sarebbe da non crederci.

– Veramente.

Avevano tutt'e due, negli occhi, strade, e strade, e strade.

– Ce ne andiamo a vedere il mondo, Gould. Basta con queste pippe.

Lo disse con una voce allegra, e poi si alzò. Le si era ingarbugliato il maglione tra i piedi. Se ne liberò in qualche modo e rimase lì, in piedi, accanto al letto. Gould la guardava. Allora quel che lei fece fu chinarsi su di lui, avvicinarsi piano, posare le labbra sulle sue, poi staccarsi appena, e rimanere lì a guardarlo da così vicino. Lui tirò fuori una mano da sotto le coperte, la mise nei capelli di Shatzy, si alzò un po', la baciò sull'angolo della bocca e poi proprio sulle labbra, prima piano, e poi premendo forte, con gli occhi chiusi.

17.

Nel settembre 1988, otto mesi dopo la morte di Mami Jane, la CRB decise di sospendere la pubblicazione delle avventure di Ballon Mac, il supereroe dentista. Le vendite erano continuate a calare con sorprendente regolarità, e anche la decisione di introdurre un personaggio femminile che sovente mostrava le tette si era dimostrata inefficace. Nell'ultimo numero, Ballon Mac partiva per un pianeta lontano promettendo a sé e ai lettori che "un giorno luminoso di un domani migliore" sarebbe tornato. "Amen", aveva commentato, con soddisfazione, Franz Forte, direttore finanziario della CRB. Diesel e Poomerang comprarono centoundici copie di quell'ultimo numero. Con metodo, e nonostante la dubbia qualità della carta, si dedicarono per mesi al compito di pulirsi il sedere, ogni volta che ciò si rendeva necessario, con una pagina del giornalino. La piegavano poi in quattro, con grande cura, e la spedivano a Franz Forte, Direzione Finanziaria, CRB. Dato che usavano buste sottratte ad alberghi, uffici pubblici, club sportivi, si rivelò impossibile per la segretaria di Franz Forte identificarle prima che finissero sulla scrivania del principale. Il quale si rassegnò ad aprire la cartella della posta, ogni giorno, con una certa circospezione.

Gould compì quattordici anni. Shatzy offrì a tutti una cena in un ristorante cinese. Nel tavolo di fianco al loro c'era una famigliola: padre, madre e una figlia, piccola. La figlia si chiamava Melania. Il padre si era messo in testa di insegnarle a usare le bacchette. Parlava con un accento un po' nasale.

– Prendi la bacchetta con la manina... così... prima solo una, tesoro, prendila bene, vedi?, la devi stringere così tra il pollice e il medio, non così, guarda... Melania, guarda papà, la devi tenere così, ecco, brava, adesso stringi un po', no, non così tanto, devi solo prenderla... Melania, guarda papà, tra il pollice e il medio, vedi, così, no, qual è il medio Melania?, è questo il medio, tesoro...

– Perché non la lasci in pace? –, disse a quel punto la moglie. Lo disse senza alzare gli occhi da una zuppa di abalone e germogli di soia. Aveva i capelli tinti di rosso e una camicetta gialla con i rinforzi di gommapiuma sulle spalle. Il marito continuò come se nessuno avesse detto niente.

– Melania, guardami, guarda papà, siediti bene, e prendi la bacchetta, dài, così... ecco, vedi che è semplice, ci sono milioni di bambini in Cina e non crederai mica che facciano tutte queste storie... adesso prendi l'altra, MELANIA, siediti dritta, avanti, guarda come fa papà, una bacchetta e poi l'altra, con la manina, dài...

– E lasciala in pace.

– Le sto insegnando...

– Non lo vedi che ha fame?

– Mangerà quando avrà imparato.

– Sarà tutto freddo quando avrà imparato.

– PER LA MISERIA, SONO SUO PADRE, POSSO...

– Non gridare.

– Sono suo padre e ho tutti i diritti di insegnarle qualcosa visto che sua madre evidentemente ha di meglio da fare che educare la sua unica figlia che...

– Mangia con la forchetta, Melania.

– NON SE NE PARLA NEMMENO, Melania, tesoro, ascolta papà, adesso facciamo vedere alla mamma che possiamo mangiare come una piccola, splendida bambina cinese...

Melania incominciò a piangere.

– L'hai fatta piangere.

– NON L'HO FATTA PIANGERE.

– E cosa sta facendo allora?

– Melania, non c'è bisogno di piangere, sei una bambina grande, non devi piangere, prendi questa bacchetta, avanti, dammi la manina, DAMMI QUELLA MANO, ecco, brava, morbida, la devi tenere morbida, Melania, ci stanno guardando tutti, smettila di piangere e prendi questo cristo di bacchetta...

– Non dire parolacce.

– NON HO DETTO PAROLACCE.

Melania si mise a piangere più forte.

– MELANIA, Melania ti stai per prendere una sberla, sai che papà ha pazienza ma a tutto c'è un limite, MELANIA, PRENDI QUESTA BACCHETTA O CI ALZIAMO DA QUI E TORNIAMO IMMEDIATAMENTE A CASA, e sai che non scherzo, avanti, prima una bacchetta e poi l'altra, forza, tra il pollice e l'indice, non l'indice, IL MEDIO, stringi adesso, così, brava, vedi che sei brava, su, adesso prendi l'altra, l'altra bacchetta tesoro, CON L'ALTRA MANO, PORCA... la prendi con L'ALTRA MANO e la metti in QUESTA mano, hai capito?, non è difficile, e smettila di piangere, cosa c'è da piangere?, vuoi diventare grande o no?, vuoi proprio rimanere una sciocca bambinetta di....

Allora Diesel si alzò. Era una fatica per lui, sempre, ma lo fece. Si avvicinò al tavolo della famigliola, prese con una mano le due bacchette della bambina, e stringendo la mano le sbriciolò, proprio sopra il piatto di anatra laccata del padre.

Melania smise di piangere. Il ristorante era piombato in un silenzio che sapeva di fritto e di soia. Diesel parlò piano, ma potevano sentirlo anche in cucina. Si limitò a fare una domanda.

– Perché fate figli? –, disse. – Perché?

Il padre se ne stava immobile guardando davanti a sé senza osare voltarsi. La moglie aveva il cucchiaio a metà strada tra la bocca e la scodella. Guardava Diesel con stupefatto rimpianto: sembrava la concorrente di un quiz che conosceva la risposta ma non se la ricordava più.

Diesel si chinò sulla bambina. La guardò negli occhi.

– Piccola, splendida bambina cinese.

Disse.

– Mangia con la forchetta, o ti ammazzo.

Poi si voltò e tornò al suo tavolo.

– Mi passi il riso cantonese? – nondisse Poomerang.

A modo suo, fu un bel compleanno.

Nel febbraio 1989 un gruppo di studio dell'Università di Vancouver pubblicò sull'autorevole rivista *Science and Progress* un articolo di novantadue pagine in cui si enunciava una nuova teoria sulla dinamica accoppiata delle pseudoparticelle. I firmatari – sedici fisici di cinque Paesi diversi – sostennero, davanti alle telecamere di mezzo mondo, che si apriva per la scienza una nuova epoca: e annunciarono che i loro studi avrebbero portato nel giro di una decina d'anni a rendere possibile la produzione di energia a basso costo e minimo rischio ambientale. Dopo tre mesi, tuttavia, un articolo di due pagine e mezza sul *National Scientific Bulletin* dimostrò che il modello matematico di cui si erano avvalsi gli studiosi di Vancouver per fondare la loro teoria risultava, a un controllo attento, largamente inadeguato, e sostanzialmente inutilizzabile. "Un po' infantile", affermavano, alla lettera, i due autori dell'articolo. Il primo si chiamava Mondrian Kilroy. Il secondo era Gould.

Non è che in genere loro due lavorassero insieme. Più che altro fu un caso. Tutto era incominciato in sala mensa. Erano finiti a mangiare uno davanti all'altro, e a un certo punto il prof. Mondrian Kilroy, sputando il purè, aveva detto

– Cos'è? l'han fatta a Vancouver 'sta roba?

Gould aveva letto le novantadue pagine su *Science and Progress*. Trovava che il purè non era male, ma sapeva che in quell'articolo qualcosa non funzionava. Passò al prof. Mondrian Kilroy la sua porzione di spinaci e disse che secondo lui l'errore era a pagina dodici. Il professore sorrise. Lasciò lì gli spinaci e iniziò a riempire di calcoli la tovaglietta di carta su cui aveva sputato il purè. Ci misero dodici giorni a finire. Il tredicesimo copiarono tutto in bella e spedirono al *Bulletin*. Mondrian Kilroy avrebbe voluto intitolare l'articolo "Obiezione al purè di Vancouver". Gould lo convinse che era meglio qualcosa di più anodino. Quando i media scoprirono che uno dei due firmatari aveva quattordici anni diedero fuori di testa. Gould e il professore furono costretti a convocare una conferenza stampa a cui accorsero 134 giornalisti, da tutto il mondo.

– Troppi –, disse il prof. Mondrian Kilroy.

– Troppi –, disse Gould.

Se lo dissero mentre aspettavano nel corridoio. Si voltarono, uscirono dalle cucine e se ne andarono a pescare al lago di Abalema. Il rettore definì il loro comportamento inammissibile e i due furono sospesi.

– Da cosa, precisamente? –, chiese il prof. Mondrian Kilroy. *Precisamente* non lo sapeva nessuno. Così la sospensione fu sospesa.

Più o meno in quel periodo Shatzy si ricordò che, volendo acquistare una roulotte, diventava significativamente importante possedere un'automobile. "In effetti", disse Gould, constatando come fosse curioso che non ci avessero mai pensato prima. Shatzy disse che forse era il caso di parlarne al padre. Ce l'avrà una macchina, no?, da qualche parte. È un maschio. I maschi hanno sempre una macchina, da qualche parte. Gould disse "in effetti". Poi aggiunse che comunque era meglio non dirgli niente della roulotte. Ci puoi giurare, disse Shatzy.

– Pronto?

– Signorina Shell?

– Sono io.

– Tutto bene laggiù?

– Sì. Abbiamo solo un piccolo problema.

– Che problema?

– Ci servirebbe la sua automobile.

– La mia automobile?

– Sì.

– Di che automobile sta parlando?

– Della sua.

– Sta dicendomi che io posseggo un'automobile?

– Mi sembrava una cosa plausibile.

– Temo che lei si sbagli, signorina.

– È sorprendente.

– Perché, lei non sbaglia mai?

– Non intendevo questo.

– Cosa intendeva?

– Lei è un maschio e non ha un'automobile, questo intendevo. È sorprendente, no?

– Non ne sono sicuro.

– È abbastanza sorprendente, mi creda.

– Non andrebbe bene un carro armato? Di quelli ne ho molti.

Shatzy vide per un attimo una roulotte trascinata da un carro armato.

– No, temo che non ci risolva il problema.

– Scherzavo.

– Ah.

– Signorina Shell?

– Sì.

– Vuole gentilmente dirmi qual è il problema in questione?

A Shatzy venne in mente Bird, il vecchio pistolero. Strana macchina, la mente. Lavora come vuole lei.

– Qual è il problema, signorina Shell?

Oppure era quella specie di stanchezza. Come una stanchezza, addosso. La stessa musica che ballava Bird. Vecchio pistolero.

– Signorina Shell, le sto chiedendo qual è il problema, le dispiace rispondermi?

Bird.

Con strade sulla faccia, camminate da infinite sparatorie, diceva Shatzy. Gli occhi deglutiti dal cranio, e mani di ulivo, le mani veloci, rami d'inverno. Stanchi. Il pettine, al mattino, bagnato d'acqua, rigare i capelli bianchi all'indietro, trasparenti, ormai. Polmoni di tabacco nella voce che piano dice: Che vento, oggi.

Niente di peggio che non morire, per un pistolero.

Guardarsi intorno, ogni faccia mai vista può essere quella dell'idiota di turno arrivato da lontano per diventare quello che ha ammazzato Clay "Bird" Puller. Se vuoi sapere quando si diventa un mito, allora ascolta: è quando ti ritrovi a duellare sempre di schiena. Finché ti vengono incontro da davanti sei solo un pistolero. La gloria è una scia di merda, dietro la schiena. Sbrigati coglione, disse senza nemmeno voltarsi. Il ragazzetto aveva un cappello nero, e in tasca qualche stronzata che era il ricordo di un odio lontano, e la promessa di una qualche vendetta. Troppo tardi, coglione.

Con queste strade sulla faccia, vecchiaia vigliacca, a pisciarmi addosso la notte, il male bastardo sotto il cinturone, come una pietra rovente tra la pancia e il culo, non viene mai giorno, e quando viene è un deserto di tempo vuoto, da attraversare, come sono arrivato qui?, io.

Come sparava Bird. Teneva le fondine al contrario con il calcio della pistola che usciva in avanti. Estraeva a braccia incrociate, la pistola destra nella mano sinistra, e viceversa. Così, quando ti veniva incontro, le dita a sfiorare il calcio delle pistole, sembrava una specie di condannato, qualcosa come un prigioniero che stesse andando al patibolo, con le braccia legate davanti. Un istante dopo era un uccello rapace che apriva le ali, una frustata nell'aria, e il geometrico volo di due pallottole. Bird.

Cos'è allora questo strisciare nella nebbia delle mie cataratte, costretto a contare le ore io che conoscevo gli istanti, ed era l'unico tempo che esisteva per me. Lo scarto di una pupilla, le nocche sbiancate intorno a un bicchiere, uno sperone nel fianco del cavallo, l'ombra di un'ombra sul muro blu. Ci ho vissuto eternità, dove gli altri vedevano attimi. Per loro era come lampo ciò che per me era una mappa, una stella dove io vedevo cieli. Io pensavo dentro pieghe del tempo che per loro erano già ricordo. Non c'è altro modo, mi avevano insegnato, per vedere la morte prima che arrivi. Cos'è allora questo strisciare nella nebbia delle mie cataratte, costretto a spiare le carte degli altri, mendicando battute dalla mia sedia, sempre quella, in seconda fila, la sera a tirare sassi ai cani, in tasca soldi da vecchio che le puttane non vogliono, li prenderà un *mariachi*, quando verrà, che sia triste e lunga la tua canzone, ragazzo, dolce la tua chitarra e lenta la tua voce, io voglio ballare, questa notte, fino al tramonto di questa notte, io ballerò.

Dicevano che Bird si portasse sempre dietro un dizionario. Francese. Ci aveva studiato tutte le parole, una dopo l'altra, in ordine alfabetico. Era così vecchio che aveva già fatto il giro e adesso se ne stava dalle parti della G, per la seconda volta. Nessuno sapeva perché mai facesse tutto quello. Però una volta, a Tandeltown, dicono che si avvicinò a una donna, era bellissima, alta, occhi verdi, c'era da chiedersi come fosse finita lì. Lui le si avvicinò e le disse: *Enchanté.*

Clay "Bird" Puller. Morirà in un modo bellissimo, diceva Shatzy. Gliel'ho promesso: morirà in un modo bellissimo.

– Signorina Shell?

– Sì, pronto.

– Mi sente?

– Sì, benissimo.

– Si era interrotta la linea.

– Succede.

– È un inferno, con questi telefoni.

– Già.

– Credo che sarebbe più facile mandare lì un bombardiere e centrare mio figlio in testa che non riuscire a parlargli per telefono.

– Spero che non lo farà.

– Come?

– No, niente, scherzavo.

– È lì, Gould?

– Sì.

– Me lo passa?

– Sì.

– Stia in gamba.

– Anche lei.

Gould era in pigiama, anche se erano solo le sette e un quarto. L'aveva beccato un'influenza che i giornali chiamavano "la russa". Era una brutta bestia, e, a parte la febbre, il casino era che ti svuotava dentro. Roba da passare ore sul cesso. La carriera di Larry Gorman ne trasse un impulso improvviso e, come si vedrà, decisivo. In pochi giorni mandò al tappeto Park Porter, Bill Ormesson, Frank Tarantini e Morgan "Killer" Bluman. Con Grey La Banca vinse per ferita, al terzo round. Pat McGrilley si fece fuori da solo, scivolando e andando a picchiare con la testa sul tappeto. Larry Gorman aveva ormai un record che non poteva passare inosservato. 21 combattimenti, 21 vittorie prima del limite. I giornali incominciarono a parlare del titolo mondiale.

DIESEL – A Mondini lo disse Drink, il suo vice. Gli disse che sui giornali parlavano di Larry. Aveva dei ritagli, glieli aveva dati suo nipote. Mondini prese gli occhiali e si mise a leggere. Gli fece una strana impressione. Non aveva mai visto il nome di un suo allievo messo insieme a quello di campioni veri. Era un po' come comprare *Playboy* e trovarci delle foto di tua moglie. Alcuni giornali storcevano il naso e dicevano che di quelle 21 vittorie ce n'erano giusto un paio contro pugili veri. Un giornale, in particolare, sosteneva che era tutta una bufala e spiegava che il padre di Larry, un ricco avvocato, aveva speso un mucchio di soldi per portare il figlio fin lì, anche se non diceva esattamente *come* li avesse spesi. L'articolo era anche ben scritto, faceva ridere. Per quella storia del padre avvocato, Larry era sempre citato come Larry "Lawyer" Gorman. Mondini trovò che faceva abbastanza ridere. A parte quel giornale, comunque, gli altri prendevano la cosa molto sul serio. *Boxing* metteva Larry al sesto posto nella classifica mondiale. E su *Boxe Ring* c'era un corsivo dedicato a lui e intitolato "L'erede alla corona". Mondini si accorse che mentre lo leggeva gli si appannavano gli occhiali.

– Ehi Larry... Larry!, due battute per la radio...

– Non sono io a combattere, 'stasera, Dan.

– Solo due battute.

– Son venuto a vedere del buon pugilato, e basta, questa volta me la godo da sotto al ring.

– Hai qualcosa da dire a proposito di certi articoli che sono usciti su...

– Mi piace quel soprannome.

– Cosa vuoi dire?

– *Lawyer*. Mi piace. Credo che lo userò.

– Ricordiamo agli ascoltatori che è apparso su un quotidiano un duro articolo su Larry, scritto da...

– Larry "Lawyer" Gorman, suona bene, no? Credo che lo userò, la prossima volta fammi un piacere, Dan...

– Dimmi, Larry.

– In radiocronaca chiamami Lawyer. Mi piace.

– Come vuoi tu, Larry.

– Larry Lawyer.

– Larry Lawyer, va bene.

– Hai una macchia sul bavero, Dan, una roba di unto.

– Come?

– Hai una macchia di unto, sul bavero... lì, la vedi?... dev'essere unto.

POOMERANG – Mondini finì di leggere e capì che girava male. Per come vedeva lui le cose, girava male. Quello della boxe era un mondo strano, c'era dentro di tutto, da quello che si divertiva a prendere a pugni il sacco a quelli che si guadagnavano da vivere, sul ring, cercando di non lasciarci la pelle. C'erano pugili puliti e pugili che giocavano sporco, ma alla fine era un mondo abbastanza vero, e a lui piaceva. La boxe. Quella che aveva conosciuto lui. Gli piaceva. Ma il titolo, il mondiale, la corona: quella era un'altra storia. Troppi soldi, in mezzo, troppa gente difficile da capire, troppa fama. E pugni pesanti, pugni diversi dagli altri. Per come vedeva lui le cose, quella era una storia da cui girare al largo.

Capì che le cose stavano precipitando quando vide arrivare in palestra un tipo con gli occhiali scuri e i denti rifatti. Era uno del giro dei Casinò, quelli che organizzavano gli incontri importanti. Se lo ricordava da pugile, una volta avrebbero anche dovuto combattere insieme, poi non se n'era fatto niente. Gli era spiaciuto: era uno di quei pugili che durano due riprese, poi iniziano a chiedersi cosa diavolo stanno facendo là sopra, con tutti i bei film da vedere che ci sono in giro. Un perdente programmatico. Adesso era ingrassato, e zoppicava un po'. Era venuto "a salutare". Fecero quattro chiacchiere. Larry non c'era.

DIESEL – Larry si allenava, e del titolo non parlava mai. Mondini lo metteva sotto di brutto, e lui non mollava. Sembrava che stesse in una bolla tutta sua, dove niente poteva veramente toccarlo. Mondini l'aveva già vista quella cosa lì: ce l'avevano addos-

so i campioni. Era un misto di forza inconfutabile e definitiva solitudine. Li metteva al riparo da qualsiasi sconfitta, e da ogni felicità. Così perdevano, imbattuti, tutta la vita. Un giorno Larry arrivò in palestra con una ragazza, una brunetta piccola e magra che si chiamava Jody. Aveva un maglione stretto e delle scarpe con molte stringhe. A Mondini parve molto bella, e in un modo, per così dire, gentile. Si sedette in un angolo, e guardò Larry allenarsi, senza dire una parola. Prima che l'allenamento fosse finito, si alzò e se ne andò. Un altro giorno Larry boxava con un ragazzo più giovane di lui, uno coraggioso, ma giovane, e a un certo punto iniziò ad andarci giù un po' troppo pesante. Mondini non aspettò che l'orologio suonasse i tre minuti: appoggiato alle corde disse: Basta. Ma Larry non si fermò. Picchiava con una cattiveria strana. E arrivò fino in fondo. Mondini non disse niente. Lasciò che Larry scendesse dal ring. Vide come Drink gli asciugava la schiena e gli toglieva i guantoni: con rispetto. Lo vide passare davanti allo specchio, prima di tornare nello spogliatoio, e fermarsi per un attimo, lì davanti. Allora gli rivenne in mente la ragazza silenziosa, chissà perché, e un sacco di altre cose. Tirò una bestemmia a bassa voce, e capì che era arrivato il momento. Aspettò che Larry uscisse, tutto elegante, con il suo cappotto di cachemire. Staccò la spina dell'orologio. Poi disse
– Ti porto a casa, Larry, okay?
POOMERANG – Attraversarono la città senza dirsi una parola. La vecchia berlina di Mondini andava avanti solo con l'aria tirata al massimo. Fermi ai semafori sembravano una pentola a pressione alla terza ora di minestrone. Alla fine Mondini parcheggiò e spense il motore. Quartiere da ricchi e luci basse su prati all'inglese.
– Ti fidi di me, Larry?
– Sì.
– Allora adesso ti spiego.
– Va bene.

– Tu hai fatto 21 incontri, Larry. Sedici di quelli li avrei vinti anch'io. Ma gli altri cinque, quelli erano pugili veri. Sobilo, Parker, Morgan Bluman... quella è gente che ti fa passare la voglia di combattere. E con te non sono nemmeno arrivati in fondo. Hai un modo di boxare, tu, che loro non si sono mai immaginati. Ogni tanto, quando sei là sopra, guardo i tuoi avversari, ed è pazzesco come sembrino... vecchi. Sembrano film in bianco e nero. Non so dove tu abbia imparato, ma è così. Quella boxe non esiste, se non boxi tu. Mi credi?

– Sì.

– Allora adesso ascoltami bene. Ci sono due cose che devi capire.

– Okay.

– Prima: tu non hai mai preso un vero pugno in vita tua.

– In che senso?

– Tutti tirano pugni, Larry. Poi ce n'è tre, quattro al mondo che sono capaci a fare qualcosa di più: picchiare. I loro, sono pugni veri. Tu non hai idea di cosa siano. Quelli sono colpi che potrebbero ridisegnarti la carrozzeria della macchina. Dentro c'è tutto: coordinazione, forza, velocità, precisione, cattiveria. Sono capolavori. Dovrebbero portarci le scolaresche a vederli, come nei musei. Ed è bello vederli quando sei seduto davanti alla tivù, con una birra in mano. Ma se sei là sopra, è paura, Larry, pochi cazzi, è paura pura. E orrore. Si muore, di pugni come quelli. O si vive stupidi per tutta la vita che ti resta.

Larry non si mosse. Guardava fuori, davanti a sé. Disse solo:

– E la seconda cosa?

Mondini stette un po' in silenzio. Poi girò lo specchietto retrovisore verso Larry. Quel che avrebbe voluto dire era che i campioni del mondo non avevano una faccia come quella. Ma non gli veniva la frase. Voleva dire che bisogna avere un buco nero al posto del futuro per rischiare la vita sul ring, se no sei solo un giovinastro pazzo, innamorato di te, e basta. Forse voleva dire anche qualcosa su quella ragazza silenziosa. Ma non sapeva esattamente cosa.

Larry si guardò nello specchietto.

Vide una faccia da avvocato. Campione del mondo di boxe. Mondini trovò una frase. Non era un granché, ma rendeva l'idea.

– Sai da cosa lo riconosci il grande pugile? Lui sa qual è il giorno in cui smetterà. Credimi Larry: il tuo giorno è adesso.

Larry si voltò verso il Maestro.

– Dovrei smettere?

– Sì.

– Io dovrei smettere?

– Sì.

– Lei vorrebbe dirmi che Larry "Lawyer" Gorman dovrebbe smettere?

– *Tu*, Larry, *tu* devi smettere.

– Io?

DIESEL – Perché i ricchi non capiscono un cazzo del resto dell'umanità, questo si sa, ma la cosa che nessuno vuol capire, è che il resto dell'umanità non ne sa un bel niente, dei ricchi, non ha nessuna possibilità di capirli. Devi esserci passato, per capire, devi esser stato ricco quando avevi sei anni, quando eri nella pancia di tua madre, quando eri un pensiero di tuo padre, ricco anche lui. Allora magari puoi capire. Se no, puoi solo sparare cazzate. Che ne sai tu, per dire, di cos'è importante per loro? Di cosa conta veramente? O di cosa gli fa paura? Lo sapresti dire di te, forse. Ma loro, che c'entrano? Stanno in un altro ecosistema. Tipo i pesci, per dire. Chi ci capisce niente di cosa vogliono, o dove stanno andando, e perché. Sono pesci. E possono crepare per quello che per te è vita. Una boccata d'aria e sono andati, una boccata d'aria qualunque di quelle che per te sono vita. Crepati. Larry era un pesce. Aveva tutto un suo mare attorno, e branchie difficili da vedere, e una vita da respirare in un modo che non puoi capire, guardando il mare, da riva, da qui.

POOMERANG – Larry non stette nemmeno troppo a pensarci. Rimise a posto lo specchietto retrovisore, guardò dritto negli occhi Mondini e disse

– Io voglio arrivare lassù, Maestro. Voglio capire cosa si vede, da lassù.

Mondini scosse la testa.

– Non un granché se sei sdraiato al tappeto con gli occhi rovesciati.

Lo disse non per portare sfiga, lo disse per dir qualcosa, per evitare che tutto diventasse troppo serio. Ma per Larry, era serio. Lui che scherzava su tutto, quella volta faceva dannatamente sul serio.

– Io ci voglio provare, Maestro. Mi porta lassù?

Mondini non si aspettava di essere lì per rispondere a delle domande. Era lì per far scendere quel ragazzo dal ring.

– Per favore, mi porta lassù?

Mondini non se l'aspettava.

– Sì o no, Maestro?

Durante l'inverno del 1989, la temperatura fu molto rigida, e il campionato di calcio, nel campo dietro alla casa di Gould, fu interrotto spesso per impraticabilità del terreno. Alle volte si rassegnavano a giocare in condizioni proibitive, giusto perché il calendario non andasse completamente a pallino. Capitò a Gould, Poomerang e Diesel di vederli giocare, un giorno, sulla neve. Il pallone rimbalzava, e dunque per l'arbitro era tutto regolare. Una squadra aveva la maglia rossa. L'altra una divisa a scacchi viola e bianca. Qualcuno aveva i guanti, e uno dei due portieri si era messo un colbacco in testa, con i paraorecchi abbassati e legati sotto il mento. Sembrava un esploratore antartico ripescato sul pack da una nave crociera del Club Med. A metà del secondo tempo Gould uscì da casa e raggiunse il solito posto, dietro alla porta di destra. Il prof. Taltomar non c'era. Era la prima volta. Gould aspettò un po', poi se ne tornò a casa. Vinsero i rossi, con un goal di culo al dodicesimo del secondo tempo.

Il professore non ricomparve più, al campo, e così Gould si mise a cercarlo. Alla fine lo trovò in una casa di cura per anziani, con una polmonite che forse era un cancro, non si sapeva bene. Stava nel suo letto, ed era come rimpicciolito. Tra le labbra aveva una sigaretta senza filtro, spenta. Gould avvicinò la sedia al letto e si sedette. Il prof. Taltomar aveva gli occhi chiusi, forse stava dormendo. Per un po' Gould rimase in silenzio. Poi disse:

– Zero a zero a due minuti dalla fine. Il centravanti si butta in area, l'arbitro fischia il rigore. Il capitano protesta mettendosi a strillare come un matto. L'arbitro si incazza, estrae una pistola e gli spara a bruciapelo. La pistola fa cilecca. Il capitano si butta sull'arbitro e i due finiscono a terra. Accorrono dei giocatori e li dividono. L'arbitro si rialza.

Il prof. Taltomar non si mosse. Per un po', non si mosse. Poi si sfilò lentamente la sigaretta dalle labbra, scosse via un po' di cenere immaginaria, e mormorò piano:

– Cartellino rosso per il capitano. Esecuzione del rigore. Portata a termine della partita fino allo scadere del tempo regolamentare più recupero relativo all'avvenuto tafferuglio. Radiazione dell'arbitro ai sensi della norma n. 28 dello Statuto associativo che così recita: i pirla non arbitrano.

Poi diede un colpo di tosse e si infilò la sigaretta tra le labbra.

Gould sentì qualcosa di bello, dentro.

Rimase ancora un po' lì, in silenzio.

Quando si alzò disse:

– Grazie, professore.

Il prof. Taltomar non aprì nemmeno gli occhi.

– Stai bene, figliolo.

Più o meno in quel periodo Shatzy trattò l'acquisto di una roulotte di seconda mano, modello *Pagode* del '71. Dentro era tutta di legno. Fuori era gialla.

– Come le è venuto in mente di sceglierla gialla?

– Signorina, guardi che è lei che la sta comprando, non io.

– Ho capito, ma vent'anni fa è lei che l'ha comprata. Non mi dirà che non ce n'erano di altri colori?

– Se il giallo non le piace può sempre riverniciarla.

– A me il giallo piace.

– A lei piace?

– A me sì. Ma in generale bisogna essere completamente deficienti per comprarsi una roulotte gialla, non crede?

Il prof. Bandini abbassò il capo pensando che doveva ricordarsi di avere molta pazienza con quella ragazza. Doveva rimanere calmo, se no non sarebbe mai riuscito a liberarsi di quella maledetta roulotte. Erano mesi che cercava di farla fuori. Non c'è molta gente che abbia in cima ai suoi desideri una roulotte *Pagode* del '71. Gialla. Aveva messo annunci dappertutto, compreso il giornalino dell'università in cui insegnava. Era l'università di Gould. Gould aveva ritagliato l'annuncio e l'aveva appeso in mezzo agli altri, sul frigorifero. Era Shatzy, poi, che sceglieva. Prediligeva i cattolici e gli intellettuali: di solito si vergognavano di parlare di denaro. Il prof. Bandini era un intellettuale cattolico.

Così un giorno, mentre stava facendo lezione davanti a un centinaio di studenti, nell'aula 11, vide aprirsi la porta ed entrare quella ragazza.

– È lei il prof. Michael Bandini?

– Sì, perché?

Shatzy sventolò il ritaglio del giornale.

– È lei che vende una roulotte usata, modello *Pagode*, del '71, discrete condizioni, prezzo trattabile, no permuta?

Senza capire bene perché, il prof. Bandini si vergognò come se gli stessero riportando un ombrello dimenticato in un cinema porno.

– Sì, sono io.

– Si può vedere?, la roulotte, dico, si può vedere?

– Sto facendo lezione, signorina.

Shatzy sembrò accorgersi solo in quel momento degli studenti che riempivano l'aula.

– Oh.

– Le spiace tornare più tardi?

– Certo, mi scusi, posso aspettare un po', magari mi siedo qua, le spiace?, capace che imparo anche qualcosa di buono.

– Prego.

– Grazie.

Il prof. Bandini pensò che il mondo era pieno di pazzi. Poi continuò da dove aveva interrotto.

Di solito – disse – il *porch*, o "veranda", è collocato sulla parete frontale della casa. È costituito da una tettoia di profondità variabile – ma di rado superiore ai quattro metri – che poggia su una serie di montanti e copre un assito la cui sopraelevazione rispetto al suolo oscilla generalmente tra i venti centimetri e il metro e mezzo. Una ringhiera e i necessari gradini di accesso ne completano il profilo. Da un punto vista puramente architettonico, il *porch* rappresenta uno sviluppo abbastanza elementare dell'idea classica di facciata, espressione di una povertà abbiente, e di un lusso rudimentale, primitivo. Da un punto di vista psicologico, se non morale, si tratta invece di un fenomeno che mi fa sbiellare e che risulta, a un'attenta analisi, commovente, ma anche ripugnante e, in definitiva, epifanico. Da *epipháneia*, greco: rivelazione.

Shatzy approvò con un leggero cenno del capo. Nel West, in effetti, quasi tutti avevano una veranda davanti a casa.

L'anomalia del *porch* – continuò il prof. Bandini – è evidentemente quella di essere, al contempo, un luogo dentro e un luogo fuori. In certo modo, esso rappresenta una soglia prolungata, in cui la casa non è più, e tuttavia ancora non si è estinta nella minaccia del fuori. È una zona franca in cui l'idea di luogo protetto, che ogni casa sta lì a testimoniare e realizzare, si sporge oltre la propria definizione, e si ripropone, quasi indifesa, come per una postuma resistenza alle pretese dell'aperto. In questo senso esso sembrerebbe luogo debole per eccellenza, mondo in bilico, idea in esilio. E non è escluso che proprio questa sua identità debole concorra al suo fascino, essendo incline, l'uomo, ad amare i luoghi che sembrano incarnare la propria precarietà, il proprio essere creatura allo scoperto, e di confine.

In privato, il prof. Bandini riassumeva questo suo ragionamento con un'espressione che riteneva imprudente usare in pubblico, ma che considerava felicemente sintetica. "Gli uomini *hanno* case: ma *sono* verande." Una volta aveva provato ad enunciarla alla moglie, e la moglie aveva riso fino a starne male. La cosa l'aveva piuttosto colpito. In seguito la moglie l'aveva lasciato per andare a vivere con una traduttrice di ventidue anni più vecchia di lei.

È curioso, tuttavia – proseguì il prof. Bandini –, come questo statuto di "luogo debole" si dissolva non appena il *porch* cessa di essere inanimato oggetto architettonico e viene abitato dagli uomini. Su una veranda, l'uomo medio dimora spalle alla casa, seduto, e per lo più seduto su una sedia provvista di apposito meccanismo atto a farla dondolare. Talvolta, componendo il quadro nella sua più accecante esattezza, l'uomo tiene in grembo un fucile carico. Sempre, guarda davanti a sé. Se ora voi ritornate a quell'immagine di precarietà che era il *porch* inteso come semplice oggetto architettonico, e la arricchite della presenza di quell'uomo – spalle alla casa, basculante sulla sua sedia a dondolo, con un fucile carico in grembo – quell'immagine virerà sensibilmente verso un senso di forza, sicurezza, determinazione. Si potrebbe dire addirittura che quel *porch* cessa di essere un'eco fragile della casa a cui si appoggia, e diventa validazione finale di ciò che la casa appena accenna: sanzione definitiva del luogo protetto, soluzione del teorema che la casa si limitava ad enunciare.

A Shatzy piacque particolarmente il dettaglio del fucile carico.

In definitiva – proseguì il prof. Bandini – quell'uomo e quel *porch*, insieme, costituiscono un'icona laica, eppure sacra, in cui si celebra il diritto dell'umano al possesso di un luogo suo proprio, sottratto all'indistinto essere del semplicemente esistente. Di più: quell'icona celebra la pretesa dell'umano a essere in grado di difendere quel luogo, con le armi di una metodica viltà (il basculare della sedia a dondolo) o di un attrezzato coraggio (il fucile carico). Tutta la condizione umana è riassunta in quell'immagine. Giacché esattamente questa appare la dislocazione destinale dell'uomo: essere di fronte al mondo, con alle spalle se stesso.

Era una cosa a cui il prof. Bandini credeva, al di là di qualsiasi necessità accademica – lui, semplicemente, credeva che le cose stessero esattamente così, lo credeva anche quando era in bagno. Lui pensava, davvero, che gli uomini stanno sulla veranda della propria vita (esuli quindi da se stessi) e che questo è l'unico modo possibile, per loro, di difendere la propria vita dal mondo, giacché se solo si azzardassero a rientrare in casa (e ad essere se stessi, dunque) immediatamente quella casa regredirebbe a fragile rifugio nel mare del nulla, destinata ad essere spazzata via dall'ondata dell'Aperto, e il rifugio si tramuterebbe in trappola mortale, ragione per cui la gente si affretta a riuscire sulla veranda (e dunque da se stessa), riprendendo posizione là dove solo le è dato di arrestare l'invasione del mondo, salvando quanto meno l'idea di una propria casa, pur nella rassegnazione di sapere, quella casa, inabitabile. Abbiamo case, ma siamo verande, pensava. Guardava gli uomini e nelle loro commoventi menzogne sentiva lo scricchiolio della sedia a dondolo sulle assi impolverate del *porch*; ed erano, per lui, buffi fucili carichi le impennate di orgoglio e di penosa autoaffermazione in cui vedeva, negli altri e in se stesso, occultare il verdetto di un esilio perenne. Era una faccenda tristissima, a ben pensarci, ma anche commovente perché, alla fine, il prof. Bandini sapeva di provare affetto per sé e per tutti gli altri, e compassione per tutte le verande da cui si vedeva circondato c'era qualcosa di infinitamente dignitoso in quell'indugiare eterno davanti alla soglia di casa, un passo prima di se stessi

le notti in cui si alza il vento feroce della verità, la mattina dopo sei costretto a riparare la tettoia delle tue menzogne, con pazienza inossidabile, ma quando il mio amore tornerà sarà di nuovo tutto a posto, guarderemo il tramonto insieme bevendo acqua colorata

o

quando qualcuno, sfinito, ti chiedeva di sederti davanti a lui e ti apriva la sua mente, tirando fuori tutto, davvero tutto, e perfino lì quello che capivi è che eravate seduti sulla sua veranda, ma in casa non ti aveva fatto entrare, in casa non ci entrava da anni, ormai, e questa era la paradossale ragione per cui era sfinito, lui, lì, davanti a te

quelle sere in cui l'aria è fredda e il mondo sembra essersi assentato, d'improvviso ti senti comico, lì, sulla veranda, a fare la guardia contro nessun nemico, ed è una stanchezza che ti morde, e l'umiliazione di sentirti così inutilmente ridicolo, alla fine ti alzi e rientri a casa, dopo anni di menzogne, di simulazioni, rientri a casa sapendo che magari nemmeno ti riuscirà di orientarti, là dentro, come se fosse la casa di un altro e invece era la tua, lo è ancora, apri la porta ed entri, curiosa felicità che non ricordavi, casa tua, dio che meraviglia, che grembo, questo tepore, la pace, me stesso, alla fine, non uscirò mai più da qui, poso il fucile nell'angolo e imparo di nuovo la forma degli oggetti e le figure dello spazio, mi riabituo alla geografia dimenticata della verità, imparerò a muovermi senza rompere niente, quando qualcuno busserà alla porta la aprirò, quando sarà estate spalancherò le finestre, sarò in questa casa fino a quando sarò, MA

MA se tu aspetti, e da fuori guardi quella casa, potrà passare un'ora o una giornata intera, MA alla fine tu vedrai la porta aprirsi, senza sapere né poter capire, mai, cosa può essere successo là dentro, vedrai la porta aprirsi e lentamente quell'uomo, uscire, invisibilmente spinto fuori da qualcosa che non potrai mai sapere, MA certo deve avere a che fare con qualche vertiginosa paura, o incapacità, o condanna, tanto spietata da spingere quell'uomo fuori, sulla sua veranda, il fucile in mano, io adoro

io adoro quell'istante – diceva il prof. Bandini – l'istante preciso in cui lui ancora fa un passo, con il fucile in mano, guarda il mondo davanti, sente l'aria pungente addosso, si alza il bavero della giacca, e poi – meraviglia – torna a sedersi sulla sua sedia e appoggiando la schiena la rimette in movimento, dondolio mite che si era addormentato, rassicurante rollio della menzogna, adesso culla la serenità di nuovo ritrovata, la pace dei vili, l'unica che ci spetti, passa la gente e saluta, Ehi Jack, dov'eri finito? Niente, niente, sono qua adesso, In gamba Jack, una mano accarezza il calcio del fucile, lui guarda lontano, stringendo un po' gli occhi, quanta luce, mondo di quanta luce hai bisogno, a me bastava una fiamma da nulla, là dentro, quando?, non ricordo quando, MA era un posto a cui ho detto addio, e poi più niente, non ne parlerà mai più, per sempre a dondolare sulla sua veranda di legno e vernice

se ci pensi, pensa le case vuote, a centinaia, dietro la faccia della gente, alle spalle di ogni veranda, migliaia di case perfettamente in ordine, e vuote, pensa l'aria, lì dentro, i colori, gli oggetti, la luce che cambia, tutto che accade per nessuno, luoghi orfani, loro che sarebbero I LUOGHI, gli unici veri, ma quella curiosa urbanistica del destino li ha immaginati come tarlature del mondo, incavi abbandonati sotto la superficie della coscienza, se ci pensi, che mistero, che ne è di loro, dei luoghi veri, del mio luogo vero, dove sono finito IO mentre ero qui a difendermi, non ti succede mai di chiedertelo?, chissà come sto, IO?, mentre sei lì a dondolare, a riparare pezzi di tetto, a lucidare il tuo fucile, a salutare quelli che passano, di colpo, ti viene in mente quella domanda, chissà come sto, IO?, vorrei sapere solo questo, come sto, IO? Qualcuno sa se sono buono, o vecchio, qualcuno sa se sono VIVO?

Shatzy si avvicinò alla cattedra. Gli studenti se ne stavano uscendo e il prof. Bandini era in piedi, che sistemava le sue cose nella cartella.

– Niente male la sua lezione.

– Grazie.

– Dico sul serio. C'era un sacco di roba interessante.

– La ringrazio.

– Sa cosa mi ha fatto venire in mente?

– No.

– Ecco, ho pensato, guarda te, quel professore ha maledettamente ragione, voglio dire, le cose vanno proprio così, gli uomini hanno delle case, ma in realtà sono delle verande, non so se mi spiego, hanno delle case, però loro sono...

– Come ha detto?

– Quando?

– Adesso, quella storia delle case.

– Non so, cosa ho detto?

– Ha detto quella frase.

– Quale frase?

Discesero insieme il viale, Shatzy e il prof. Bandini, continuando a chiacchierare, poi si salutarono e lui disse che la roulotte era nel suo giardino, se lei voleva passare nel pomeriggio lui sarebbe stato là, e lei disse che andava bene, così nel pomeriggio effettivamente andò laggiù, ed è lì che si misero a discutere del colore e Shatzy precisamente disse:

– Come le è venuto in mente di sceglierla gialla?

– Signorina, guardi che è lei che la sta comprando, non io.

– Ho capito, ma vent'anni fa è lei che l'ha comprata. Non mi dirà che non ce n'erano di altri colori?

– Se il giallo non le piace può sempre riverniciarla.

– A me il giallo piace.

– A lei piace?

– A me sì. Ma in generale bisogna essere completamente deficienti per comprarsi una roulotte gialla, non crede?

A una ventina di metri, appoggiati al muro del garage di casa
Bandini, Gould, Poomerang e Diesel se ne stavano all'ombra,
guardando la scena.

– Lui non lo sa, ma è pazzo di lei –, nondisse Poomerang.

– Dove l'ha presa Shatzy quella camicetta orribile? –, chiese
Diesel.

– Camicetta strategica –, disse Gould. – Se dai un colpo di tosse si apre il bottone davanti e si vedono un po' le tette.

– Veramente?

– Be', bisogna saper tossire nel modo giusto. Shatzy si allena
davanti allo specchio.

Poomerang si mise a tossire. Poi si guardò i bottoni della camicia. Poi tornò a guardare quei due che entravano e uscivano dalla
roulotte, discutendo.

– Com'è finita con Mondini? Lo porta al mondiale, o no?

– Forse.

– Sarebbe?

– Non si capisce.

– Come sarebbe a dire non si capisce?

– Adesso c'è che son venuti quelli del Tropicana, il Casinò, e
hanno offerto un sacco di soldi per metter su un match Larry
contro Benson.

– Benson lui?

– Lui.

– Cazzo.

– Già. Solo che Mondini ha detto Grazie mille, un'altra volta.

– No!

– Sì. Dice che prima Larry deve fare un altro incontro.

– È pazzo?

– Non si capisce cos'ha in testa. Dice solo che Larry deve fare quell'altro incontro, prima, e poi si vedrà.

– Ma Benson è la scorciatoia per il mondiale, se Larry lo fa fuori...

– Niente da fare, Mondini non ci sente da quell'orecchio.

– È ammattito, il vecchio.

– No, è che ha qualcosa in testa. L'altra sera Larry l'ha preso di brutto e gli ha detto Maestro, lei mi deve una risposta. Mondini l'ha guardato e poi ha detto: Dopo il prossimo incontro, Larry, e l'incontro lo scelgo io.

– Dài...

– Allora Larry si è fatto una risata e ha detto Va bene, okay, come vuole lei, Maestro, chi devo tirare giù?

– Giusto, chi diavolo deve tirare giù?

– Qui viene il bello.

– Cioè?

– Mondini è strano, non si capisce cos'ha in testa.

– Cazzo vuoi dire, Gould?

– Con tutti i pugili che ci sono in giro, è strano, non si capisce...

– Allora, chi diavolo ha scelto?

– Non lo indovinereste mai.

– E dài...

Gould si voltò un attimo a guardare Shatzy, laggiù, col prof. Bandini. Poi disse piano:

– Poreda.

– Chi?

– Poreda.

– *Stanley* Poreda?

– Già.

– Poreda quello con le braccia rotte?

– Lui.

– Che diavolo c'entra?

– Ve l'avevo detto che non ci credevate.

– Poreda?

– Stanley "Hooker" Poreda.

– Che figlio di puttana.

– Puoi dirlo forte.

– Poreda... cazzo.

– Poreda.

POOMERANG – Stanley Poreda si era ritirato due anni prima. Lo avevano fatto ritirare, per essere precisi. Aveva venduto un incontro, solo che le cose erano andate storte. L'avversario era un signorino imparentato con un boss di Belem. Aveva un bello stile, ma quanto a potenza era un disastro, non avrebbe tirato giù neanche un ubriaco. Poreda era un artista nel simulare K.O., ma nelle prime quattro riprese non gli arrivò un solo pugno che assomigliasse con un minimo di approssimazione a un pugno vero. Avrebbe voluto andar giù, e tornarsene a casa. Ma non c'era verso di strappare un pugno decente da quella specie di ballerino sfiatato. Così, tanto per far qualcosa, alla fine del quarto round entrò con un jab e doppiò col gancio. Niente di speciale. Ma il ballerino finì giù. Lo salvò il gong. Tornato nell'angolo, Poreda si vide arrivare un tipo tutto elegante, con in bocca una sigaretta con il filtro di carta dorata. Nemmeno se la sfilò dalle labbra quando si chinò su Poreda e gli sibilò: Verme, provaci ancora e sei fottuto. Se la tolse solo quando, subito dopo, sputò nella bottiglia d'acqua e disse al secondo: Dài da bere al ragazzo, ha sete. Poreda era, nel suo genere, un professionista. Prese la bottiglia, bevve un sorso senza fare una piega, poi sentì il gong. Il ballerino si alzò un po' traballante ma arrivato a centro ring ebbe la forza di dire a Poreda: Facciamola finita, miserabile. Giusto, pensò Poreda. Gli aprì la guardia con un paio di jab, poi entrò con un montante e chiuse con un gancio destro. Il ballerino volò indietro come un fantoccio. Quando atterrò sembrava uno caduto dal decimo piano. Poreda si tolse il paradenti, andò dritto verso l'angolo del ballerino e si limitò a dire: Date da bere al ragazzo, ha sete. Dieci giorni dopo, due ragazzotti entrarono di sera a casa sua, con le pistole in mano. Gli spaccarono entrambe le braccia, schiacciandole prima una poi l'altra nella porta. Capolinea, pensò Poreda.

DIESEL – Lui aveva iniziato proprio con Mondini. Due o tre incontri, poi il Maestro l'aveva beccato ad andar giù per un pugno ridicolo, e aveva capito. È una professione come un'altra, gli aveva detto Poreda. Non è la mia, gli aveva detto Mondini. E l'aveva cacciato dalla palestra. Aveva continuato a seguirlo, da lontano. Non era un gran pugile, ma era come un animale che sul ring trovava esattamente il suo habitat. Conosceva tutti i trucchi, alcuni li aveva inventati, e parecchi li eseguiva con una perfezione indiscutibile. E soprattutto: era potente. Era potente come pochi altri in circolazione. Una questione di talento. Quando decideva di farlo, era capace di scaricare su un pugno tutti i suoi 82 chili, era come se qualsiasi centimetro del suo corpo andasse per un attimo a infilarsi nel guantone. Quello colpisce anche con le chiappe, diceva Mondini. Aveva una specie di ammirazione, per lui. Così, quando venne fuori quella storia di Larry, e del mondiale, fu lui che gli venne in mente: con tutti i pugili che c'erano in giro: lui.

POOMERANG – Non era un'idea stupida. Tolti i campioni veri, Poreda era il più sporco, difficile, potente ed esperto avversario che potesse trovare per Larry. Era la boxe, dopo che le hai tolto tutta la poesia. Era combattimento ridotto all'osso. Bisognava solo convincerlo a tornare sul ring. Mondini prese il cappotto buono, andò in banca, ritirò un po' dei suoi risparmi, e andò a cercare Poreda nella palestra dove faceva l'allenatore. Forse era un caso, ma era vicino al mattatoio.

– Sono un bel po' di soldi –, annotò Poreda, soppesando il pacchetto di banconote. – Un po' troppi per comprare un pugile che ha smesso di vendere incontri due anni fa.

Mondini non fece una piega.

– Non hai capito, Poreda. Io ti pago se vinci.

– Se vinco?

– Esatto.

– Tu sei matto. Quel ragazzo è un talento, hai un tesoro per le mani, e tu paghi uno perché lo sbatta giù.

– Avrò le mie ragioni, Poreda.

– No, no, io non ne voglio più sapere di quella roba, ho chiuso col giro delle scommesse, non ho altre braccia da farmi rompere, basta.

– Non c'entrano le scommesse, te lo giuro.

– E allora cos'è, alleni la gente per vederla perdere?

– Succede.

– Tu sei matto.

– Può darsi. Accetti?

Poreda non voleva crederci. Era la prima volta che gli pagavano un extra per vincere.

– Mondini, non raccontiamoci balle, quel Gorman è un talentaccio ma tu sai che, se voglio, un sistema per fregarlo lo trovo.

– Lo so. Per questo son qui.

– Rischi di perderli, i tuoi soldi.

– Lo so.

– Mondini...

– Sì?

– Cosa c'è dietro?

– Niente. Voglio vedere se quel ragazzo riesce ancora a danzare una volta che lo metti a mollo nella merda. Tu saresti la merda.

Poreda sorrise. Aveva un'ex moglie che lo prosciugava a furia di alimenti, un'amante di quindici anni più giovane di lui, e un agente del fisco che prendeva mille dollari al mese per dimenticarsi il suo nome. Così sorrise. Poi sputò per terra. Era, da sempre, il suo modo di firmare un contratto.

– Ha tossito.

– Cosa?

– Shatzy... ha tossito.

– Siamo al buono.

– È pazzo di lei, gliela venderà, giurato che gliela venderà.

– Si è aperto, il bottone?

– Non si vede, da qui.

– Si sarà aperto.

– Secondo me non basterà.

– Dieci che ce la fa –, nondisse Poomerang, e tirò fuori un biglietto bisunto dalla tasca.

– Okay per dieci. E altri venti su Poreda.

– Niente scommesse su Poreda, ragazzi, Mondini gliel'ha giurato.

– Che c'entra, abbiamo sempre scommesso, noi.

– Non questa volta, questa volta è una cosa seria.

– Perché le altre volte no?

– Questa è più seria.

– Va be', ma è sempre boxe, no?

– Mondini gliel'ha giurato.

– Mondini, non io, io non gli ho mai giurato che non avrei scommesso...

– È la stessa cosa.

– Non è la stessa cosa.

Fu in quel momento che il prof. Bandini disse a Shatzy:

– Verrebbe a cena con me, 'stasera?

Shatzy sorrise.

– Un'altra volta, professore.

Gli porse la mano, e il prof. Bandini gliela strinse.

– Un'altra volta, allora.

– Sì.

Shatzy si voltò e ridiscese il sentierino di pietra. Poco prima di arrivare davanti al garage, si richiuse il bottone, quello sulle tette. Quando si fermò davanti a Gould aveva una faccia molto seria.

– La moglie lo ha lasciato per una. Una donna.

– Splendido.

– Potevi dirmelo.

– Non lo sapevo.

– Non è un tuo professore?

– Non insegna mica storia del suo matrimonio.

– No?

– No.

– Ah.

Si voltò. Il professore era ancora là. La salutò con la mano. Lei gli rispose.

– È un brav'uomo.

– Già.

– Non si meritava una roulotte gialla. Alle volte la gente si punisce per cose che nemmeno conosce, così, per il gusto di punirsi... decide di punirsi...

– Shatzy...

– Sì?

– VUOI PER FAVORE DIRE SE GLIEL'HAI SCUCITA 'STA CAVOLO DI ROULOTTE, SÌ O NO?

– Gould?

– Sì.

– Non urlare.

– Okay.

– Vuoi sapere se sono riuscita a comprare una roulotte *Pagode* del '71 color giallo pagandola una miseria?

– Sì.

– PORCO DI UN MONDO BASTARDO VIGLIACCO, CERTO CHE SÌ.

Gridò così forte che le si aprì il bottone sulle tette. Gould, Diesel e Poomerang rimasero esterrefatti, con gli occhi che sembravano uova in gelatina. Non per il bottone, per la roulotte. Non gli era mai passato per la testa che sarebbe successo veramente. Guardavano Shatzy come se fosse la reincarnazione di Mami Jane, tornata a tagliare le palle a Franz Forte, direttore finanziario della CRB. Porco di un mondo bastardo vigliacco, ce l'aveva fatta.

Due giorni dopo un carro attrezzi portò la roulotte a casa di Gould. La sistemarono nel giardino. La lavarono per bene, anche le ruote, i vetri e tutto. Era molto gialla. Sembrava una casa giocattolo, qualcosa fatta apposta per i bambini. I vicini ci passavano davanti e si fermavano, a guardarla. Una volta uno disse a Shatzy che non ci sarebbe stata male una veranda, sul davanti, una veranda di plastica, come quelle che vendevano al supermercato. Ce n'erano anche di gialle.

– Niente veranda –, disse Shatzy.

18.

Il cadavere di Pitt Clark lo trovarono dopo quattro giorni di ricerca, seppellito sotto trenta centimetri di terra, vicino al fiume. Il doc lo esaminò e poi disse che Pitt era morto soffocato, probabilmente era stato sepolto vivo. Aveva ecchimosi sulle braccia, sul collo e sulla schiena. Prima di essere sepolto, era stato violentato. Pitt aveva undici anni.

Adesso ascolta che strana storia, diceva Shatzy.

Lo stesso giorno in cui trovarono Pitt, sparì dal ranch dei Clark un indiano che tutti chiamavano Bear, orso. Qualcuno lo vide uscire dalla città, a cavallo, in direzione delle montagne. Bear era amico di Pitt. Pitt lo stava ad ascoltare, sempre. Andavano spesso a fare il bagno insieme, giù al fiume. E cacciavano serpenti. Per un po' li tenevano vivi dandogli da mangiare topi. Poi li uccidevano. Bear doveva avere una ventina d'anni. Lo chiamavano così perché era strano. Con la gente, era strano. Sotto la sua branda trovarono una scatola di latta, e dentro la scatola un braccialetto che Pitt portava sempre al polso destro. Era fatto con pelle di serpente.

Diceva Shatzy che si offrirono in molti, per inseguire l'indiano. Era una cosa che li ubriacava dentro, la caccia all'uomo. Ma lo sceriffo disse: Vado io. Io da solo. Si chiamava Wister, era un brav'uomo. Non gli piacevano le impiccagioni e credeva nei tribunali. Conosceva Pitt, ogni tanto lo portava con sé a pescare, e gli aveva anche promesso che, quando avesse avuto quattordici anni, gli avrebbe insegnato a sparare, e a colpire una bottiglia, a dieci passi, con gli occhi chiusi. Disse: Bear è affar mio.

Partì al mattino, mentre il vento alzava mulinelli di polvere sotto la graticola di un sole imbizzarrito.

Ora sta' attento, diceva Shatzy. La caccia all'uomo è pura geometria. Punti, linee, distanze. Disegnala su una mappa: geometria ubriaca, ma implacabile. Può durare ore o settimane. Uno scappa, l'altro insegue. Ogni minuto li allontana dalla terra che li ha generati e che saprebbe, se interrogata, riconoscerli. Presto diventano due punti in un nulla che non può più distinguere, in loro, il buono dal cattivo. A quel punto, anche se volessero non potrebbero più cambiare niente. Sono traiettorie oggettive, deduzioni geometriche calcolate dal destino a partire da una colpa. Non potranno placarsi che in un risultato finale, scritto in calce alla vita, con inchiostro rosso sangue. Musica.

La musica la faceva Shatzy, a bocca chiusa, una cosa tipo grande orchestra, violini e trombe, una cosa ben fatta. Poi ti chiedeva: Tutto chiaro?

Più o meno.

Vedrai che non è difficile.

D'accordo.

Andiamo?

Andiamo.

Lo sceriffo Wister parte in direzione delle montagne. Segue la pista per Pinter Pass. Sale in mezzo al bosco, cerca l'ombra e pensa che Bear deve avere una mezza giornata di vantaggio. Quando gli alberi iniziano a diradarsi si ferma per far riposare il cavallo.

Poi riparte. Sale lungo il crinale della montagna, al passo, e studia le orme sulla pista. Ci mette un po' ma alla fine impara a riconoscere quelle del cavallo di Bear. Pensa che l'indiano, se volesse, saprebbe come farle scomparire. Il ragazzo deve essere sicuro di sé, e tranquillo. Forse pensa di raggiungere il confine. Forse non crede di essere inseguito. Sprona il cavallo e sale verso Pinter Pass. Ci arriva che è sera. Guarda giù, verso la vallata stretta che scende verso il deserto. Lontano, gli sembra di vedere una piccola scia di polvere che si alza in mezzo al nulla. Scende per qualche centinaio di metri, trova una grotta, ferma il cavallo. È stanco. Si ferma lì per la notte.

Il secondo giorno, lo sceriffo Wister si sveglia all'alba. Prende il binocolo e guarda giù, verso il fondo della vallata. Vede una piccola macchia scura, lungo la pista. Bear. Monta a cavallo, scende con prudenza lungo gli ultimi contrafforti della montagna. Quando arriva in fondo alla valle mette il cavallo al galoppo. Cavalca per un'ora, senza soste. Poi si ferma. Può vedere Bear a occhio nudo, qualche chilometro davanti a lui. Sembra fermo. Wister scende da cavallo. Si ripara sotto un grande albero, e si riposa. Quando riparte, il sole è allo zenit. Mette il cavallo a un'andatura tranquilla, e non smette un attimo di guardare la sagoma di Bear, piccola e scura davanti a sé. Continua a sembrare ferma. Perché non scappa?, pensa lo sceriffo Wister. Cavalca per mezz'ora, poi si ferma. Bear è a non più di cinquecento metri da lui. Sta immobile, in sella a un cavallo pezzato. Sembra una statua. Lo sceriffo Wister carica il fucile, e controlla le pistole. Guarda il sole. Sta per passargli alle spalle. Sei fatto, ragazzo. Parte al galoppo. Cento metri, poi altri cento, cavalca senza fermarsi, vede Bear muoversi, finalmente, uscire dalla pista e lanciarsi verso destra. Dove vuoi andare, ragazzo, da quella parte c'è il deserto, pianta gli speroni nel fianco del cavallo, esce dalla pista e lo insegue. Bear piega verso est, poi di nuovo verso ovest, e ancora verso est. Dove vuoi andare, ragazzo?, pensa lo sceriffo Wister. Rallenta l'andatura, Bear è sempre a cinquecento metri, dopo un po' si ferma, Wister lo vede e rimette il cavallo al galoppo, Bear riparte, piega ancora verso est, sfumano i colori, cade la luce, d'improvviso. Wister si ferma. Okay ragazzo. Io non ho fretta. Smonta, si prepara un bivacco, accende un fuoco. Nella notte, prima di addormentarsi, vede la luce del fuoco di Bear, cinquecento metri davanti a lui. Buona notte, ragazzo.

Il terzo giorno, lo sceriffo Wister si sveglia col buio. Ravviva il fuoco, si scalda un caffè. Non vede luci, nel buio. Aspetta l'alba. Al primo chiarore, vede Bear, lontano, in piedi, immobile, di fianco al suo baio pezzato. Prende il binocolo. Il ragazzo non ha fucile. Forse una pistola. Lo sceriffo Wister si siede per terra. A te la prima mossa, ragazzo. Se ne stanno fermi, per ore. Tutt'intorno, sole ad arroventare il niente. Lo sceriffo Wister beve un sorso d'acqua e uno di whiskey, ogni mezz'ora. La luce è accecante. A un tratto rivede Pitt che ride e corre. Poi lo vede urlare, urlare, urlare. Si guarda le mani e le vede tremare. Crepa, figlio di puttana, pensa, crepa indiano bastardo. Si alza. Sente la testa girare. Prende le redini in mano e inizia a camminare, tirandosi dietro il cavallo. Cammina piano, ma si accorge che Bear è sempre più vicino. Il ragazzo è immobile. Non sale a cavallo, non scappa. Trecento metri. Duecento. Lo sceriffo Wister si ferma. Urla: Falla finita Bear. Dice piano: Fatti ammazzare, da bravo. E poi ancora urlando: Bear, non fare l'idiota. Il ragazzo resta immobile. Wister controlla fucile e pistole. Poi monta in sella. Parte al galoppo. Vede Bear montare a cavallo e partire. Cavalcano per mezz'ora, così. Li separano non più di duecento metri. All'orizzonte appare un *pueblo*, dimenticato nel nulla. Bear lo punta, Wister lo segue. Una decina di minuti e Bear entra al galoppo nel *pueblo*, e sparisce. Lo sceriffo Wister rallenta e prima di entrare nel paese scende da cavallo. Estrae la pistola e raggiunge le prime case. Non c'è anima viva. Cammina lento lungo i muri, attento al minimo rumore. Spia ogni finestra, legge ogni ombra. Sente il cuore pulsargli nelle orecchie. Calma, pensa. Probabilmente non è nemmeno armato. Devi solo trovarlo e fotterlo. È un ragazzo. Vede una vecchia in piedi, sulla soglia di una *posada*. Si avvicina. Le chiede in spagnolo se ha visto un indiano, con un cavallo pezzato. Lei fa cenno di sì, con la testa, e indica il fondo del villaggio, dove la pista continua nel nulla. Wister le punta la pistola alla testa. Non mentire, le dice in spagnolo. Lei si fa un segno di croce, e indica di nuovo la fine del villaggio. Hai da bere? La donna entra nella *posada*, poi esce con dell'acquavite. Lo sceriffo Wister beve. Si è portato via dell'acqua, l'indiano? La vecchia fa cenno di sì. Lo sai chi è? Allora la vecchia dice: Sì. *Es un chico que va detrás de un asesino.* Lo sceriffo Wister rimane a fissarla. Te l'ha detto lui? Sì. Lo sceriffo Wister beve un altro sorso di acquavite. Tu sei morto, ragazzo, pensa. Sale a cavallo, getta una moneta alla vecchia, infila l'acquavite nella sacca, e prosegue, al passo, verso la fine del paese. Quando supera l'ultima casa guarda davanti a sé. Nulla. Si volta a destra. Vede Bear immobile, in sella, a non più di duecento metri. *Es un chico que va detrás de un asesino.* Lo sceriffo Wister sfila veloce il fucile dalla sella, mira, e spara. Due volte. Bear non si muove. L'eco degli spari si perde, lentamente, nell'aria. Lo sceriffo Wister fa saltare via il bossolo. Calma, pensa. Non lo vedi che è troppo lontano? Calma. Rimane a fissare Bear. Vuole urlargli qualcosa, ma non gli viene in mente niente. Volta il cavallo, torna alla prima casa, e smonta. Passa la notte lì. Ma senza riuscire a dormire. Una pistola, sempre, in mano.

Il quarto giorno, lo sceriffo Wister esce dal *pueblo* e vede Bear lontano, sulla pista che porta al deserto. Monta a cavallo, e al passo, lo segue. Si lascia portare dalla bestia. Ogni tanto il caldo e la stanchezza lo fanno addormentare. Dopo tre ore si ferma a una sorgente. Pensa che l'indiano potrebbe averla avvelenata. Riempie le borracce e riparte. Non devo lasciarlo arrivare al deserto, pensa. Ci moriremo tutt'e due, là dentro. Devo fermarlo prima, pensa. Beve un sorso d'acquavite. Aspetta che il sole si abbassi ancora un po', all'orizzonte. Poi parte al galoppo. Bear non sembra accorgersene. Continua al passo, senza voltarsi. Forse sta dormendo. È mio, pensa lo sceriffo Wister. Trecento metri. Duecento metri. Cento metri. Lo sceriffo Wister estrae la pistola. Cinquanta metri. Bear si volta, ha una pistola a canna lunga in mano, mira e spara. Un colpo. Il cavallo di Wister scarta sulla destra, poi frana sulle zampe anteriori. La bestia finisce sdraiata su un fianco. Solleva la testa, cerca di rialzarsi. Wister riesce a scivolargli via da sotto. Sente un dolore bruciante alla spalla. Poi sente un secondo colpo entrare nella carne dell'animale. Alza la testa, si appoggia al corpo del cavallo e spara tre colpi di pistola, uno dopo l'altro. Il cavallo di Bear si impenna sulle zampe posteriori e ruota su se stesso, scalciando nell'aria. Lo sceriffo Wister sfila il fucile dalla sella. Bear riprende il controllo del cavallo e parte al galoppo, cercando di scappare. Wister mira e spara due colpi. Gli sembra di vedere Bear piegarsi sul collo dell'animale. Poi vede il cavallo rompere l'andatura, sbandare, fare ancora una ventina di metri e franare a terra. Vede il corpo di Bear sbalzato nella polvere. Addio ragazzo, pensa. Carica il fucile, prende la mira. Bear sta cercando di rialzarsi. Wister spara. Vede uno sbuffo nella polvere, una ventina di metri prima del corpo di Bear. Merda, dice. Spara ancora. Il proiettile va a morire vicino all'altro. Bear si è alzato. Recupera la sua pistola. Con l'altra mano sgancia le borse dalla sella. Rimane in piedi, lo sguardo su Wister. Un'ottantina di metri, tra loro. Un tiro di fucile. Qualcosa di più. Lo sceriffo Wister guarda il sole. Pensa che ha ancora un paio d'ore, prima del buio. La spalla gli fa male, non riesce a muovere il braccio senza sentire una fitta feroce. *Muy bien*, ragazzo. Sgancia le borse dalla sella e se le mette a tracolla sulla spalla buona. Carica il fucile. E si mette a camminare. Bear lo vede, si volta, e si allontana, anche lui camminando, lentamente. Lo sceriffo Wister pensa che correre sarebbe ridicolo. Si immagina la scena, vista dall'alto, due uomini a correre nel nulla, e pensa: siamo due condannati. Poi per un attimo vede Pitt che corre, e corre, e cerca di scappare, lungo il fiume, corre e scappa. Maledetto, pensa. Io ti ammazzerò, ragazzo. Arriva di fianco al cavallo di Bear. Respira ancora. Wister gli scarica la pistola nella testa. Io ti ammazzerò, ragazzo. Poi riprende a camminare. Quando scende la sera, vede sparire Bear nel buio. Si ferma. La spalla lo fa impazzire. Si sdraia per terra. Tiene la pistola in pugno. Cerca di non addormentarsi. È due giorni che non dormo, pensa.

Il quinto giorno lo sceriffo Wister sente la febbre annebbiargli la vista e accelerargli i battiti del cuore. Ma non dorme mai quel bastardo? Lo vede davanti a sé, gli sembra lontano come il giorno prima, ma gli occhi gli bruciano, e non ci sono ombre, nella luce del mattino. Si mette in marcia. Cerca di ricordarsi dove porta quella pista, e quanti chilometri possono aver fatto, dal *pueblo* a lì. Bear, là davanti, cammina senza fermarsi. Ogni tanto si volta. Poi continua. È la pista per Salina. Non deve farlo arrivare fino a lì. Non deve entrare a Salina. Si ferma. Si china. Raccoglie un grumo di polvere. Sangue e polvere. Alza lo sguardo verso Bear. Allora ti ho beccato, ragazzo. Non volevi dirmelo, eh? Si alza. Fa qualche passo. Un'altra macchia di sangue. *Muy bien*, bastardo. Non sente più la febbre. Riprende a camminare. Tre ore dopo Bear abbandona la pista e piega verso est. Lo sceriffo Wister si ferma. È pazzo, pensa. Si sta infilando nel deserto. È pazzo. Prende il fucile e spara in aria. Bear si ferma, si volta. Wister lascia cadere le borse per terra. Poi getta il suo fucile. Spalanca le braccia. Bear rimane immobile. Wister gli cammina incontro, lentamente. Bear non si muove. Wister continua a camminare, abbassa le braccia e avvicina le mani al calcio delle pistole. Arriva a una cinquantina di metri dall'indiano. Si ferma. Falla finita, ragazzo, grida. Bear non si muove. C'è il deserto da quella parte, vuoi morire da stupido?, grida. Bear fa qualche passo verso di lui. Poi si ferma. Rimangono così, uno di fronte all'altro, due schizzi neri nel nulla. Il sole picchia verticale. È un mondo senza ombre. C'è un silenzio così orribile che lo sceriffo Wister ci sente dentro Pitt urlare. Cerca di ricordarsi la faccia del ragazzino ma non ci riesce, sente solo quell'urlo, fortissimo. Cerca di concentrarsi su Bear. Ma c'è quell'urlo che non lo lascia in pace. Devi solo fare il tuo mestiere, si dice. Lascia perdere il resto. Fa' il tuo mestiere. Si accorge di aver abbassato lo sguardo per terra. Raddrizza di scatto la testa. Fissa Bear. Vede due occhi assenti. Invincibili, pensa. Allora d'improvviso, come una scossa, sente la paura piombargli addosso, e piegargli le gambe. L'ha tenuta lontana per giorni. Gli arriva addosso, ora, come un'esplosione silenziosa. Cade in ginocchio. Si piega in avanti, si appoggia con le mani per terra. Le vede tremare. Non riesce a respirare, il sangue gli pulsa nelle tempie. Con una fatica enorme solleva lo sguardo verso Bear. È sempre là, fermo, in piedi. Bastardo. Bastardo. Bastardo. Non ci sono uccelli nel cielo, né serpenti nella polvere, né vento a far volare arbusti, né orizzonte, niente. È mondo sparito. Lo sceriffo Wister mormora piano: Vai all'inferno, ragazzo. Si alza, getta un ultimo sguardo verso Bear, poi si volta – si volta – e camminando con fatica arriva fino al fucile. Lo prende. Fa ancora qualche passo. Solleva le borse e se le mette a tracolla, sulla spalla buona. Senza più voltarsi cammina guardando i suoi passi. Non si ferma fino a che è buio. Si lascia cadere per terra. Si addormenta. Nel cuore della notte si sveglia. Ricomincia a camminare, seguendo la debole traccia della pista. Ricade per terra. Chiude gli occhi. Sogna.

Il sesto giorno lo sceriffo Wister si sveglia all'alba. Si alza. Vede all'orizzonte, minuscole, le case bianche del *pueblo*. Si volta. Bear è a un centinaio di metri da lui. In piedi. Fermo. Wister raccoglie le borse e il fucile. Si rimette in marcia. Cammina per ore. Ogni tanto cade a terra, si abbassa il cappello sugli occhi, e aspetta. Quando sente le forze tornare, si alza e riparte. Non si volta mai. Riesce ad arrivare al *pueblo* prima del tramonto. Gli danno da bere e da mangiare. Dice: Sono lo sceriffo Wister. Gli danno un letto per dormire. Gli dicono in spagnolo che c'è un *chico*, fuori dal *pueblo*. Si è accampato qualche centinaio di metri dalle prime case. Gli chiedono se è un suo amico. No, dice lo sceriffo Wister. La spalla lo fa impazzire. Dorme con una pistola carica, a portata di mano.

Il settimo giorno lo sceriffo Wister si fa dare un cavallo, e parte verso le montagne. Ritrova il vento, e nubi di polvere che cancellano la pista. Si ferma una volta sola, per far riposare l'animale. Poi riparte. Arriva alle montagne. Sale fino a Pinter Pass, scollina senza voltarsi. Prima di aver raggiunto la pianura, devia verso una miniera abbandonata. Smonta, si accende un fuoco. Passa la notte lì, senza dormire. Pensa.

L'ottavo giorno lo sceriffo Wister lascia che il sole sia alto, nel cielo. Poi monta a cavallo. Prende poche cose, dalle borse, e le lega alla sella. Abbandona il fucile appoggiato a una parete della miniera. Scende lentamente fino a valle. Lontano, intravede le case di Closingtown, e gli alberi piegati dal vento. Procede al passo, senza fretta. Parla a voce alta. Sempre la stessa frase. Quando arriva al fiume, ferma il cavallo. Lo fa girare su se stesso. Socchiude gli occhi, e guarda. Bear è a qualche centinaio di metri da lui. È in sella a un cavallo. Va avanti piano, al passo. Ragazzo, dice Wister. Ragazzo. Poi gira il cavallo e senza più voltarsi, raggiunge Closingtown.

Quando arriva alle prime case, qualcuno si mette a urlare che è tornato lo sceriffo. La gente esce in strada. Lui continua al passo, senza guardare nessuno. Con una mano tiene le redini, con l'altra stringe una pistola. La gente non osa avvicinarsi, sembra un morto a cavallo, o un pazzo. Lo sceriffo Wister attraversa la città, come un fantasma, poi gira intorno alla prigione e prende il sentiero per il ranch dei Clark. La gente gli va dietro, a piedi.

Quasi non osano parlare. Wister arriva al ranch. Scende da cavallo. Dà un giro di redini attorno alla palizzata. Va verso la casa, camminando come un ubriaco. Qualcuno gli si avvicina per aiutarlo. Lui gli punta addosso la pistola. Non dice niente, continua a camminare, e arriva alla casa. Davanti alla casa c'è il padre di Pitt. Eugene Clark. Faccia invecchiata dal vento, capelli grigi. Lo sceriffo Wister si ferma a tre passi da lui. Continua a stringere una pistola nella mano destra. Solleva lo sguardo su Eugene Clark. Poi dice: Mi spiace, continuava a urlare, non la voleva smettere. Lui era sempre stato buono con me. Non aveva mai fatto così, prima. Era un bambino buono. Eugene Clark fa un passo verso di lui. Wister gli punta contro la pistola. Eugene Clark si ferma. Lo sceriffo Wister solleva il cane della sua Colt 45. Dice: Non l'ho seppellito vivo, giuro. Non respirava più, aveva gli occhi rivoltati, e non respirava più. Poi si appoggia la pistola sotto il mento, e spara. Macchie di sangue sulla faccia e sul vestito di Eugene Clark. La gente accorre, tutti urlano, i bambini vogliono vedere, i vecchi scuotono la testa, il vento non smette di alzare polvere, intorno. Ci mettono un po', tutti, ad accorgersi di Bear. È a cavallo, fermo, di fianco alla palizzata del ranch. Non ha più occhi, spariti tra gli zigomi da indiano. Respira a bocca aperta, tra labbra secche di polvere e terra. La gente ammutolisce. Lui preme leggermente i talloni sul ventre del cavallo. Tira le redini a sinistra e se ne va. C'è un ragazzino che lo rincorre. Bear, gli urla, Bear. Lo sceriffo si è sparato, Bear. Lui non si volta, continua al passo, in direzione del fiume. Bear, ehi, Bear, dove vai?

Bear non si volta.

A dormire, dice piano.

Musica.

19.

– Pronto, Gould?
  – Ciao papà.
  – Sono tuo padre.
  – Ciao.
  – Tutto bene?
  – Sì.
  – Cos'è questa storia di Couverney?
  – Mi hanno invitato a Couverney.
  – In che senso?
  – Fanno delle ricerche, lì. Vogliono che vada a lavorare con loro.
  – Ha l'aria di essere una gran cosa.
  – Credo che lo sia.
  – E poi?
  – Poi basta, mi hanno invitato per tre anni, mi danno un alloggio lì all'università, e mi pagano due viaggi all'anno, per tornare a casa, se ho voglia.
  – Natale e Pasqua.
  – Tipo.
  – Ha l'aria di essere una gran cosa.
  – Sì.
  – È dall'altra parte del mondo, Couverney.
  – È lontana, sì.
  – Mangiano da cani, lì, sai?, ci sono stato, una volta, non all'università, lì nella zona, non c'era verso di mangiare qualcosa che non sapesse di pesce.
  – Dicono che ci fa un freddo micidiale.
  – Probabile.
  – Più freddo che qui.
  – Ti daranno dei soldi, no?
  – Come?

– Dico, ti pagano bene?

– Credo di sì.

– Quella è una cosa importante. Cosa dice il rettore Bolder?

– Lui dice che sono un sacco di soldi per un ragazzino di quindici anni.

– No, dico in generale, cosa dice il rettore Bolder su tutta la faccenda, in generale?

– Dice che è una grande occasione. Lui però vorrebbe che io restassi qui.

– Il vecchio Bolder. È un brav'uomo, sai?, puoi fidarti di lui.

– Dice che è una grande occasione.

– Dev'essere una cosa tipo essere invitato a Wimbledon. Se sei un tennista, voglio dire.

– Più o meno.

– Come se uno giocasse a tennis e un giorno gli scrivono e gli dicono Noi la paghiamo se ci fa l'onore di venire a giocare qui. Pazzesco, eh?

– Già.

– Sono fiero di te, figliolo.

– Grazie papà.

– Pazzesco, veramente.

– Abbastanza.

– La mamma sarà contenta.

– Come?

– La mamma sarà contenta, Gould.

– Glielo dirai?

– Sì, glielo dirò.

– Davvero?

– Sì.

– Davvero?

– Lei sarà contenta.

– Non dirle però che ci vado, non so ancora se ci vado, voglio dire, me l'hanno appena chiesto.

– Le dirò che te l'hanno chiesto, le dirò solo questo.
– Sì.
– E che è una grande cosa.
– Sì, spiegaglielo che è una grande cosa.
– Sarà contenta.
– Sì, è una buona idea, diglielo.
– Glielo dirò, Gould.
– Grazie.
– ...
– ...
– Quando pensi di decidere qualcosa?
– Non so.
– Dovresti partire subito?
– A settembre.
– Hai un po' di tempo.
– Sì.
– È una grande occasione, forse non dovresti fartela scappare.
– È quello che dicono tutti, qui.
– Però decidi con la tua testa, hai capito?
– Sì.
– Sta' ad ascoltare tutti quanti e poi decidi con la tua testa.
– Sì.
– È la tua vita che è in ballo, non la loro.
– Già.
– Ci vai poi tu, sotto le bombe, non loro.
– Quali bombe?
– È un modo di dire.
– Ah.
– Si dice così.
– Ah.
– Avevo un colonnello, una volta, che aveva un bel modo di dire. Quando la faccenda si complicava, no?, lui usava sempre la stessa frase. Col sole negli occhi ci si abbronza, non si spara. Lo

diceva anche se pioveva, non c'entrava il tempo, era un simbolo, il sole, capisci, era un modo di dire, valeva anche se quel giorno nevicava o c'era una nebbia così, col sole negli occhi ci si abbronza, non si spara. Diceva così. Adesso è sulla sedia a rotelle. L'ha beccato un colpo mentre nuotava in piscina. Facevano meglio a non ripescarlo, tutto sommato.

– Papà...
– Son qui, Gould.
– Adesso devo andare.
– Sta' in gamba figliolo, fammi sapere.
– D'accordo.
– Se decidi qualcosa, fammi sapere.
– Ti ricordi di dirlo alla mamma?
– Certo che me ne ricordo.
– Okay.
– Me ne ricordo sicuro.
– Okay.
– Allora ciao.
– Ciao papà.
– Gould...
– Sì?
– Shatzy, cosa ne dice Shatzy?
– Sta bene.
– No, voglio dire, cosa ne pensa lei di Couverney?
– Di quello?
– Sì, di quello.
– Dice che è una grande occasione.
– Nient'altro?
– Dice che se sei un deodorante è una grande occasione essere invitato per tre anni nel cesso di un autogrill.
– Un autogrill?
– Sì.
– Cosa cazzo vuol dire?

– Non so. Io sarei il deodorante.
– Ah.
– Credo sia uno scherzo.
– È uno scherzo?
– Credo.
– Forte, quella ragazza.
– Sì.
– Salutamela.
– Va bene.
– Ciao figliolo.
– Ciao.
Clic.

20.

(*Gould va a trovare il prof. Taltomar. Entra nell'ospedale. Sale al sesto piano. Entra nella camera n. 8. Taltomar è nel letto. Respira attraverso una maschera collegata a un macchinario. È magrissimo. Gli hanno tagliato i capelli. Gould avvicina una sedia al letto e si siede. Guarda Taltomar. Aspetta.*) ...dore di minestra. E di piselli. Forse i piselli fanno bene ai malati, a qualunque malattia, pensò Gould. Forse l'odore di per sé è curativo, hanno fatto degli studi e hanno capito che. Muri gialli. Giallo roulotte. Ma un po' più slavati. Slavati, non lavati. Chissà il cesso com'è.

Gould si alzò, e andò a toccare con un dito la mano grigia del prof. Taltomar. Come toccare la pelle di un animale preistorico. Liscia e vecchia. La macchina respirava con Taltomar, gli dava un ritmo costante, tranquillo. Non sembrava una lotta. Sembrava *dopo* una lotta. Gould tornò a sedersi. Si mise a respirare al ritmo della macchina. La macchina respira con Taltomar, Gould respira con la macchina, Gould respira con Taltomar. È come passeggia-re insieme, professore.

Poi si alzò. Andò in corridoio. C'era qualche vestaglia che gira-va senza meta e infermiere che parlavano a voce alta. Il pavimen-to era fatto di piastrelle bianche e nere. Gould si mise a cammi-nare. Teneva gli occhi sul pavimento e cercava di posare i piedi solo sulle piastrelle nere, senza toccare le righe. Gli venne in mente un film che aveva visto in cui c'era un pugile che si allena-va correndo lungo i binari della ferrovia. Era inverno, e lui cor-reva con un cappotto. Aveva anche le mani bendate rigide, come prima di infilare i guantoni per combattere, e ogni tanto tirava qualche colpo nell'aria. Sole d'inverno sulla testa, città sullo sfondo, tutto grigio, un gran freddo, il cappotto che svolazza, treni fermi, piuttosto Butch che ha voglia di correre lui potrebbe venire dice che andava a correre forse non sulla ferrovia sulla strada il giro fino al parco e ritorno qui sulla ferrovia con Butch sarebbe meno noioso   ma a me piace correre da solo è sempre difficile capire cosa veramente ti piace o cosa vuoi che ti piaccia se provo a chiedermi veramente se mi piaccia correre da solo o se magari preferirei correre con Butch   con Butch potremmo parlare lui parla sempre di donne è divertente potrei raccontargli di Jody non mi piacerebbe parlargli di Jody non ser-virebbe a nulla Jody piccole tette che cazzo penso coglione dài non ci devo pensare perché devi sempre scappare Jody staremmo bene insieme cosa c'è che devi sempre scappare lei è come se ogni volta avesse bisogno di scappare deve ricordarti che non è lì per sempre o completamente porco cazzo pensa ad altro coglio-ne dietro al gasometro c'è l'ombra freddo cane quella volta che c'era un treno proprio lì correre tra i binari del treno Mondini è un genio ti irrobustisce le caviglie collega piedi e occhi corri sen-za guardare i piedi ma posa i piedi sulle traversine cercale con la coda dell'occhio la coda dell'occhio è quella che legge i piedi dell'avversario okay Maestro i pugni nascono dai piedi i piedi so-

no pugni non ancora nati   aborti pugni abortiti vram vram
destro destro sinistro destro Mondini brav'uomo bella l'ombra
che faccio col cappotto che svolazza le mani fasciate che colpi-
scono nell'aria ce l'hanno con me che corro con le mani fasciate
non devi mica combattere che stronzata è sempre combattimento stai sempre combattendo questo mi piace della boxe è un
combattimento infinito quando corri quando mangi quando salti
la corda quando ti vesti come mi allaccio le scarpe quando canto
prima del match mi piacerebbe correre con i guantoni è bella la
mia ombra sei bellissimo Larry Larry Lawyer Larry Lawyer contro Stanley Poreda stronzate vram vram montante   vram
Poreda nome del cazzo vram   mi taglierò i capelli a zero appena appena più lunghi sulla testa sulla cima toccami qui Jody
lei ride passa la mano sulla testa voglio l'accappatoio con scritto
sopra Lawyer hai capito togli Gorman e mettici Larry Lawyer
hai capito sì che hai capito vram Mondini dirà che sono tutte
stronzate Mondini vram vram non le vuole capire lui quelle cose
Mondini vaffanculo Larry 'culo che freddo maiale quanto ce n'è
ancora in ombra è quasi un'ora ancora un'oraemmezza vram tu
guarda quello che ce l'aveva con il mio orologio d'oro non si va a
correre con l'orologio soprattutto se ce l'hai d'oro ma guarda
quello ma fatti i cazzi tuoi fatti   mi piace perfino il fumo che
esce dalla mia bocca in questo freddo porco sei forte Larry
Lawyer chiedimi perché faccio la boxe tu con quel microfono
che tipo quel Dan De Palma mia madre lo ascolta di nascosto alla radio di nascosto da mio padre che non ne vuole sapere mia
madre l'ascolta e non è vero che piange vram non è vero vram
Dan De Palma chiedimi una buona volta perché faccio la boxe la
faccio perché è bello tutto nella boxe tu sei bello puoi diventare
bello Larry Lawyer il mio cappotto di cachemire a svolazzare
sulla ferrovia in questo inverno vram vram destro sinistro destro
e rientra veloce i piedi sulle traversine potrei chiudere gli occhi e
le troverei sotto i piedi ne hai mai visto un altro così Mondini

non l'hai mai visto tu e il tuo Poreda nome del cazzo vram vram
puttana   ascolta qui Dan De Palma lo vuoi sapere perché
faccio la boxe lo vuoi sapere te lo voglio dire è perché ho fretta
ecco perché vram non avevo voglia di aspettare la boxe è tutta
una vita in pochi minuti questo stampatelo bene in mente avrei
potuto aspettare non lo conosci mio padre se lo conoscessi capi-
resti cosa vuol dire tutta una vita per arrivare al momento buono
ci sei tu in bilico tra il successo e il disastro quello è il momento
buono tu e il tuo talento e basta non c'è bisogno di aspettare sai
come va a finire e finisce in una sera è finito tutto se l'hai provata
una cosa del genere continuerai a volerla è come vivere cento
volte non mi farà smettere niente figuriamoci uno come Poreda
57 incontri quattordici sconfitte tutte vendute tutte per K.O. chi
te l'ha fatto fare di tornare ladrone ti hanno messo in testa di fregare Lawyer sei un poveretto chi vuoi che paghi il biglietto per
vederti tu e le tue braccia spezzate ti ha fatto male ti farò più male io Poreda vram   quella volta a Saratoga forse e un'altra
contro Walcot ma solo all'inizio ne sono sempre venuto fuori
sempre e comunque non era paura vera stanno sempre a dirti
che non devi pensarci chi ci pensa io non ci penso fatemela vedere la paura io non l'ho vista a quello ci pensa Poreda dice
Mondini staremo a vedere io voglio la paura Maestro vram
vram vram non ho paura di aver paura vram sinistro destro sinistro due passi indietro poi di nuovo sotto vram tienti corto
non ballare sì che ballo mi piace ballare non ci capiscono più
niente se ballo glielo leggi negli occhi non capiscono più un
cazzo belle le mie scarpe con le frange rosse e quello là che non
la smetteva più di cagare prima dell'incontro quello sì che aveva paura io la voglio la paura il vecchio Tom sempre in palestra
suonato come un sacco troppi pugni nella testa è un bravo vecchio Tom si può crepare o diventare come Tom io creperò
piuttosto non mi importa di crepare ma non come Tom voglio
crepare in fretta se riescono a darmele non gli lascio fermare il

lavoro a metà mi rialzerò fino a crepare mi hai sentito Dan De Palma mi piace tutto questo è veloce non devi aspettare anni io ho fretta mi hai capito io ho fretta non chiedermi perché è strano ma se penso di crepare là sopra mi piace devo essere pazzo come pensare di buttarsi giù da una discesa stranezze ma che cazzo penso vram era meglio se veniva Butch parlavamo se veniva Butch a correre finiscila coglione pensa a Poreda nome del cazzo vram vram se la giocherà sporca non importa ce la giochiamo sporca se è questo che vuoi oppure scivolargli davanti come un dio indietro e avanti indietro e avanti non lo colpisco mai ma gli spappolo il cervello a colpi di finte pensa come sarebbe vincere un incontro con un solo colpo tutto il resto idee che sfiatano quel poveretto fino a farlo rimanere imbambolato e tu giù dai il colpo secco vram ma non con Poreda con Poreda sarà tutto sporco non l'inizio magari ma dopo sarà un pasticcio incontro di merda combattere e dimenticartelo vorrei fosse domani vorrei fosse adesso calma Lawyer calma corri Lawyer corri, adesso.

Gould si fermò. C'era una donna che piangeva, nella stanza n. 3, piangeva forte e ogni tanto urlava che se ne voleva andare, ce l'aveva con tutti perché non la lasciavano andare via. Fuori dalla porta c'era il marito. Parlava con un altro signore, un po' grasso, e anziano. Stava dicendo che non sapeva più cosa fare, lei si era buttata giù dalle scale la notte di Natale, era successo tutto improvvisamente, da quando era tornata dalla clinica sembrava guarita, era abbastanza normale, poi la notte di Natale ha preso e si è buttata giù dalle scale, non so più cosa fare, non posso riportarla nella clinica psichiatrica, ha una gamba rotta in due punti e tre costole fuori posto, ma non ne posso più, sono qui da diciotto giorni, io non ne posso più. Lo diceva senza piangere, e senza muovere le mani, appoggiato al muro, con molta calma. Dalla camera veniva la voce della donna che gridava. Quando piangeva sembrava di sentire piangere una bambina. Una donna molto piccola. Gould riprese a camminare. Quando arrivò davanti alla stanza n. 8, entrò e tornò a sedersi sulla sedia accanto al letto del prof. Taltomar. La macchina continuava a respirare. Taltomar era nella stessa posizione di prima, la testa leggermente girata sul cuscino, le braccia fuori dalle coperte, le mani contratte. Gould se ne stette per un bel po' a guardare l'immobile film di un vecchio che se ne andava. Poi si sporse verso il letto, senza alzarsi dalla sedia, e disse

– Quindicesimo del secondo tempo. Zero a zero. L'arbitro fischia e convoca i due capitani. Gli dice che è molto stanco, che non sa cosa gli è successo, ma è così stanco, e vuole tornare a casa. Vorrei tornare a casa, dice. Stringe la mano a tutt'e due, poi si volta e camminando lento attraversa il campo, verso gli spogliatoi. Il pubblico lo guarda in silenzio. I giocatori rimangono immobili. C'è il pallone, fermo in mezzo all'area, ma nessuno lo guarda. L'arbitro si infila il fischietto in tasca, mormora qualcosa che nessuno può sentire e sparisce nel tunnel.

Le mani di Taltomar non si mossero. Le palpebre tremavano appena, la macchina respirava. Gould rimase immobile, ad aspettare. Guardava le labbra di Taltomar. Senza la solita cicca spenta sembravano disabitate. Dal corridoio si sentiva la donna che piangeva con una voce da bambina. C'era tempo che passava, del tempo, che passava.

Quando si alzò, Gould rimise la sedia al suo posto. Prese il cappotto e lo tenne sul braccio perché faceva un caldo cane. Diede ancora un'occhiata alla macchina che respirava. Poi si fermò ai piedi del letto, solo un attimo.

– Grazie, professore –, disse.

Grazie, pensò.

Poi uscì. Scese i sei piani di scale, attraversò il grande salone di ingresso dove vendevano i giornali e i malati in pigiama telefonavano a casa. La porta per uscire era a vetri e si apriva da sola quando ti avvicinavi. Fuori c'era il sole. Poomerang e Diesel lo stavano aspettando appoggiati a un cassonetto della spazzatura. Se ne andarono insieme, risalendo il viale alberato che portava verso il centro. Ballavano tutti e tre il passo sbilenco di Diesel, ma con arte, e un'eleganza da professionisti.

Solo dopo un po', quando erano ormai arrivati all'incrocio con la Settima, Poomerang si passò una mano sul cranio rapato e nondisse:

– I due capitani si consultano, poi le due squadre ricominciano a giocare. E non smettono di farlo fino alla fine dell'eternità.

Gould aveva un vecchio chewingum attaccato sul fondo della tasca, nel cappotto. Lo andò a prendere, lo staccò dalla stoffa e poi se lo mise in bocca. Era freddo e un po' duro, come un compagno di scuola delle elementari che non vedevi da anni e un giorno lo incontri per strada.

21.

Shatzy tornò a casa che erano le cinque del mattino. Quando andava a letto con qualcuno, poi detestava dormirci insieme. Era ridicolo, ma trovava sempre qualche scusa e se ne andava.

Si sedette sui gradini, senza entrare. Era ancora buio. C'erano rumori strani, rumori che di giorno non si sentono. Come briciole di cose che erano rimaste indietro, e adesso si davano da fare per raggiungere il mondo, e arrivare puntuali all'alba, nel ventre del rumore planetario.

C'è sempre qualcosa che si perde per strada, pensò.

Devo smetterla, pensò.

Finire nel letto di uno che non hai mai visto prima è come viaggiare. Lì per lì è tutta una gran fatica, anche un po' ridicola. È bello dopo, quando ci ripensi. È bello averlo fatto, andare in giro il giorno dopo, pulite e impeccabili, e pensare che la notte prima tu eri là a fare quelle cose e a dire quelle cose, soprattutto a *dire* quelle cose, e a uno che non vedrai mai più.

Di solito non li vedeva mai più.

Devo smetterla, pensò.

Non si finisce da nessuna parte, così.

Sarebbe tutto più semplice se non ti avessero inculcato questa storia del finire da qualche parte, se solo ti avessero insegnato, piuttosto, a essere felice rimanendo immobile. Tutte quelle storie sulla tua strada. Trovare la tua strada. Andare per la tua strada. Magari invece siamo fatti per vivere in una piazza, o in un giardino pubblico, fermi lì, a far passare la vita, magari siamo un crocicchio, il mondo ha bisogno che stiamo fermi, sarebbe un disastro se solo ce ne andassimo, a un certo punto, per la nostra strada, quale strada?, sono gli altri le strade, io sono una piazza, non porto in nessun posto, io *sono* un posto. Magari mi iscrivo in palestra, pensò. Ce n'era una lì vicino, che era aperta anche di sera. Perché mi piace fare tutto di sera? Si guardò le scarpe, e i piedi nudi nelle scarpe, e le gambe nude sopra i piedi, fino al bordo della gonna, corta. Le calze, autoreggenti di seta, le aveva appallottolate nella borsa. Non riusciva mai a rimettersele, quando si alzava dal letto per rivestirsi e andarsene. Era come ricaricare le pistole dopo un duello. Stupido. Cosa ne dici vecchio Bird? Anche tu le rimettevi nella fondina scariche, le tue pistole, dopo aver sparato? Le appallottolavi e le cacciavi nella borsa? Vecchio Bird. Ti farò morire in un modo bellissimo.

Pensò di entrare, e di andare a dormire. Ma alla luce dei lampioni si vedeva la roulotte, immobile, posata nel giardino, un po' meno gialla del solito. Una volta alla settimana la lavava per bene, anche i vetri, e le gomme, tutto. A furia di vederla lì, ogni giorno, per mesi, era diventata un pezzo del paesaggio, come un albero, o un ponte su un fiume. Shatzy lo capì tutto d'un colpo, in quel buio da notte agli sgoccioli, con le calze da puttana appallottolate nella borsa: immobile, luccicante, gialla: *non era più qualcosa che aspettava di partire.* Era diventata una di quelle cose che hanno come compito rimanere, tenere ferme le radici di un qualche pezzo di mondo. Le cose che, al risveglio o al ritorno, hanno vegliato per te. È strano. Ci si va a cercare marchingegni incredibili per farsi portare via *lontano*, e poi li si tiene accanto con un amore tale che *lontano*, prima o poi, diventa lontano anche da loro.

Stronzate, è solo questione di trovare una macchina, pensò.

Non si poteva fare a meno di una macchina. Le roulotte non vanno avanti da sole.

Avrebbero trovato una macchina, tutto lì.

E sarebbero andati via lontano.

Sembra un albero, pensò. Sentì salirle dentro una cosa che non le piaceva, la conosceva e non le piaceva, era una specie di lontano rumore di disfatta. Il segreto, in quei casi, era non lasciarle il tempo di venir fuori. Era urlare così forte da non sentirlo più. Era mettersi un paio di calze autoreggenti nere, uscire da casa, e finire nel letto di uno mai visto prima.

Già fatto, pensò. Così optò per una versione a squarciagola di *New York, New York.*

– L'hai sentito l'ubriaco, 'stanotte? –, disse Gould la mattina dopo, mentre facevano colazione.

– No, dormivo.

Poi suonò il telefono. Andò Shatzy, e ci mise un bel po' prima di tornare. Disse che era il rettore Bolder. Voleva sapere se Gould stava bene. Gould chiese se era ancora in linea.

– No. Ha detto che non voleva disturbarti, voleva solo sapere se stavi bene. Poi ha detto qualcosa su un seminario, o qualcosa del genere. Un seminario sulle particole?

– Sulle particelle.

– Dice che hanno dovuto rimandarlo.

Gould disse qualcosa che non si capì bene. Shatzy si alzò e andò a metter la tazza di latte nel microonde.

– È uno grasso il rettore Bolder?, voglio dire, è un signore grasso, o cosa? –, chiese Shatzy.

– Perché?

– Ha la voce grassa.

Gould chiuse la scatola dei biscotti poi guardò Shatzy.

– Cos'ha detto esattamente?

– Dice che sono ventidue giorni che non ti vedono, all'università, e così voleva sapere se stavi bene. E poi ha detto quella cosa
del seminario.

– Volevi altri biscotti?

– No, grazie.

– Se arrivi a duecento scatole vinci un viaggio a Miami.

– Splendido.

– E ci ha messo tutto quel tempo solo per dirti quelle due
cose?

– Be', poi gli ho suggerito qualche trucco per dimagrire, la
gente di solito non sa che bastano un paio di trucchi per rispar-
miarsi un sacco di chili, si tratta solo di mangiare con un po' di
intelligenza. Gliel'ho detto.

– E lui cos'ha detto?

– Non so. Sembrava un po' a disagio. Diceva delle frasi senza
senso.

– È molto magro. Avrà una settantina d'anni, ed è molto magro.

– Ah.

Shatzy iniziò a sparecchiare. Gould andò di sopra, poi ricomparve con il giubbotto addosso. Cercava le scarpe.

– Gould...

– Sì?

– Mi chiedevo... immagina un ragazzino che è un genio, no?, e
che da quando è nato va all'università ogni santo giorno che dio
manda in terra, no?, be' a un certo punto succede che per ventidue giorni di seguito esce di casa ma non va alla sua benedetta
università, non ci va neanche una volta, mai, allora mi chiedevo,

hai idea di dove potrà mai andare un ragazzino così, tutti i santi giorni?

– In giro.

– In giro?

– In giro.

– È possibile. Sì, è possibile. Facile che se ne vada in giro.

– Ciao Shatzy.

– Ciao.

Quella mattina finì vicino alla scuola Renemport, quella che aveva tutt'intorno una recinzione un po' arrugginita, alta che non la si poteva scavalcare. Dalle finestre si vedevano i ragazzi in classe, ma nel cortile ce n'era uno che non era in classe perché stava nel cortile e per la precisione giocava con un pallone da basket, precisamente nell'angolo del cortile dove c'era un canestro da basket. Il tabellone era tutto scorticato, ma c'era la retina quasi nuova, dovevano averla sostituita da poco. Il ragazzino avrà avuto dodici anni. Tredici, una cosa così. Era nero. Palleggiava, con calma, come se cercasse qualcosa dentro di sé, poi quando l'aveva trovata si fermava e tirava a canestro. Ci pigliava sempre. Si sentiva il rumore della retina, era una specie di respiro, o un minuscolo colpo di vento. Il ragazzino si avvicinava al canestro, recuperava la palla che stava fermandosi, come esausta per aver respirato quel microscopico vento, la riprendeva in mano e ricominciava a palleggiare. Non sembrava triste e nemmeno contento, palleggiava e tirava a canestro, semplicemente, come fosse scritto così, da secoli.

Io *conosco* tutto questo, pensò Gould.

Dapprima riconobbe il ritmo. Chiuse gli occhi per sentirlo meglio. Era quel ritmo.

Sto vedendo un pensiero, pensò Gould.

I pensieri quando pensano nella forma dell'interrogazione. Rimbalzano deambulando per raccogliere intorno tutti i cocci della domanda, secondo un percorso che sembra casuale e fine a se stesso. Quando hanno ricomposto la domanda si fermano. Occhi al canestro. Silenzio. Stacco da terra, l'intuizione carica tutta la forza necessaria a ricucire la lontananza da una possibile risposta. Tiro. Fantasia e ragione. Nell'aria sfila la parabola logico-deduttiva di un pensiero che ruota su se stesso sotto l'effetto di una frustata di polso impressagli dall'immaginazione. Canestro. La pronuncia della risposta: come una specie di respiro. Pronunciarla è perderla. Scivola via ed è già cocci rimbalzanti della prossima domanda. Da capo.

Shatzy, la roulotte, un ospedale psichiatrico, le mani di Taltomar, la roulotte, Couverney sarebbe per noi un onore associarla alla cattedra di, o si guarda o si gioca, le lacrime del prof. Kilroy, quando Shatzy ride, quel campo di pallone, Couverney, Diesel e Poomerang, la ferrovia, vram, destro sinistro, mamma. Occhi al canestro. Stacco. Tiro.

Giocava, il bambino nero, ed era solitario, inevitabile e clandestino come i pensieri, quando sono veri e pensano nella forma dell'interrogazione.

Con alle spalle il luogo deputato del sapere, la scuola, blindata e separata, con produzione di domande e risposte secondo metodo guidato, nella cornice confortevole di una comunità intenta a smussare gli angoli taglienti delle domande, astutamente convertendo in cerimonia comunitaria quella che sarebbe iperbole isolata, e abbandonata.

Espulsi dal sapere, lottano i pensieri, pensò Gould.

(Fratello bambino, nel vuoto di un cortile vuoto, tu e le tue domande, insegnami quella calma e il gesto sicuro che trova la retina, quel respiro, all'altro capo di ogni paura.)

Camminò i passi del ritorno accostandoli al rimbalzo immaginario di un pallone ipotetico a cui dava movimento con la mano, spingendolo nel vuoto, sentendone i rintocchi sul selciato, caldi e regolari come battiti di cuore rimpallati via da una vita quieta. Ciò che poteva vedere la gente, e vedeva, era un ragazzino che camminava giocando con uno jo-jo che di fatto non c'era. Così guardavano, rapiti da quella scheggia ritmata di assurdo, incastonata in un'adolescenza, per giunta, come ad annunciare in largo anticipo una pazzia. La gente teme la pazzia. Sfilava dunque, Gould, come una minaccia, pur non sapendolo – senza saperlo, come un'aggressione.

Arrivò a casa.

C'era in giardino una roulotte. Gialla.

22.

All'università di Gould arrivò uno studioso inglese. Era uno molto famoso. Il rettore Bolder lo presentò nell'Aula Magna. Si alzò in piedi e al microfono ne ricostruì la figura e la carriera. Era una cosa lunga perché lo studioso inglese aveva scritto numerosi libri, e inoltre aveva tradotto e fondato e promosso, e oltretutto presiedeva un sacco di roba, o ne era consigliere. Infine collaborava. Quello lo faceva in misura addirittura massiccia. Collaborava da matti. Così il rettore Bolder dovette parlare per un bel po'. Parlava in piedi, leggendo dei fogli che teneva in mano.

Accanto a lui, seduto, c'era lo studioso inglese.

Era una situazione strana perché il rettore Bolder parlava di lui un po' come se lui fosse morto, non per cattiveria ma perché è così, in quelle situazioni è così, l'oratore deve dire delle cose che sembrano inevitabilmente l'elogio di un morto, hanno qualcosa di funerario, e la cosa strana è che di solito il morto è invece molto vivo, e anzi è seduto proprio lì accanto, e addirittura, contro ogni previsione, se ne sta lì buono, senza protestare, benché sottoposto a quella atroce tortura, alcune volte anzi irragionevolmente godendone.

Quella lì era una di quelle volte. Invece di sprofondare nell'imbarazzo, lo studioso inglese si lasciava colare addosso l'elogio funebre del rettore Bolder con totale e sapiente naturalezza. Benché gli altoparlanti dell'Aula Magna diffondessero frasi tipo "con trascinante passione e inarrivabile rigore intellettuale" oppure "*last but not least*, ha accettato la presidenza onoraria dell'Alleanza Latina, carica già ricoperta da", lui sembrava al riparo da qualsiasi vergogna, e per così dire blindato in una sua collaudata camera iperbarica. Aveva messo su un immutabile sguardo che fissava il niente davanti a sé, ma lo faceva con nobile e ferma determinazione; lo sosteneva un mento leggermente sollevato, e lo suffragava qualche ruga che arava la fronte, documentando un sereno stato di concentrazione. Le mascelle, a intervalli regolari, si serravano appena, inasprendo il profilo del volto e lasciando indovinare una sotterranea vitalità mai doma. Molto raramente, lo studioso inglese deglutiva, ma come un altro avrebbe potuto voltare una clessidra: con gesto elegante introduceva un'immobilità in un'altra immobilità, suggerendo l'impressione di una pazienza che da sempre duellava col tempo, ogni volta vincendo. Il tutto finiva per allestire una figura pressoché perfetta che ostentava simultaneamente nitida forza e distratta lontananza: usando la prima per autenticare le lodi del rettore Bolder e la seconda per alleggerirle dal peso della piaggeria e della volgarità. Grande. A un certo punto, proprio mentre il rettore Bolder parlava della sua attività didattica ("sempre in mezzo agli studenti, ma come un *primus inter pares*") lo studioso inglese superò se stesso: abbandonò d'improvviso la sua camera iperbarica, si tolse gli occhiali, chinò leggermente il capo, come vinto da una imprevista venatura di stanchezza, portò il pollice e l'indice della mano destra verso gli occhi e, calate le palpebre, si concesse una circolare e leggera pressione sui bulbi oculari, umanissimo gesto in cui l'intera platea poté vedere, riassunti, tutti i momenti di dolore, disillusione e fatica che una vita di successi non aveva cancellato e la cui memoria ora, davanti a tutti, lo studioso inglese desiderava tramandare. Fu molto bello. Poi, come risvegliandosi da un sogno, rialzò d'improvviso la testa, si infilò gli occhiali con gesto rapido ma preciso e infine riassunse la perfetta immobilità di prima, tornando a fissare il nulla davanti a sé, con la forza di chi ha conosciuto il dolore, ma non ne è stato sconfitto.

Fu precisamente a quel punto che il prof. Mondrian Kilroy si mise a vomitare. Era seduto in terza fila, e si mise a vomitare.

A parte piangere – una cosa che ormai faceva spesso e con un certo piacere – il prof. Mondrian Kilroy aveva iniziato a vomitare, di tanto in tanto, e questo, ancora una volta, aveva a che fare con i suoi studi e in particolare con un saggio che gli era accaduto di scrivere e che egli, curiosamente, definiva "la confutazione definitiva e salvifica di qualsiasi cosa io abbia scritto, scriva o scriverò". In effetti era un saggio molto particolare. Mondrian Kilroy ci aveva lavorato per quattordici anni, senza mai prendere un appunto. Poi, un giorno, mentre era chiuso in una cabina di video porno in cui schiacciando dei tasti numerati potevi scegliere tra 212 programmi diversi, aveva capito di aver capito, era uscito dalla cabina, aveva preso un dépliant che spiegava le tariffe della "sala contact", e, sul retro, aveva scritto il saggio. L'aveva scritto lì, in piedi, appoggiato alla cassa. Non ci aveva messo più di due minuti: il saggio consisteva in una breve sequenza di sei tesi. La tesi più lunga non superava le cinque righe. Poi era tornato nella cabina, perché aveva ancora tre minuti di visione pagata, e gli spiaceva buttarli via. Cliccava a casaccio sui pulsanti. Quando finiva sui video gay, si incazzava.

La cosa potrà sembrare sorprendente ma il saggio in questione non riguardava l'argomento preferito dal prof. Mondrian Kilroy, e cioè gli oggetti curvi. No. Stando alla realtà dei fatti, il saggio si intitolava così:

Poomerang, che ne era un grande ammiratore e praticamente lo conosceva a memoria, ne aveva riassunto una volta il contenuto così:

Se un ladro di banche va in galera, perché gli intellettuali girano a piede libero?

Va detto che, con le banche, Poomerang "aveva un conto in sospeso" (la frase era di Shatzy, lei la trovava geniale). Le detestava, anche se non era chiaro il perché. Per un certo periodo si era impegnato in una campagna educativa contro l'abuso del Bancomat. Insieme a Diesel e Gould masticava chewingum in continuazione e poi li attaccava, ancora caldi, sulla pulsantiera degli sportelli automatici. Di solito li attaccava sul pulsante del 5. La gente arrivava, poi al momento di comporre il codice segreto si accorgeva del chewingum. Se non aveva il 5 andava avanti, guardando bene dove metteva le dita. Se aveva il 5 finiva nel panico. Lo spasmodico bisogno di denaro doveva vedersela con lo schifo che faceva quella gomma masticata. Alcuni cercavano di staccare la roba appicciaticcia con oggetti di tutti i tipi. Di solito finivano per impiastricciare l'intera tastiera. Una minoranza rinunciava e se ne andava. È triste dirlo, ma i più deglutivano forte e poi schiacciavano col dito sul chewingum. Una volta Diesel vide una signora non molto fortunata che aveva nel suo codice segreto tre 5 di fila. Schiacciò il primo con grande dignità e il secondo facendo una strana smorfia con la bocca. Al terzo si mise a vomitare.

A proposito: la prima tesi del *Saggio sull'onestà intellettuale* recitava così:

1. Gli uomini hanno idee.

– Geniale –, commentò Shatzy.

– È solo l'inizio, signorina. E poi, guardi che non è affatto ovvio. Uno come Kant, per dire, non gliela farebbe passare così facilmente.

– Kant?

– È un tedesco.

– Ah.

– Devo lavare anche qui?

– Faccia vedere.

Ogni tanto, quando lavavano la roulotte, veniva anche il prof. Mondrian Kilroy. Dopo la faccenda del purè di Vancouver, erano diventati amici, lui e Gould. E al professore piacevano molto anche gli altri, Shatzy, il gigante e il muto. Lavando, chiacchieravano. Uno degli argomenti preferiti era il *Saggio sull'onestà intellettuale*. Era un tema che li prendeva.

1. Gli uomini hanno idee.

Il prof. Mondrian Kilroy diceva che le idee sono come galassie di piccole intuizioni, e sosteneva che sono una cosa confusa, che si modifica in continuazione ed è sostanzialmente inutilizzabile a fini pratici. Sono belle, ecco tutto, sono belle. Ma sono un casino. Le idee, se sono allo stato puro, sono un meraviglioso casino. Sono *apparizioni provvisorie di infinito*, diceva. Le idee "chiare e distinte", aggiungeva, sono un'invenzione di Cartesio, sono una truffa, non esistono idee chiare, le idee sono oscure per definizione, se hai un'idea chiara, quella non è un'idea.

– E cos'è, allora?

– Tesi numero 2, ragazzi.

La tesi numero 2 recitava così:

2. Gli uomini esprimono idee.

Questo è il guaio, diceva il prof. Mondrian Kilroy. Quando esprimi un'idea le dai un ordine che essa in origine non possiede. In qualche modo le devi dare una forma coerente, e sintetica, e comprensibile dagli altri. Finché ti limiti a pensarla, essa può rimanere il meraviglioso casino che è. Ma quando decidi di esprimerla inizi a scartare qualcosa, a riassumere un'altra parte, a semplificare questo e tagliare quello, a ordinare il tutto dandogli una certa logica: ci lavori un po', e alla fine hai qualcosa che la gente può capire. Un'idea "chiara e distinta". All'inizio cerchi di fare le cose per bene: cerchi di non buttare via troppa roba, vorresti salvare tutto l'infinito dell'idea che avevi in testa. Ci provi. Ma quelli non ti lasciano il tempo, ti stanno addosso, vogliono capire, ti aggrediscono.

– Quelli chi?

– Gli altri, tutti gli altri.

– Ad esempio?

– La gente. La gente. Tu esprimi un'idea e c'è della gente che l'ascolta. E vuole capire. O peggio ancora vuole sapere se è giusta o sbagliata. È una perversione.

– Cosa dovrebbe fare? Bersela e basta?

– Non so cosa dovrebbe fare, ma so quello che fa, e per te, che avevi un'idea, e adesso sei lì che cerchi di esprimerla è come essere aggredito. Con una velocità impressionante pensi solamente a renderla più compatta e forte possibile, per resistere all'aggressione, perché ne esca viva, e usi tutta la tua intelligenza per farne una macchina inattaccabile, e più ti riesce meno ti accorgi che quello che stai facendo, quello che realmente stai facendo in quel momento, è perdere contatto a poco a poco, ma con velocità impressionante, dall'origine della tua idea, dal meraviglioso istintivo casino infinito che era la tua idea, e questo per il solo misero scopo di esprimerla e cioè di fissarla in un modo abbastanza forte e coerente e raffinato da resistere all'onda d'urto del mondo intorno, alle obiezioni della gente, alla faccia ottusa di quelli che non hanno capito bene, alla telefonata del tuo capo dipartimento che...

– Si fredda, professore.

Spesso ne parlavano mangiando, perché al prof. Mondrian Kilroy piaceva la pizza come la faceva Shatzy, e così, soprattutto il sabato, si mangiava la pizza. La quale, fredda, era immangiabile.

2. Gli uomini esprimono idee.

Ma non sono più idee, sbottava il prof. Mondrian Kilroy. Sono detriti di idee organizzati magistralmente fino a diventare oggetti solidissimi, meccanismi perfetti, macchine da guerra. Sono idee artificiali. Hanno giusto una lontana parentela con quel meraviglioso e infinito casino da cui tutto era iniziato, ma è una parentela quasi impercettibile, come un lontano profumo. In realtà è tutta plastica, roba artificiale, nessun rapporto con la verità, solo marchingegni per fare bella figura in pubblico. Il che, secondo lui, introduceva necessariamente alla tesi n. 3. Che recitava così:

3. Gli uomini esprimono idee che non sono loro.

– Vuole scherzare?
– Sono serissimo.
– Come fanno a esprimere idee che non sono loro?
– Diciamo che non sono *più* loro. Lo erano. Ma molto rapidamente gli scappano di mano e diventano creature artificiali che si sviluppano in modo quasi autonomo, e hanno un solo obbiettivo: sopravvivere. L'uomo presta loro la sua intelligenza ed esse la usano per diventare sempre più solide e precise. In un certo senso, l'intelligenza umana lavora costantemente per dissipare il meraviglioso infinito caos delle idee originarie e sostituirlo con l'inossidabile compiutezza di idee artificiali. Erano apparizioni: adesso sono oggetti che l'uomo impugna, e conosce alla perfezione, ma non saprebbe dire da dove vengono e in definitiva che diavolo di rapporto abbiano ormai con la verità. In un certo sen-

so non gliene frega nemmeno più tanto. Funzionano, resistono alle aggressioni, riescono a scardinare le debolezze altrui, non si rompono quasi mai: perché farsi tante domande? L'uomo le guarda, scopre il piacere di impugnarle, di usarle, di vederle in azione. Prima o poi, è inevitabile, impara che le si può usare per combattere. Non ci aveva mai pensato, prima. Erano apparizioni: aveva giusto pensato di farle vedere agli altri, tutto lì. Ma col tempo: più niente di quel desiderio originario si salva. Erano apparizioni: l'uomo ne ha fatto delle armi.

Questo era il passaggio che piaceva di più a Shatzy. Erano apparizioni: l'uomo ne ha fatto delle armi.

– Sa cosa penso spesso, professore?
– Dica, signorina.
– I pistoleri, i pistoleri del West, ha presente?
– Sì.
– Be', sparavano da dio, sapevano tutto delle loro pistole, ma se lei ci pensa bene, be': nessuno di loro avrebbe saputo costruirla, una pistola. Capisce?
– Continui.
– Voglio dire: una cosa è usare un'arma, un'altra è inventarla, o costruirla.
– Esatto, signorina.
– Non so cosa significhi, ma ci penso spesso.
– Fa benissimo, signorina.
– Lei crede?
– Ne sono assolutamente sicuro.

D'altronde, Gould, se ci pensi, guarda cosa succede nella testa di un uomo quando esprime un'idea e qualcuno, di fronte a lui, solleva un'obiezione. Credi che quell'uomo abbia il tempo, o l'*o-nestà*, di tornare all'apparizione che un giorno fu l'origine di quella idea e controllare, laggiù, se per caso l'obiezione non sia sensata? Non lo farà mai. È molto più veloce affinare l'idea artificiale che si è trovato tra le mani in modo che possa resistere all'obiezione e magari trovare il modo di passare all'attacco e aggredire, a sua volta, l'obiezione. Cosa c'entra il rispetto della verità in tutto questo? Niente. È un duello. Stanno stabilendo chi è il più forte. Non vogliono usare altre armi, perché non le sanno usare: usano le idee. Sembra che l'obbiettivo di tutto quello sia chiarire la verità, ma in realtà quello che entrambi vogliono è stabilire chi è il più forte. È un duello. Sembrano brillanti intellettuali, ma sono animali che difendono il territorio, si contendono una femmina, si procurano il cibo. Stammi a sentire, Gould: non troverai mai niente di più selvaggio e primitivo di due intellettuali che duellano. E niente di più disonesto.

Anni dopo, quando tutto era ormai accaduto e non c'era più niente da fare, Shatzy e il prof. Mondrian Kilroy si incontrarono in una stazione dei treni, per caso. Era un bel po' che non si vedevano. Se ne andarono a bere qualcosa insieme e parlarono dell'università, e di cosa stava facendo Shatzy, e del fatto che il professore aveva smesso di insegnare. Si vedeva che gli sarebbe piaciuto riuscire a parlare di Gould, e di quel che gli era successo, ma era un po' troppo difficile. A un certo punto rimasero per un po' in silenzio, e solo allora il prof. Mondrian Kilroy disse

– È buffo, ma quel che penso di quel ragazzo è che è la sola persona onesta che ho incontrato, in tutta la mia vita. Era un ragazzo *onesto*. Mi crede?

Shatzy fece sì col capo, e pensò che forse quello era il nocciolo di tutto, e ogni storia andava al suo posto se solo uno si sforzava di ricordarsi che Gould, più di ogni altra cosa, era un genio *onesto*.

Poi, quella volta, finì che il professore si alzò e prima di andarsene abbracciò Shatzy, un po' goffamente, ma forte.

– Non ci faccia caso se piango, non sono triste, non sono triste per Gould.

– Lo so.

– È che piango spesso. È così.

– Non si preoccupi professore, a me piacciono quelli che piangono.

– Meglio così.

– Sul serio. Mi son sempre piaciuti.

Non si videro più, dopo quel giorno.

Comunque, dopo la tesi n. 3 (Gli uomini esprimono idee che non sono loro), veniva, con una certa coerenza, la tesi n. 4. Che recitava così:

4. Le idee, una volta espresse e dunque sottoposte alla pressione di un pubblico, diventano oggetti artificiali privi di un reale rapporto con la loro origine. Gli uomini le affinano con tale ingegno da renderle micidiali. Col tempo scoprono di poterle usare come armi. Non ci pensano su un attimo. E sparano.

– Grande –, diceva Shatzy.

– Un po' lunga, mi è venuta un po' lunga, devo lavorarci ancora un po' –, sosteneva il prof. Mondrian Kilroy.

– Secondo me potrebbe andare anche soltanto così: *Le idee: erano apparizioni, adesso sono armi.*

– Un po' sintetico, non crede signorina?

– Lei dice?

– Guardi che si tratta di una tragedia, una vera tragedia. Bisogna stare attenti a riassumerla in due parole.

– Una tragedia?

Il professore masticava la pizza e annuiva. Lui era in effetti convinto che si trattasse di una tragedia. Aveva anche pensato di dare un sottotitolo, al *Saggio*, e il sottotitolo avrebbe dovuto essere: *Analisi di una tragedia necessaria.* Poi aveva pensato che i sottotitoli sono una cosa ripugnante, come le calze bianche, o i mocassini grigi. Solo i giapponesi avevano mocassini grigi. Era possibile d'altronde che avessero dei disturbi agli occhi, e fossero assolutamente convinti di avere mocassini marroni. Nel qual caso era assolutamente urgente avvertirli dell'equivoco.

Sai, Gould, ci ho messo anni a rassegnarmi all'evidenza. Non ci volevo credere. Sulla carta è talmente bello, e unico e irripetibile il rapporto con la verità, e quella magia delle idee, magnifiche apparizioni di confuso infinito nella tua mente... Come è possibile che tutti scelgano di rinunciare a tutto questo, di rinnegarlo, e accettino di armeggiare con piccole insignificanti idee artificiali – piccole meraviglie di ingegneria intellettuale, per carità – ma alla fine gingilli, miseri gingilli, capolavori di retorica e acrobazie logiche, ma gingilli, alla fine, macchinette, e tutto questo solo per il gusto irrefrenabile di *combattere*? Non riuscivo a crederci, pensavo che ci fosse qualcosa sotto, qualcosa che mi sfuggiva, e invece, alla fine, ho dovuto ammettere che era tutto molto semplice, e inevitabile, e perfino comprensibile, se solo si vinceva la ripugnanza e si andava a vedere da vicino la faccenda, proprio da vicino, anche se ti fa schifo, prova a vederla da vicino. Prendi uno che ci campa, con le idee, un professionista, che ne so, uno studioso, uno studioso di qualcosa, okay? Avrà iniziato per passione, sicuramente ha iniziato perché aveva del talento, era uno di quelli che hanno apparizioni di infinito, possiamo immaginare che le aveva avute da giovane, e che ne era rimasto fulminato. Avrà provato a scriverle, prima magari ne avrà parlato con qualcuno, poi un giorno avrà pensato che era in grado di scriverle, e si sarà messo lì, con tutta la buona volontà, e le avrà scritte, ben sapendo che sarebbe riuscito solo ad appuntare una minima parte di quell'infinito che aveva in testa, ma pensando che poi avrebbe avuto tempo di approfondire il discorso, che so, di spiegarsi meglio, di raccontare poi tutto per bene. Scrive e la gente legge. Persone che lui nemmeno conosceva iniziano a cercarlo per saperne di più, altri lo invitano a convegni in cui poterlo attaccare, lui si difende, sviluppa, corregge, aggredisce a sua volta, inizia a riconoscere un piccolo popolo intorno a lui che sta dalla sua parte e un fronte di nemici davanti a sé che lo vuole distruggere: inizia a *esistere*, Gould. Non ha tempo di accorgersene ma tutto quello finisce per appassionarlo, gli piace la lotta, scopre cosa significa entrare in un'aula sotto lo sguardo adorante di un po' di studenti, vede il rispetto negli occhi della gente normale, si sorprende a desiderare l'odio di qualche personaggio famoso, finisce per andarselo a cercare, lo ottiene, magari tre righe in una nota di un libro su tutt'altro, ma tre righe che trasudano livore, lui ha la furbizia di citarle in un'intervista per qualche rivista di settore, e qualche settimana dopo, su un giornale, si trova ormai etichettato come l'avversario del famoso professore, c'è anche una foto, su quel giornale, una sua foto, *lui vede una sua foto su un giornale*, e la vedono anche molti altri, è una cosa graduale ma ogni giorno che passa lui e la sua idea artificiale diventano un tutt'uno che si fa largo nel mondo, l'idea è come il carburante, lui è il motore, si fanno strada insieme, ed è una cosa, Gould, che lui neanche si immaginava, questo devi capirlo bene, lui non si aspettava che succedesse tutto quello, non lo voleva neanche, ad essere precisi, ma adesso è accaduto, e lui *esiste* nella sua idea artificiale, idea sempre più lontana dalla originaria apparizione di infinito perché mille volte nel frattempo revisionata per poter reggere alle aggressioni, ma idea artificiale solida e permanente, collaudata, senza la quale lo studioso cesserebbe all'istante di esistere e sarebbe inghiottito, di nuovo, dalla palude di un'esistenza ordinaria. Detta così, sembra una cosa neanche troppo grave – essere inghiottiti di nuovo dalla palude di un'esistenza ordinaria – e io per anni non sono riuscito a capirne la gravità, ma il segreto è avvicinarsi ancora, guardare da vicino, lo so che fa schifo, ma bisogna che tu mi segua fin lì, Gould, turati il naso e vieni a vedere da vicino, lo studioso, lui, sicuramente aveva un padre, guardalo più da vicino, un padre severo, stupidamente severo, intento per anni a piegare il figlio facendogli pesare la sua continua e sfrontata inadeguatezza, e questo fino al giorno in cui vede il nome di suo figlio su un giornale, stampato su un giornale, non importa perché, sta di fatto che gli amici iniziano a dirgli Complimenti, ho visto tuo figlio sul giornale, fa schifo, vero?, ma lui ne è impressionato, e il figlio trova ciò che non aveva mai avuto la forza di trovare, cioè una tardiva vendetta, ed è una cosa enorme, questa, poter guardare tuo padre dritto negli occhi, non c'è prezzo per un riscatto come questo, cosa vuoi che sia armeggiare un po' con le tue idee, dimentico ormai di qualsiasi reale nesso con la loro origine, davanti al fatto di poter essere figlio di tuo padre, finalmente, figlio regolarmente autorizzato e approvato? Non c'è prezzo troppo alto per il rispetto di tuo padre, credimi, e neppure a ben pensarci per la libertà che il nostro studioso trova nei primi soldi, soldi veri, che una cattedra strappata a una università periferica inizia a fargli cadere nelle tasche, sottraendolo al quotidiano dettato dell'indigenza, e indirizzandolo sul piano inclinato di piccoli lussi che infine, alla fine, finalmente convergono nella agognata casa in collina con studio e libreria, un'inezia, in teoria, ma un'enormità, invero, quando assurge, nel reportage del giornalista di turno, a covo defilato dello studioso che in essa trova ricovero dalla scintillante vita che lo assedia, vita invero più che altro immaginaria, ma lì, nella realtà del ricovero, improvvisamente dimostrata, e dunque vera, e dunque stampata per sempre nella mente del pubblico, che da quell'istante avrà per lo studioso uno sguardo di cui lui non potrà più fare a meno, perché è uno sguardo che rinunciando a qualsiasi verifica regala, a priori, rispetto e considerazione e impunità. Ne puoi fare a meno quando non lo conosci. Ma dopo? Quando l'hai visto negli occhi del vicino d'ombrellone, e di quello che ti vende la macchina, e dell'editore che mai avresti pensato nemmeno di conoscere, e dell'attrice di sceneggiati televisivi e – una volta, in montagna – del Ministro, lui in persona? Fa vomitare, vero? Meglio, significa che siamo vicini al cuore delle cose. Senza pietà, Gould. Non è il momento di arrendersi. Si può andare ancora più vicino. La moglie. La moglie dello studioso, sua compagna di condominio, all'età di dodici anni, amata da sempre, sposata poi per automatismo e legittima difesa dalle incurie del destino, moglie sbiadita, simpatica, mai passionale, una buona moglie, adesso moglie di un professore affermato e della sua micidiale idea artificiale, moglie felice in fondo, guardala bene. Quando si sveglia. Quando esce dal bagno. Guardala. La vestaglia, tutto. Guardala. E poi guarda lui, lo studioso, non molto alto, sorriso triste, forfora a scaglie, non che ci sia niente di male, ma ce l'ha, belle mani, quelle sì, mani affusolate e pallide che immancabilmente appaiono accoppiate al mento nelle foto d'ordinanza, mani belle, il resto impietoso, bisogna che fai uno sforzo, Gould, e cerchi di vederlo *nudo*, uno così, è importante che tu lo veda nudo, credimi, bianchiccio e molle, con muscoli evanescenti e in mezzo all'inguine miti pretese, quali *chances* può avere un animale maschio di quel tipo nella quotidiana lotta per l'accoppiamento, *chances* scarsissime, modeste, non c'è santo, e così sarebbe, in effetti, se non fosse che l'idea artificiale ha trasformato l'animale destinato a soccombere in un lottatore e, alla lunga, perfino in un capo branco, con tanto di cartella di cuoio e passo conformatosi a estetizzante simulata zoppia, che ora se guardi bene scende la gradinata dell'università e viene avvicinato da una studentessa che un po' timidamente si presenta e parlando rotola insieme a lui fino alla strada e poi giù per il piano inclinato di un'amicizia sempre più appiccicosa, da far schifo solo a pensarci, ma così utile da guardare, fino in fondo, per quanto rivoltante possa essere, utile da studiare, imparandola fino all'apoteosi finale quando nel monolocale di lei, una stanza affittata con un grande letto e coperta peruviana, lui ottiene di salire, con la sua cartella e la sua forfora a scaglie, con la scusa di correggere una bibliografia, e in ore di estenuante occultato corteggiamento sfalda la tardiva resistenza della ragazza con le tenaglie e il bisturi della sua idea artificiale, e in virtù di una rubrichetta che da alcune settimane tiene su un settimanale trova il coraggio, e in certo modo il diritto, di appoggiare una mano, una delle sue bellissime mani, sulla pelle di quella ragazza, una pelle che nessun destino gli avrebbe mai consegnato, ma che la sua idea artificiale ora gli regala, insieme a quella camicetta che si apre, alla lingua che irragionevolmente socchiude le sue labbra sottili grigiastre, al respiro femmina affannoso nelle orecchie, e all'abbacinante scorcio di una mano giovane, abbronzata e bella, stretta intorno al suo sesso, incredibile. Pensi che ci sia un prezzo, per tutto questo? Non c'è, Gould. Pensi che sarebbe mai capace quell'uomo di rinunciare a tutto questo solo per il puntiglio di essere onesto, di rispettare l'infinito delle sue idee, di tornare a domandarsi cosa sia vero e cosa no? Pensi che accadrà mai più a quell'uomo di chiedersi, anche in segreto, anche in solitudine assoluta e impenetrabile, se la sua idea artificiale ha ancora qualcosa a che vedere con la verità, con la sua origine? Pensi che sarebbe mai capace di un solo istante, anche segreto, di onestà? No. (Tesi n. 5: Gli uomini usano le idee come armi, e in questo gesto se ne allontanano per sempre.) È così lontano, ormai, da lui, il punto da cui era partito, ed è da così tanto tempo che lui non abita più le sue idee, onestamente, con semplicità e in pace. Non è un'onestà che puoi ricostruire dopo che l'averla tradita ti ha regalato un'esistenza, un'intera esistenza, a te che potevi anche non esistere, per anni, fino a schiattare. Non la restituisci, una vita intera, dopo averla rapinata al destino, solo perché un giorno, guardandoti allo specchio, ti fai schifo. Morirà disonesto, ma almeno morirà di una qualche vita, il nostro professore.

Lo diceva, ovviamente, commuovendosi un po'. Non è che proprio piangesse. Ma insomma, occhi lucidi e qualcosa in gola, quelle cose lì. Era fatto così.

Una volta Poomerang chiese al prof. Mondrian Kilroy perché non lo pubblicava, il *Saggio sull'onestà intellettuale*. Nondisse che se ne poteva fare un libro bello spesso. Tutte pagine bianche e qui e là le sei tesi, dove capitava. Il prof. Mondrian Kilroy disse che era una buona idea, ma pensava di non pubblicarlo mai, quel saggio, perché sotto sotto aveva il dubbio che fosse di un'ingenuità pazzesca. Lo trovava infantile. Diceva anche che in certo modo, però, gli piaceva proprio perché era a un pelo dall'essere un'ingenuità pazzesca, e una cosa infantile, ma non riusciva poi a esserlo mai completamente e stava per così dire in bilico, e questo gli dava il sospetto che fosse, in realtà, un'idea, nel senso pieno del termine. Nel senso *onesto* del termine. Poi diceva che in realtà, a dirla tutta, non ci capiva più un cazzo. E chiedeva se c'era ancora pizza.

La cosa certa era che ormai vomitava sempre più spesso, non per la pizza, ma ogni volta che finiva troppo vicino a studiosi o intellettuali vari. Alle volte gli bastava leggere un articolo sul giornale, o un risvolto di copertina. Il giorno dello studioso inglese, ad esempio, quello con lo sguardo fisso nel nulla, gli sarebbe piaciuto restare ad ascoltare, era curioso di sentirlo parlare e tutto, ma gli era stato completamente impossibile, e alla fine aveva vomitato, facendo un gran casino, oltretutto, tanto che poi era dovuto andare dal rettore a scusarsi, e per scusarsi non gli era venuto in mente nient'altro che ripetere ossessivamente la frase: Guardi che è una brava persona, sono sicuro che è una brava persona. Si riferiva allo studioso inglese. Il rettore Bolder lo osservava allibito. Guardi che è una brava persona, sono sicuro che è una brava persona. Anche il giorno dopo, mentre stavano lì a lavare la roulotte, non la smetteva più con quella storia che era una brava persona. A Gould sembrava un'idiozia.

– Se fosse una brava persona non la farebbe vomitare.

– Non è così semplice, Gould.

– Ah no?

– Assolutamente no.

Gould lavava le ruote. Più di ogni altra cosa gli piaceva lavare le ruote. Gomma nera lucida insaponata. Un godere.

Ci ho pensato, ci ho pensato a lungo, Gould, e con tutta la

durezza di cui sono stato capace, ma alla fine ho capito che per quanto osceno sia il modo con cui gli uomini abbandonano la verità dedicandosi alla maniacale cura di idee artificiali con cui sbranarsi a vicenda, per quanto mi faccia schifo ormai qualsiasi cosa che puzza di idee, e per quanto io non riesca obbiettivamente a non vomitare di fronte alla quotidiana esibizione di questa lotta primitiva travestita da onesta ricerca della verità – per quanto sconfinato sia il mio disgusto io devo dire: è giusto così, è schifosamente giusto così, è semplicemente *umano*, è quello che deve essere, è la merda che ci spetta, l'unica merda di cui siamo all'altezza. L'ho capito guardando i migliori. Da vicino, Gould, bisogna avere il coraggio di guardarli da vicino. Li ho visti: erano disgustosi e giusti, lo capisci cosa voglio dire?, disgustosi ma inesorabilmente innocenti, volevano solo *esistere*, puoi togliergli questo diritto?, volevano *esistere*. Prendi quelli degli alti ideali, quelli con le idee nobili, quelli che delle loro idee hanno fatto una missione, quelli al di sopra di ogni sospetto. Il prete. Prendi il prete. Non quello qualunque. L'altro, quello che sta dalla parte dei poveri, o dei deboli, o degli esclusi, quello con il maglione e le Reebok, quello lì, avrà iniziato con una qualche accecante apparizione caotica di infinito, qualcosa che nella penombra della sua giovinezza gli avrà dettato vagamente l'imperativo di prendere posizione, e il suggerimento della parte in cui stare, tutto sarà iniziato come deve iniziare, in un modo onesto, ma poi, santo Iddio, quando te lo ritrovi adulto e famoso, cristo, famoso, fa senso già a dirlo, *famoso*, con il nome sui giornali e le foto, con il telefono che squilla in continuazione perché i giornalisti gli devono chiedere la sua, su questo e quello, e lui risponde, porca troia, *risponde*, e partecipa, e sfila in testa ai cortei, il telefono dei preti non squilla, Gould, voglio dirtelo con tutta la crudeltà necessaria, tu non lo puoi sapere ma il telefono dei preti non squilla perché la loro vita è un deserto, è programmaticamente un deserto, una specie di parco naturale protetto, dove la gente può guardare ma da lontano, loro sono animali da parco naturale, nessuno li può toccare, puoi immaginare questo, Gould?, per i preti è un problema anche solo farsi toccare, l'hai mai visto un prete che bacia un ragazzino o una signora, solo per salutarli, mica per altro, una cosa da nulla, normale, ma lui non lo può fare, la gente intorno immediatamente avrebbe come un senso di disagio e di imminente violenza, e questa è la quotidiana durissima condizione del prete in questo mondo, lui che pure sarebbe un uomo come gli altri, e invece si è scelto quella solitudine vertiginosa, che non avrebbe via d'uscita, nulla, se non fosse che un'idea, un'idea perfino giusta, cade da fuori a mutare quel panorama, a restituirgli un tepore di umanità, un'idea che, usata per bene, raffinata, revisionata, tenuta al riparo da rischiosi confronti con la verità, conduce il prete fuori dalla sua solitudine, semplicemente, e poco a poco fa di lui quell'uomo che è adesso, circondato di ammirazione, e voglia di avvicinarsi, e perfino desiderio allo stato puro, un uomo con il maglione e le Reebok, mai solo, si muove imbacuccato di figli e fratelli, mai disperso perché costantemente collegato a qualche terminale dei media, ogni tanto tra la folla acchiappa al volo gli occhi di una donna carichi di desiderio, pensa cosa può significare questo per lui, quella vertiginosa solitudine e questa vita esplosa, c'è da stupirsi se è disposto a *morire* per la sua idea?, lui *esiste* in quell'idea, cosa significa *morire per quell'idea*?, lui sarebbe comunque *morto* se gliela togliessero, lui si *salva* in quell'idea, e il fatto che in essa salvi centinaia e magari migliaia di suoi simili non cambia di una virgola la faccenda, e cioè che lui salva innanzitutto se stesso, con l'alibi accessorio di salvare gli altri, rapinando al suo destino quella necessaria dose di riconoscimento e ammirazione e desiderio che lo rende vivo, vivo, Gould, capisci bene questa parola, vivo, vogliono solo essere vivi, anche i migliori, quelli che costruiscono giustizia, progresso, libertà, futuro, anche per loro è tutta una faccenda di sopravvivenza, vagli più vicino che puoi, se non ci credi, guarda come si muovono, chi hanno intorno, guardali e prova a immaginare cosa sarebbe di loro se per caso un giorno si svegliassero e cambiassero idea, semplicemente, cosa rimarrebbe di loro, prova a estorcergli una risposta una che non sia una istintiva autolegittimazione, vedi se riesci anche una sola volta a sentirli pronunciare la loro idea con lo stupore e l'esitazione di uno che la scopre in quel momento e non con la sicurezza di uno che ti sta mostrando orgoglioso la devastante efficacia dell'arma che impugna, non farti fregare dall'apparente mitezza del tono, dalle parole che scelgono, astutamente miti, stanno lottando, Gould, lottano con i denti per la sopravvivenza, per il cibo, la femmina, la tana, sono animali, e sono i migliori, capisci?, cosa puoi aspettarti di diverso dagli altri, dai piccoli mercenari dell'intelligenza, dalle comparse della grande lotta collettiva, dai piccoli guerrieri vili che sgraffignano detriti di vita ai margini del grande campo di battaglia, commoventi spazzini di salvezze irrisorie, ognuno con la sua ideina artificiale, il primario a caccia di finanziamenti per pagare il college del figlio, il vecchio critico a lenire l'abbandono della sua vecchiaia con quaranta righe a settimana scagliate dove facciano un po' rumore, lo scienziato e il suo purè di Vancouver con cui cibare di orgoglio moglie figli amanti, le penose comparsate in televisione dello scrittore che ha paura di scomparire tra un libro e l'altro, il giornalista che pugnala a casaccio in prima pagina per essere sicuro di esistere almeno per 24 ore ancora, stanno solo lottando, lo capisci?, lo fanno con le idee perché non sanno usare altro, ma la sostanza non cambia, è lotta, e sono armi le loro idee, e per quanto faccia schifo ammetterlo, è nel loro diritto, la loro disonestà è una logica deduzione da un bisogno primario, e dunque necessario, il loro schifoso quotidiano tradimento della verità è la naturale conseguenza di uno stato naturale di indigenza che va accettato, non si chiede a un cieco di andare al cinema, non si può chiedere a un intellettuale di essere onesto, non credo, veramente, che glielo si possa chiedere, per quanto sia deprimente ammetterlo, ma il concetto stesso di onestà intellettuale è un ossimoro

6. L'onestà intellettuale è un ossimoro.

o comunque un compito altamente proibitivo e forse disumano, tanto che nessuno, in pratica, si sogna nemmeno di assolverlo, accontentandosi, nei casi più ammirevoli, di fare le cose con un certo stile, una certa dignità, diciamo con buon gusto, ecco, il termine esatto sarebbe con buon gusto, alla fine ti viene da salvare quelli che riescono quanto meno a fare le cose con buon gusto, con un certo pudore, quelli che almeno non sembrano fieri della merda che sono, non così fieri, non così maledettamente fieri, non così impunemente, strafottentemente fieri. Dio che nausea.
    – Qualcosa che non va, professore?
    – Mi stavo chiedendo...
    – Dica professore.
    – Di preciso, cosa sto lavando?
    – Una roulotte.
    – Voglio dire: di preciso, qual è il ruolo di questo oggetto giallo nel vostro ecosistema?
    – Per adesso la funzione di questo oggetto giallo nel nostro ecosistema è di aspettare una macchina.
    – Una macchina?
    – Le roulotte non vanno da nessuna parte senza una macchina.
    – Questo è vero.
    – Lei ha una macchina, professore?
    – L'avevo.
    – Peccato.
    – Per essere precisi, l'aveva mio fratello.
    – Capita.
    – Di avere un fratello?

– Anche.

– In effetti a me è capitato tre volte. A lei?

– No, non mi è mai capitato.

– Mi spiace.

– Perché?

– Mi passa la spugna, per favore?

Parlavano. Gli piaceva.

Una volta Gould, Diesel e Poomerang mollarono lì a un certo punto perché avevano una partita da vedere, giù al campo.

Rimasero il prof. Mondrian Kilroy e Shatzy. Lavarono tutto per bene e poi si sedettero sugli scalini dell'ingresso, a guardare la roulotte gialla.

Si dissero delle cose.

A un certo punto il prof. Mondrian Kilroy disse che era strano ma quel ragazzino gli sarebbe maledettamente mancato. Intendeva dire che Gould gli sarebbe maledettamente mancato. Allora Shatzy disse che se voleva potevano portare anche lui via con loro, la roulotte era piccola ma un sistema l'avrebbero trovato. Il prof. Mondrian Kilroy si voltò a guardarla e poi chiese se avevano veramente intenzione di andare fino a Couverney con la roulotte, e di andarci tutti quanti. Al che Shatzy disse

– Couverney?

– Couverney.

– Cosa c'entra Couverney?

– Come cosa c'entra?

– Di cosa stiamo parlando, professore?

– Di Gould.

– E allora che c'entra Couverney?

– È l'università di Gould, no? La nuova università di Gould. Un posto agghiacciante, per inciso.

– Gli hanno *chiesto* di andare a Couverney, gliel'hanno solo *chiesto*.

– Gliel'hanno chiesto e lui ci va.

– Che io sappia, non lo sa.

– Che io sappia, lo sa benissimo.

– E da quando?

– Me l'ha detto lui. Ha deciso di andarci. Inizia a settembre.

– *Quando* gliel'ha detto?

Il prof. Mondrian Kilroy se ne stette un po' a pensare.

– Non lo so. Qualche settimana fa, credo. Non so mai bene quando succedono le cose. A lei non capita mai?

– ...

– Signorina...

– ....

– Lei sa sempre quando succedono le cose?

– ...

– Così, glielo chiedo per curiosità.

– Gould le ha detto *veramente* che va a Couverney, professore?

– Sì, di questo sono sicuro, l'ha detto anche al rettore Bolder, sa lui vorrebbe fare una festa d'addio, o qualcosa del genere, e Gould preferirebbe evitare, dice che sarebbe...

– Come cazzo sarebbe a dire *una festa d'addio*?

– È solo un'idea, un'idea del rettore Bolder, lui è un uomo apparentemente duro e inflessibile, ma dentro nasconde un animo sensibile, vorrei quasi dire...

– Ma vi siete tutti bevuti il cervello?

– ... vorrei quasi dire...

– Cristo, quel ragazzino ha quindici anni, professore, Couverney è un posto da grandi, uno non è grande quando ha quindici anni, lo è quando ha vent'anni, se uno ha vent'anni è grande e allora eventualmente, se proprio vuole buttare nel cesso la sua vita, può prendere in esame la curiosa eventualità di andarsi a seppellire in un covo di...

– Signorina, desidero ricordarle che quel ragazzino è un genio, non è un...

– Ma chi cazzo l'ha detto?, si può sapere chi l'ha detto?, potrei sapere com'è che avete tutti deciso di punto in bianco che un ragazzino come quello è un genio, un ragazzino che non ha mai visto nient'altro che le vostre maledette aule e la strada per arrivarci, un genio che si piscia addosso quando dorme, e si spaventa se per strada gli chiedono che ora è, e non vede sua madre da anni e suo padre lo sente il venerdì sera al telefono, e non riuscirà mai ad avvicinarsi a una ragazza nemmeno a pregarlo in arabo, che punteggio dà tutto questo? Immagino che dia un punteggio bestiale nell'apposita classifica dei geni, peccato che non balbetti, questo lo renderebbe pressoché irraggiungibile...

– Signorina, non è il caso di...

– Certo che è il caso, se tutti i professori come lei si ostinano a tenere il cervello nella salamoia del loro...

– ... non è affatto il caso di...

– ... del loro amor proprio, convinti di aver trovato la gallina dalle uova d'oro e quindi completamente...

– ... signorina la invito a....

– ... completamente instupiditi da questa storia del Nobel, perché parliamoci chiaro, è lì che volete andare a parare, lei e...

– VUOLE CHIUDERE QUELLA SUA BOCCACCIA DI MERDA?

– Prego?

– Le ho chiesto se vuole per caso chiudere quella sua boccaccia di merda.

– Sì.

– Grazie.

– Prego.

– ...

– ...

– ...

– ...

– Signorina, è una circostanza sfortunata, ne convengo, ma quel ragazzino è un genio. Mi creda.

– ...

– Desidero aggiungere un'altra cosa. Gli uccelli volano. I geni vanno alle università. Per quanto possa sembrare banale, è così. Ho finito.

Mesi dopo, il giorno prima di partire, Shatzy passò a salutare il professor Mondrian Kilroy. Gould se n'era già andato da un po'. Il professore girava in pantofole e continuava a vomitare. Si vedeva che gli spiaceva veder tutti partire, ma non era il tipo da far pesare le cose. Aveva una formidabile capacità di ammettere la necessità degli avvenimenti, quando accadeva loro di avvenire. Disse a Shatzy un mucchio di sciocchezze, e alcune facevano anche ridere. Poi alla fine andò a prendere qualcosa in un cassetto, e lo diede a Shatzy. Era il dépliant con i prezzi della "sala contact". Sul retro c'era il *Saggio sull'onestà intellettuale.*

– Mi piacerebbe che lo tenesse lei, signorina.

C'erano le sei tesi, una scritta sotto l'altra, in stampatello, un po' di sbieco, ma con ordine. Sotto l'ultima, c'era una nota, scritta con un'altra biro, e in corsivo. Non aveva un numero, prima, niente. Diceva così:

Un'altra vita, saremo onesti. Saremo capaci di tacere.

Era il passaggio che faceva letteralmente sbiellare Poomerang. Era la cosa che lo faceva impazzire. Non la smetteva mai di ripeterla. La nondiceva a tutti, come se fosse il suo nome.

Shatzy prese il dépliant. Lo piegò in due e se lo infilò in tasca. Poi abbracciò il professore e tutt'e due fecero un po' di quei gesti che messi insieme prendono il nome, esatto, di addio. Un addio.

Per anni, poi, Shatzy si portò dietro quel foglio giallo, piegato in quattro, se lo portava sempre dietro, nella borsa, quella con su scritto *Salva il pianeta terra dalle unghie dei piedi laccate.* Ogni tanto si rileggeva le sei tesi, e anche la postilla, e sentiva la voce del prof. Mondrian Kilroy che spiegava e si commuoveva, e chiedeva altra pizza. Ogni tanto le veniva voglia di far leggere quella roba a qualcuno, ma in verità non incontrò mai nessuno che fosse ancora così ingenuo da poterci capire qualcosa. Alle volte erano anche intelligenti, e tutto, gente in gamba. Ma si vedeva che era troppo tardi per riportarli indietro, per chiedergli di tornare, anche solo un attimo, a casa.

Alla fine il dépliant giallo e tutto il *Saggio sull'onestà intellettuale* finì per perderlo, una volta che le si rovesciò la borsa a casa di un medico, di mattino presto, mentre cercava di svignarsela e non trovava più le autoreggenti nere. Fece un sacco di casino e mentre rimetteva la roba dentro la borsa lui si svegliò così lei dovette dire qualche frase idiota, e si distrasse, e andò come doveva andare, il dépliant giallo rimase lì.

Fu un peccato. Davvero.

Sull'altra facciata, dove c'era stampato il tariffario della "sala contact", c'era tutta una lista di servizi, e l'ultimo, quello più caro, si chiamava "Crossing contact".

Rimase una delle cose che Shatzy non capì mai: cosa diavolo poteva essere un "Crossing contact".

23.

– Abbiamo al microfono Stanley Poreda, siamo venuti a trovarlo nella palestra in cui si sta allenando per l'imminente incontro con Larry "Lawyer" Gorman, l'incontro è stato annunciato per il 12 del mese, sabato, sulla distanza delle otto riprese. Allora, Poreda... tranquillo?

– Tranquillissimo.

– Sono circolate un sacco di voci a proposito di questo tuo ritorno sul ring...

– Alla gente piace parlare.

– Sono in molti a chiedersi perché un pugile ormai fuori carriera abbia deciso dopo due anni...

– Due anni e tre mesi.

– ... due anni e tre mesi, un'eternità, se vogliamo, la gente si chiede perché un pugile che aveva ormai chiuso con la boxe professionistica....

– La gente si chiede cose del cazzo.

– Poreda vuol sicuramente dire che...

– Poreda vuole dire che sono domande del cazzo, torno per i soldi, per cosa dovrei tornare?, la boxe mi ha fatto del male, le vedi le mie braccia, storte, sono storte, per i tanti pugni che ho dato, mi si sono stortate le braccia, la boxe mi ha ridotto così, ma è l'unica cosa che so fare e se qualcuno mi dà dei soldi, se me ne dà tanti, io torno là sopra, e... qual era la fottuta domanda?

– La gente dice che è un incontro combinato.

– Chi lo dice?

– L'hanno scritto sui giornali. E i bookmaker dicono che non prenderanno scommesse fino alla vigilia del match. Neanche loro ci vedono chiaro.

– E quando mai ci vedono chiaro, quelli, mi son divertito a fotterli per anni, quelli, non ci hanno mai capito niente, hanno perso più soldi sui miei incontri che io a pagare i conti della mia ex moglie...

– Vuoi dire che è un incontro pulito?

– ... sai la mia ex moglie, no?, quella era un'idrovora di soldi, una cosa impressionante, stava sempre a dire che non aveva i soldi per vestirsi, io non ci credevo, la lasciavo dire, ma lei insisteva, non aveva soldi per vestirsi, be' ho dovuto crederci quando ho visto le sue foto su *Playboy*...

– Sarà un incontro pulito, Poreda?

– ... su *Playboy*, capisci?...

– Non vuoi rispondere?

– Senti, finocchio: la boxe *non è* pulita. E non lo sarà questo fottuto incontro. Aspettatelo sporco. Sangue e merda. Ascolta, finocchietto: io porto la merda. Il sangue lo offre Lawyer. Okay?

Gould si alzò, tirò l'acqua, si rimise i pantaloni del pigiama a posto, si diede un'occhiata allo specchio del lavabo, poi aprì la porta, e uscì. Shatzy era seduta sul gradino più alto della scala. Gli dava la schiena e non si voltò neppure quando iniziò a parlare. Non si voltò nemmeno una volta, fino alla fine.

– Okay Gould, facciamola breve così nessuno si annoia, tu vai a Couverney, io non lo sapevo, adesso lo so, e non importa come ho fatto a saperlo, comunque me l'ha detto il professor Kilroy, lui sì che in un certo senso è una brava persona, chiacchiera giusto un po' troppo, gli piace chiacchierare, ma non devi avercela con lui, tanto prima o poi sarei venuta a saperlo lo stesso, magari mi avresti mandato un telegramma, o qualcosa del genere, sono sicura che ti sarebbe venuto in mente, diciamo a Natale, o dopo un numero ragionevole di settimane, so che mi avresti avvertita, giusto il tempo di ambientarti, si capisce, non deve essere facile arrivare come paracadutato in una zona di guerra presidiata da cervelli nevrotici e potenzialmente impotenti, circondato da compagni che pagano per studiare dove tu sei pagato per studiare, per quanto uno cerchi di rendersi piacevole è prevedibile una certa riluttanza a trovare intorno grandi sorrisi e pacche sulle spalle, bisognerà tra l'altro spiegare anche questa roba che tu non giochi nella squadra di pallone, non vai al coro, non vai al ballo di fine anno, non vai in chiesa, sei agghiacciato da qualsiasi cosa che sia o sembri un'associazione o un club o qualsiasi cosa che preveda delle riunioni, e inoltre non ti interessa fumare, non fai collezioni di nessun tipo, non ti frega niente di baciare una ragazza, non ti piacciono le automobili, finiranno per chiederti cosa cazzo fai nel tuo tempo libero, al che non sarà facile spiegargli che vai in giro con un gigante e un muto ad attaccare chewingum sui Bancomat, voglio dire non sarà facile che se la bevano, puoi sempre provare a dirgli che vai a vedere le partite di pallone perché il muto ha perso un'azione vista anni fa e deve ritrovarla, questa è vagamente più ragionevole, potrebbero anche fartela passare, io sarei comunque per tenersi sulle generali, un'ottima risposta potrebbe essere Io *non ho* tempo libero, fa un po' genio odioso, ma tanto è quello che sempre vorranno pensare di te, che sei un genio odioso, potresti essere Oliver Hardy e penserebbero comunque di te che sei odioso, loro hanno *bisogno* di pensarlo, li tranquillizza, e *presuntuoso*, soprattutto questo, tu per loro sarai sempre *presuntuoso*, anche se andassi in giro a dire Scusatemi, tutto il tempo, scusatemi scusatemi scusatemi, per loro sarai sempre presuntuoso, è il loro modo di far tornare le cose, i mediocri non sanno di essere mediocri, questo è il fatto, proprio in quanto mediocri gli manca la fantasia per immaginare che qualcuno possa essere meglio di loro, e dunque chi di fatto lo è deve averci qualcosa che non va, deve aver barato da qualche parte, o in definitiva deve essere un matto che si immagina di essere migliore di loro, e cioè un presuntuoso, come certamente ti faranno capire molto presto e con sistemi neanche troppo piacevoli, perfino con crudeltà, alle volte, questo è tipico dei mediocri, essere crudeli, la crudeltà è la virtù per eccellenza dei mediocri, hanno bisogno di esercitare la crudeltà, esercizio per cui non è necessaria la minima intelligenza, cosa che li facilita, ovviamente, che gli rende agevole l'operazione, li fa eccellere, per così dire, in quella operazione che è l'essere crudeli, ogni volta che possono, e quindi spesso, più spesso di quanto tu ti possa aspettare, tanto che ti sorprenderanno, questo è inevitabile, la loro crudeltà ti prenderà alle spalle, facilmente accadrà proprio così, che ti prenderà alle spalle e allora non sarà affatto facile, è meglio che tu lo sappia fin da adesso, se ancora non l'hai capito, ti prenderanno alle spalle, io non sono mai propriamente sopravvissuta a niente che mi abbia preso alle spalle, e so che non c'è modo, in definitiva, di difenderti da ciò che ti colpisce alle spalle, è una cosa contro cui non c'è niente da fare, solo continuare per la propria strada, cercando di non cadere, di non fermarsi, tanto nessuno è così idiota da pensare che si possa arrivare, veramente, da qualche parte in un modo diverso che vacillando, e collezionando ferite da tutte le parti, e in particolare alle spalle, sarà così anche per te, e soprattutto per te, volendo, visto che non vuoi toglierti dalla testa questa curiosa idea, questa idea del cazzo, di camminare davanti agli altri, per una strada, oltretutto, che io non voglio dire ma, la scuola e tutto quanto, il Nobel, quella faccenda lì, non puoi pretendere che io veramente la capisca, fosse per me ti legherei alla tazza del cesso fino a quando non ti passa, ma d'altra parte non sono la persona più adatta a capire, non ce l'ho mai avuta questa cosa di camminare davanti agli altri, non so, e poi con la scuola è stato un fallimento, proprio sempre, senza scampo, quindi è naturale che io non ci capisca niente, anche se mi sforzo, mi viene solo in mente quella storia dei fiumi, se proprio voglio trovare qualcosa che mi faccia digerire tutta questa faccenda, finisco per pensare ai fiumi, e al fatto che si son messi lì a studiarli perché giustamente non gli tornava 'sta storia che un fiume, dovendo arrivare al mare, ci metta tutto quel tempo, cioè scelga, deliberatamente, di fare un sacco di curve, invece di puntare diritto allo scopo, devi ammettere che c'è qualcosa di assurdo, ed è esattamente quello che pensarono anche loro, c'è qualcosa di assurdo in tutte quelle curve, e così si sono messi a studiare la faccenda e quello che hanno scoperto alla fine, c'è da non crederci, è che qualsiasi fiume, non importa dove sia o quanto sia lungo, qualsiasi fiume, proprio qualsiasi fiume, prima di arrivare al mare fa esattamente una strada tre volte più lunga di quella che farebbe se andasse diritto, sbalorditivo, se ci pensi, ci mette tre volte tanto quello che sarebbe necessario, e tutto a furia di curve, appunto, solo con questo stratagemma delle curve, e non questo fiume o quello, ma tutti i fiumi, come se fosse una cosa obbligatoria, una specie di regola uguale per tutti, che è una cosa da non credere, veramente, pazzesca, ma è quello che hanno scoperto con scientifica sicurezza a forza di studiare i fiumi, tutti i fiumi, hanno scoperto che non sono matti, è la loro natura di fiumi che li obbliga a quel girovagare continuo, e perfino esatto, tanto che tutti, dico tutti, alla fine, navigano per una strada tre volte più lunga del necessario, anzi, per essere esatti, tre volte virgola quattordici, giuro, il famoso pi greco, non ci volevo credere, in effetti, ma pare che sia proprio così, devi prendere la loro distanza dal mare, moltiplicarla per pi greco e hai la lunghezza della strada che effettivamente fanno, il che, ho pensato, è una gran figata, perché, ho pensato, c'è una regola per loro vuoi che non ci sia per noi, voglio dire, il meno che ti puoi aspettare è che anche per noi sia più o meno lo stesso, e che tutto questo sbandare da una parte e dall'altra, come se fossimo matti, o peggio smarriti, in realtà è il nostro modo di andare diritti, modo scientificamente esatto, e per così dire già preordinato, benché indubbiamente simile a una sequenza disordinata di errori, o ripensamenti, ma solo in apparenza perché in realtà è semplicemente il nostro modo di andare dove dobbiamo andare, il modo che è specificatamente nostro, la nostra natura, per così dire, cosa volevo dire?, quella storia dei fiumi, sì, è una storia che se ci pensi è rassicurante, io la trovo molto rassicurante, che ci sia una regola oggettiva dietro a tutte le nostre stupidate, è una cosa rassicurante, tanto che ho deciso di crederci, e allora, ecco, quel che volevo dire è che mi fa male vederti navigare curve da schifo come quella di Couverney, ma dovessi anche andare ogni volta a guardare un fiume, ogni volta, per ricordarmelo, io sempre penserò che è giusto così, e che fai bene ad andare, per quanto solo a dirlo mi venga da spaccarti la testa, ma voglio che tu vada, e sono felice che tu vada, sei un fiume forte, non ti perderai, non importa se io da quella parte non ci sarei andata neanche morta, è solo che siamo fiumi diversi, evidentemente, io devo essere un fiume di un altro modello, anzi se ci penso mi sa che più che un fiume, voglio dire, facile che io sia un lago, non so se capisci, forse alcuni sono fiumi e altri laghi, io sono un lago, non so, qualcosa di simile a un lago, una volta ho fatto il bagno in un lago, era molto strano perché vedi che vai avanti, voglio dire, è tutto così piatto che quando nuoti ti accorgi che vai avanti, è una sensazione strana, e poi c'erano un sacco di insetti e se mettevi i piedi giù, vicino a riva, dove toccavi, se mettevi i piedi giù faceva uno schifo bestiale, come della sabbia unta, da sopra non l'avresti mai detto, ma una specie di sabbia unta, del petrolio, una cosa così, abbastanza schifosa davvero, comunque volevo solo dire due cose, la prima è che se si azzardano a farti del male io vengo lì e li stendo a un filo dell'alta tensione, ce li appendo per le palle, esattamente per le palle, e la seconda è che mi mancherai, cioè, mi mancherà la tua forza, non importa se non lo capisci, adesso, magari poi lo capirai, mi mancherà la tua forza, Gould, piccolo ragazzino strano, la tua forza, porca puttana di quella eva.

Pausa.

– Sai che diavolo di ora è?

– Non so. È buio.

– Vai a dormire, Gould. È tardi, vai a dormire.

24.

Fu tutto così improvviso e, in certo modo, *naturale*.

Quella mattina Gould se n'era ritornato giù alla Renemport, la scuola – gli era venuto in mente che magari ci trovava di nuovo quel ragazzino nero con il suo pallone da basket, e tutto il resto –, per essere precisi *sentiva* che era lì, si era svegliato con la *certezza* che fosse lì.

Ci mise un po', poi effettivamente arrivò davanti alla Renemport. Forse era l'intervallo, o chissà quale festa o ultimo giorno di qualcosa. Fatto sta che il cortile era pieno zeppo di bambini e bambine e tutti giocavano, facendo un rumore come di voliera, ma una voliera in cui qualcuno stesse sparando, proiettili invisibili silenziosi, con ferocia e pessima mira.

C'erano un sacco di palloni, di tutte le dimensioni, che rimbalzavano in giro e accendevano geometrie contro piedi, mani, cartelle e muri.

La scuola, dietro alla grande voliera, sembrava vuota.

Del ragazzino nero non c'era l'ombra. Ogni tanto qualcuno tirava a canestro. Ma non ci prendevano quasi mai.

Gould andò a sedersi su una panchina del viale, una decina di metri dalla recinzione della scuola. Dietro passava la strada – strisciata di auto e camion in velocità. Davanti c'era un po' di prato e poi le maglie di ferro arrugginito, fino in alto, e infine il cortile pieno di bambini. Non c'era un ritmo, in tutto quello, né una regola, o un centro, cosicché risultava difficile *pensare*, lì, e in certo modo impossibile – avere pensieri. Per questo Gould si tolse il giubbotto, lo appoggiò allo schienale della panchina, e si fermò, lì, a nonpensare.

C'era il sole alto, su tutto.

Il pallone scavalcò la recinzione di poco, due spanne, non di più. Ricadde sul prato, rimbalzò a pochi metri da Gould e rotolò verso la strada. Era un pallone bianco e nero, da calcio.

Gould stava nonpensando. Seguì istintivamente con gli occhi la parabola del pallone, lo vide rimbalzare sull'erba e poi sparire alle sue spalle, verso la strada. Riprese a nonpensare.

Allora una voce bucò tutto il gran casino e urlò

– Palla!

Era una bambina. Stava appoggiata alla recinzione con le dita che artigliavano le maglie di ferro arrugginito.

– Ehi, me la tiri la palla?

Anni di lezioni con il prof. Taltomar avevano insegnato a

Gould a non provare il minimo imbarazzo. Rimase a guardare davanti a sé, riprendendo a nonpensare.

– Allora, me la vuoi tirare 'sta palla, ehi, dico a te, sei sordo?

Andò avanti per un bel po', con la bambina che strillava e Gould che guardava davanti a sé.

Minuti.

Poi la bambina si stufò, si staccò dalla recinzione e tornò a giocare.

Gould la osservò mentre correva dietro a un'altra bambina, più alta di lei, e poi spariva da qualche parte nel grande animalone fatto di bambini e palloni e grida e felicità. Mise a fuoco la recinzione dove poco prima lei teneva le mani, e si immaginò la polvere di ruggine, sui suoi palmi, e nelle pieghe delle dita.

Allora si alzò. Si girò su se stesso e guardò finché vide il pallone bianco e nero dall'altra parte della strada, attaccato al bordo del marciapiedi, a rotolare con la polvere nell'aria risucchiata dalle auto in velocità.

Fu tutto così improvviso e, in certo modo, *naturale*.

L'autista del pullman vide il ragazzino da lontano, ma non pensò che potesse davvero attraversare la strada. Pensò che quanto meno si sarebbe girato, avrebbe visto il pullman e si sarebbe fermato. Invece il ragazzino entrò nella strada senza guardarsi attorno, come se fosse nel vialetto di casa sua. L'autista premette d'istinto il pedale del freno, stringendo il volante tra le mani, e tirandosi indietro, sul sedile. Il pullman iniziò a sbandare, con il posteriore che tirava verso il centro della carreggiata. Il ragazzino continuava a camminare, guardando qualcosa davanti a sé. L'autista mollò un po' il freno per riprendere il controllo del pullman, vide i pochi metri che mancavano e pensò che stava uccidendo un ragazzino. Sterzò con violenza verso destra. Sentì l'urlo della gente arrivargli dai sedili dietro di lui. Vide la fiancata del pullman sfilare a un metro, non più di un metro, dal ragazzino, e sentì sotto le mani l'attrito delle ruote che strisciavano contro il marciapiedi.

Gould arrivò dall'altra parte della strada, si chinò e raccolse il pallone. Si voltò, guardò se arrivava qualche macchina, poi riattraversò la strada. C'era un pullman fermo, un po' storto contro il marciapiedi: suonava il clacson come un pazzo. Gould pensò che salutasse qualcuno. Risalì sul prato e arrivò di fianco alla panchina. Guardò la recinzione, quanto era alta. Poi guardò il pallone. Sopra c'era scritto: *Maracaná*. Non aveva mai visto un pallone da tanto vicino. In realtà non l'aveva neanche mai toccato, un pallone.

Ridiede un'occhiata alla recinzione. Il gesto lo conosceva, l'aveva visto mille volte. Lo ripassò mentalmente, chiedendosi se mai sarebbe riuscito a trasmetterlo a tutte le parti del corpo che gli fossero servite. Gli sembrava una cosa improbabile. Ma era così evidentemente necessario, provarci. Ripassò tutto per bene, con ordine. La sequenza dei passaggi non era complicata. C'era da inventarsi la velocità, quello sarebbe stato difficile, sincronizzare i tempi, e incastrare tutti i pezzi fino a farli diventare un unico gesto, senza interruzioni. Non bisognava fermarsi a metà, questo era chiaro. Doveva essere una cosa che cominciava e poi finiva, senza perdersi per strada. Come un ritornello di una canzone, pensò. I bambini, di là dalla rete, continuavano a strillare. Canta, Gould. Comunque vada a finire, è il momento di cantare.

L'autista del pullman aveva le gambe che gli tremavano, ma scese lo stesso e lasciando la portiera aperta andò verso quel ragazzino idiota. Stava fermo immobile, a guardare un pallone che teneva in mano. Doveva essere veramente idiota. Stava per gridargli qualcosa, quando lo vide finalmente muoversi: lo vide alzare il pallone nell'aria, con la mano sinistra, e poi colpirlo al volo con il piede destro, spedendolo nel cortile della scuola, oltre la recinzione. Ma guarda 'sto idiota, pensò.

La curva di cuoio bianco e nero a incontrare nell'aria la fionda di piede gamba caviglia, interno collo destro, impatto morbido

perfetto che torna su lungo la carne fino al cervello – puro piacere – mentre il corpo rotea intorno alla *muleta* della gamba sinistra
intenta a salvare l'equilibrio durante l'avvitamento per poi resti-
tuirlo alla gamba destra non appena essa ritocca terra, reduce dal
gran volo con percussione, trattenendo il corpo dal rotolare in
avanti mentre gli occhi istintivamente si alzano a guardare quel
pallone che scavalca recinzioni e dubbi, rotolando nel cielo una
traiettoria come d'arcobaleno in bianco e nero.

– Sì –, disse piano Gould. Era una risposta a un sacco di domande.

L'autista del pullman arrivò a qualche metro dal ragazzino. Le
gambe gli tremavano ancora un po'. Era incazzato, davvero.

– Allora, sei completamente pazzo o cosa?, ehi, tu, cos'è, sei
pazzo?

Il ragazzino si voltò a guardarlo.

– Non più, signore.

Disse.

25.

– Pronto?

  – Pronto.

  – Chi è?

  – Sono Shatzy Shell.

  – Ah, è lei, signorina.

  – Sì, sono io, generale.

  – Tutto bene laggiù?

  – Non esattamente.

  – Bene.

  – Ho detto: non esattamente.

  – Prego?

– Le ho telefonato per dirle che c'è un guaio.

– In effetti mi ha telefonato lei. Come mai?

– Per dirle che c'è un guaio.

– Un guaio?

– Sì.

– Niente di grave, spero.

– Dipende.

– Non è il momento, sa?, per avere brutti guai.

– Mi spiace.

– Non è proprio il momento.

– Mi vuole stare ad ascoltare?

– Certo, signorina.

– Gould è sparito.

– Signorina...

– Sì?

– Signorina, Gould è partito per Couverney.

– È vero.

– Questo non significa *sparire*.

– Infatti.

– È solo partito per Couverney.

– Sì, però non ci è mai arrivato.

– Come sarebbe a dire?

– Gould è partito per Couverney, ma non ci è mai arrivato.

– Ne è sicura?

– Sicurissima.

– E dove diavolo è finito?

– Non lo so. Credo che abbia deciso di sparire.

– Prego?

– Se n'è andato, generale, Gould se n'è andato.

– Gli sarà successo qualcosa, ha telefonato all'università, alla Polizia, ha telefonato da qualche parte?

– No.

– Bisogna farlo immediatamente, signorina mi richiami tra cinque minuti, penso a tutto io, anzi la richiamo io, tra cinque minuti...

– Generale...

– Non perda la calma.

– Io non perdo la calma, vorrei solo che lei mi stesse ad ascoltare.

– La ascolto.

– Non faccia niente, per favore.

– Cosa diavolo dice?

– Mi ascolti, non faccia niente, non dica niente a nessuno, e, per favore, venga qui.

– Io, venire lì?

– Sì, vorrei che lei venisse qui.

– Non dica cretinate, bisogna trovare Gould, non serve a niente venire lì, mi faccia il santo piacere di...

– Generale...

– Sì.

– Si fidi di me. Prenda uno dei suoi aerei, o qualsiasi cosa, e venga qui.

– ...

– ...

– ...

– Mi creda, è l'unica cosa utile che può fare. Venga qui.

– ...

– Allora la aspetto.

– ...

– Generale...

– Sì?

– Grazie.

26.

Una sigaretta che si accende – audio al massimo, rumore di tabacco febbricitante, forte come l'accartocciarsi di un foglio grande chilometri – le guance si infossano a tirare il fumo, guance sotto occhi come ostriche a mollo in un viso rubizzo che si volta verso la signorina di fianco, bionda che ride con risata roca e forte come una promessa di scopate che bagna la mente dei maschi pigiati ognuno al suo posto nel raggio di dieci metri, e si perde a poco a poco sulle altre file di uomini e donne allineati seduti, corpi a contatto, menti a volare, per file e file, dalle più alte giù a digradare, penetrando l'aria sciabolata da ondate di rock espulse dalle grandi casse messe su in alto, e pugnalata da grida che alzate in piedi chiamano per nome da una parte all'altra della sala, viaggiando nella luce a chiazze e lampi FLASH tra gli odori di tabacchi, profumi di lusso, dopobarba, ascelle, giubbotti di pelle, pop corn, facendosi strada nel gran vociare collettivo, grembo ventre di milioni di parole eccitate sciocche sporche ubriache oppure d'amore che brulicano come vermi quella terra di corpi e menti, campo arato di teste allineate, digradante in modo concentrico e fatale verso il pozzo accecante che al centro di tutto raccoglie sguardi brividi pressioni sanguigne, tutto raccogliendo sul blu del tappeto su cui una scritta rossa urla PONTIAC HOTEL e lo farà per tutta questa incendiata notte che dio la benedica ora che finalmente è arrivata, venendo da lontano e cavalcando fin

... qui sul ring del Pontiac Hotel, dove dai microfoni di Radio KKJ Dan De Palma vi dà il benvenuto per questa meravigliosa serata di boxe. Tutto pronto qui FLASH per la sfida su cui sono stati versati fiumi di inchiostro e migliaia di scommesse, una sfida che Mondini ha fortissimamente voluto e ottenuto, forse perfino contro il volere del suo pupillo FLASH certo tra la sorpresa generale FLASH e lo scetticismo dei media, scetticismo dobbiamo dire ormai tramutato in spasmodica attesa a giudicare dall'affluenza di pubblico e dalla tensione che si respira FLASH qui a bordo ring, dove ormai mancano pochi secondi all'avvio del match FLASH arbitrerà il messicano Ramón Gonzales, 8243 spettatori paganti, dodici radio collegate, nell'angolo rosso FLASH in pantaloncini bianchi con fascia oro, 33 anni, 57 incontri, 41 vittorie FLASH 14 sconfitte, 2 pareggi, dodici anni di carriera, due volte sfidante per il mondiale, ritiratosi due anni e tre mesi fa sul ring di Atlantic City, pugile discusso, amato e odiato FLASH incubo dei bookmaker, guardia sinistra, formidabile incassatore e combattente di rara potenza, Stanleeeeeeey "Hoooooooooooker" Poreeeeeeeeeeda FLASH all'angolo blu, pantaloncini neri, 22 anni, 21 incontri, 21 vittorie, 21 prima del limite, FLASH imbattuto e finito al tappeto una sola volta, una delle promesse del pugilato mondiale, guardia destra e sinistra FLASH in grado di boxare FLASH su ritmi vertiginosi, capace di una spettacolare agilità, giovane, imprevedibile, arrogante FLASH odioso, il ragazzo che forse tra qualche anno chiameremo il più grande, Larryyyyyyy "Laaaaaaaaawyer" Goooooooorman

(sentire le dita di Mondini sul collo andare su e giù a sciogliere grumi di paura, non ho paura Maestro, ma fallo lo stesso, mi piace)

– Non avere fretta e lascia perdere le stronzate, Larry.

– D'accordo.

– Salta via, non farlo avvicinare con la testa.

– D'accordo.

– Fai le cose facili e non avrai problemi.

– Me l'ha promesso, Maestro.

– Sì, te l'ho promesso.

– Io vinco e lei mi porta al mondiale.

– Pensa all'incontro, idiota.

– Le piacerà, vedrà, il mondiale.

– Vaffanculo Larry.

– 'culo.

BOXE grida l'arbitro Gonzales, ed è il via, Poreda prende il centro ring, Lawyer usa la guardia destra, gira intorno a Poreda... Poreda adotta una guardia molto chiusa, con i guantoni affiancati davanti al volto, preferisce scoprire il corpo, sguardo impassibile e... feroce dietro ai guantoni rossi, è apparentemente il FLASH Poreda di una volta, stilisticamente non elegante ma roccioso... molto solido, Lawyer gli vola intorno, cambiando spesso direzione FLASH molto sciolto, per ora usa le gambe, non allunga neanche il jab... i due sembrano studiarsi, finta di Lawyer FLASH ancora una finta... Poreda lavora poco con le gambe ma sembra agile a sufficienza col busto, ancora una finta, e ancora un'altra di Lawyer FLASH Poreda non indietreggia, si limita ad abbozzare con il busto... non è ancora partito un pugno, inizio molto prudente da parte dei (sei brutto da far schifo, Poreda, te l'ha mai detto nessuno?, non ha gambe, o fa finta o non ha più gambe, con quelle non scapperà, e picchiare sulle braccia, devo picchiare lì, sono braccia rotte o no?, sì che lo sono porca puttana e allora) *USA IL JAB, LARRY, IL JAB, FAI SOLO ARIA COSÌ* con grande eleganza intorno al centro ring, ma non porta colpi, Lawyer, sembra quasi irrida l'avversario FLASH è tipico di Lawyer d'altronde, gli piace fare spettacolo... anche troppo dicono alcuni suoi detrattori (è questo che vorresti, eh Poreda?, che mi sfiato a correrti intorno come un dio e tu lì ad aspettare il momento giusto per fottermi, credi che ci sono cascato, eh?, bene fine dello spettacolo, era solo per) **FLASH FLASH** DESTRO DI POREDA, un gancio destro improvviso FLASH nemmeno preparato, ma ha colto di sorpresa Lawyer, toccato in volto, sale la tensione qui al Pontiac Hotel (bastardo, che cazzo) *LARRY DOVE CAZZO SEI?* (ci sono, ci sono Maestro, okay, fine del ballo, bastardo) finta di Lawyer, un'altra finta, cambia guardia, jab, UN ALTRO JAB, E GANCIO SINISTRO, **FLASH** POREDA SPAZZATO VIA DAL **FLASH** CENTRO RING, Poreda alle corde, LAWYER, **FLASH** COMBINAZIONE A DUE MANI, IMPRESSIONANTE SERIE **FLASH** AL CORPO **FLASH** Poreda non abbassa la guardia, si difende il volto FLASH Lawyer colpisce poi recupera la distanza, adesso si fa sotto, continua a colpire alla figura *VAI VIA DA LÌ PORCO CANE*, Lawyer indietro e poi di nuovo avanti, Poreda resta alle corde, Lawyer a due mani, Poreda oscilla sul busto, non esce dalla sua guardia, *VIA DA LÌ*, Lawyer insiste, MONTANTE DI POREDA, E GANCIO, GANCIO DESTRO AL VOLTO, LAWYER TRABALLA, POREDA VA IN CLINCH, VOLA UN PARADENTI, È VOLATO VIA IL PARADENTI DI LAWYER, L'ARBITRO INTERROMPE, il forte gancio di Poreda ha scosso la testa di Lawyer, gli ha strappato via il paradenti, l'arbitro lo raccoglie, adesso lo porge ai secondi di Lawyer, Lawyer può respirare, sembra aver accusato l'uno due di Poreda, sembrava chiuso nella sua guardia, Poreda, poi con un montante ha sorpreso Lawyer per colpirlo di nuovo subito dopo con grande tempismo, Lawyer rimette il paradenti, BOXE, si ricomincia, c'è sangue sul volto di Lawyer, forse una piccola ferita all'arcata sopraccigliare, i due pugili sono tornati a studiarsi, sembra piuttosto una ferita alla bocca, molto sangue in questo momento, cola giù dal collo di Lawyer, forse l'arbitro dovrebbe *TRENTA SECONDI LARRY* (okay, trenta secondi, testa a posto) *TRENTA SECONDI, VIENI VIA, LASCIALI ANDARE, TRENTA SECONDI* è Lawyer adesso che cerca le corde, Poreda lo incalza ma con grande cautela, accorcia la distanza nella sua caratteristica positura, la testa in avanti incassata tra le spalle, Lawyer cerca di allontanarlo con il jab, l'arbitro ferma, ammonizione a Poreda per testa bassa, riprende il combattimento, GONG, fine della prima ripresa, una ripresa vissuta praticamente di un solo lampo, l'azione che

– È un figlio di puttana.

– Fammi vedere.

– L'ha fatto con il gomito... il gomito dritto in bocca appena ha visto volare via il paradenti, porca puttana...

– Sta' zitto e fammi vedere.

– ...

– Okay, QUELL'ACQUA, DÀI CON QUELL'ACQUA...

– Fa male, Maestro.

– Non dire cazzate.

– C'ho la bocca che...

– CHIUDILA ALLORA, e stammi a sentire. LARRY!

– Sì.

– Si ricomincia da capo. Dimentica tutto, si ricomincia, come se fosse il primo round... senza fretta e con la testa pulita, okay?, è tutto come prima, sei il più forte, sei tranquillo, vai là sopra e fai il tuo lavoro, tutto qui.

– Quanti me ne ha fottuti?

– Due o tre, niente di grave.

– DUE O TRE?

– Ho l'indirizzo di un buon dentista, non c'è problema. Alzati, dài, respira, hai sete?

– Lo ammazzo quel gran figlio di puttana, giuro che...

– LARRY, PORCO CANE, NON È SUCCESSO NIENTE, SI RICOMINCIA DA CAPO, LO VUOI CAPIRE O NO, DA CAPO, tutto da capo, non è successo niente, testa pulita Larry...

– Okay, okay.

– Primo round, d'accordo?

– Primo round.

– Non è successo niente.

– Okay.

– Sai una cosa, ti mancano tre denti, lì davanti.

– Una mazza da baseball, anni fa.

– Okay, vaffanculo Larry.

– 'culo.

Secondo round qui sul ring del Pontiac Hotel, siamo in diretta per gli ascoltatori di Radio KKJ, brutto colpo alla bocca per Larry "Lawyer" Gorman che ora guadagna il centro ring... Poreda poco mobile sulle gambe, ma sempre arroccato, e pronto a colpire, diretto destro di Lawyer, ancora diretto, non apre la

guardia Poreda, Lawyer gli gira attorno, sembra cercare la JAB
DURISSIMO, DOPPIATO DA UN ALTRO JAB E GANCIO ALLA FIGURA,
POREDA ALLE CORDE, Poreda all'angolo, esce dalla sinistra,
Lawyer non lo molla (attento alla testa, e il montante, quello ci
riprova sicuro) Poreda di nuovo all'angolo, prova un montante, a
vuoto, Lawyer lo lavora alla figura, sono colpi rapidissimi ai fianchi, Poreda continua a proteggersi il volto, si piega sul busto,
prova a uscire sulla destra, A TERRA, POREDA A TERRA HA POSATO
UN GINOCCHIO A TERRA (che fai, bastardo?) L'ARBITRO ALLONTA-
NA LAWYER, È STATO PROBABILMENTE UN COLPO AL FEGATO, UN
COLPO RAVVICINATO, SI È PIEGATA LA GAMBA DESTRA DI POREDA,
COME SPEZZATA IN DUE, ORA SI ALZA POREDA, respira con fatica
mentre l'arbitro Gonzales lo conta, sembra lucido, fa cenno con
la testa che tutto va bene *LARRY!* (gli occhi uguali a prima, non è
successo niente, è una trappola) *LARRY LASCIALO STARE!* (l'ho capito Maestro, lo so, non ci vado dentro, non ci vado, io ballo
adesso, eh?, un po' di ballo gli farà bene) mentre Lawyer gli gira
intorno, cambiando direzione, non sembra aver intenzione di attaccare, o forse sta aspettando il momento... Poreda accorcia la
distanza, Lawyer non ci sta, arretra, svicola via con grande eleganza sulla destra, gira intorno a Poreda, adesso cambia direzione, Poreda prova di nuovo ad accorciare, Lawyer si appoggia alle
corde, gancio di MA È UN DIRETTO D'INCONTRO DI LAWYER A FAR
VACILLARE POREDA, FERMO SULLE GAMBE, LAWYER A DUE MANI,
POREDA IN DIFFICOLTÀ, POREDA, POREDA, A SEGNO CON UN GAN-
CIO, UN ALTRO, ADESSO È LUI A COLPIRE, SCAMBIO VIOLENTISSI-
MO, LAWYER TOCCATO, SI APPOGGIA ALLE CORDE (dove cazzo)
ANCORA POREDA ALL'ATTACCO, *VIA DA LÌ LARRY*, POREDA AL BER-
SAGLIO BASSO E POI CON UN GANCIO A VUOTO *TE NE VUOI ANDA-
RE VIA DA LÌ LARRY?* (appena respira) POREDA INSISTE, DISTANZA
RAVVICINATA, LAWYER CHIUSO ALLE CORDE, POREDA, POREDA
LARRY! (appena respira), POREDA A SEGNO COL DESTRO ANCORA
COL DESTRO, A VUOTO QUESTA VOLTA, POREDA MOLLA LA PRESA,

due passi indietro (vai) LAWYER COME UNA FIONDA, DIRETTO DE-
STRO, ANCORA DIRETTO, POREDA A CENTRO RING, CHIUSO A RIC-
CIO, VIOLENTISSIMO GANCIO DI LAWYER, POREDA BARCOLLA,
CERCA LE CORDE (il gancio, non vede il gancio), POREDA APPOG-
GIATO ALLE CORDE, LAWYER MANTIENE LA DISTANZA, STA CER-
CANDO IL VARCO, POREDA OSCILLA SUL BUSTO (ci sei, bello),
Lawyer col jab, ancora col jab, Poreda non risponde, rimane a
cercare JAB DURISSIMO E GANCIO DESTRO, POREDA A TERRA, UNO
DUE FULMINANTE, POREDA A TERRA (torna su, pagliaccio) PORE-
DA CONTATO, SI RIALZA (torna su, che non ho finito), SALTELLA
SULLE GAMBE, SEI... SETTE... OTTO... fa segno che vuole prosegui-
re, riparte l'incontro, e riparte subito Lawyer, accorcia la distan-
za, incalza Poreda jab, un altro jab, MA UN COLPO D'INCONTRO,
POREDA GLI HA RUBATO IL TEMPO, DIRETTO D'INCONTRO, BAR-
COLLA LAWYER, PIEGATE LE GAMBE, DIRETTO D'INCONTRO,
LAWYER TOCCATO MA IN PIEDI (che cazzo...), cerca il clinch, adesso (fottiti quella testa, bastardo), fase dell'incontro di straordina-
ria intensità, pubblico tutto in piedi, l'arbitro ordina il break, respira a bocca aperta Lawyer, è stato un diretto d'incontro a toccarlo (che pezzo di coglione, Larry) ancora in clinch, Poreda lavora ai fianchi, gancio di Lawyer a segno, montante a vuoto, Poreda ancora ai fianchi, testa contro testa, (che fa questo, parla?)
Poreda sembra muoversi meglio nel corpo a corpo (sta' zitto bastardo, sta' zitto) l'arbitro divide i due pugili E QUELLO COS'È AR-
BITRO? in uscita Poreda colpisce al corpo, Lawyer protesta ARBI-
TRO, COS'ERA QUELLO? GUANTO APERTO!!! difficile giudicare da
qui (il pollice nel diaframma, la conosco, bastardo), sembrava un
colpo pulito, Lawyer adesso va a rifiatare indietro, Poreda non
insiste, prende il centro ring, mette in moto le gambe, è il Lawyer
GONG che conosciamo, fine del round, un round che nel mio
personale giudizio vede i due pugili sostanzialmente
    – Tutto a posto Larry?
    – Incontro del cazzo.

– Fai vedere la bocca.

– È un incontro del cazzo.

– Va bene, lo vinci e torniamo a casa.

– Quello va giù per finta.

– È il suo modo di riposarsi.

– Che diavolo vuol dire, non può andare giù così senza...

– Non gliene frega un cazzo, va giù, prende fiato e intanto tu vai fuori con la testa, l'ha sempre fatto.

– Non gliel'ho nemmeno toccato il fegato.

– Va giù da dio, è la sua specialità.

– Che cazzo...

– Respira.

– Ci prova ogni volta, con la testa...

– Sta' zitto, respira.

– E parla, quello parla, capito?

– Lascialo parlare.

– Non mi va che parla.

– Respira.

– Dice che lei lo ha pagato per battermi.

– VUOI STARTENE ZITTO E RESPIRARE?

– ...

– Ascolta, non staccare mai la spina, Larry, anche se lo vedi che sembra morto, non staccare...

– È vera quella storia?

– Che storia?

– Lo ha pagato?

– PORCA VACCA LARRY, QUESTO È UN INCONTRO DI BOXE, NON È UN DIBATTITO, RIMANI CON LA TESTA SU QUESTO RING O QUELLO TI SFASCIA QUESTA TUA FOTTUTA FACCIA DA SIGNORINO DI MERDA...

GONG

– Sei il più forte, Larry. Non buttare via tutto.

– Okay.

– Sei il più forte.

– Da che parte sta, Maestro?

– Vaffanculo Larry.

– 'culo.

Terza ripresa qui sul ring del Pontiac Hotel, Larry "Lawyer" Gorman contro Stanley "Hooker" Poreda, grande tensione, è un incontro che vive di improvvise, fulminee fiammate... la classe di Lawyer contro l'esperienza e la potenza di Poreda... quelli che alla vigilia prevedevano una farsa buona solo a riempire le tasche dei bookmaker adesso dovranno ricredersi *NON FARLO AVVICINARE LARRY* con due formidabili combattenti (e vai fuori dai coglioni, merda) Poreda cerca la distanza ravvicinata, costringe Lawyer al corpo a corpo (fottiti), testa contro testa, scariche di colpi ai fianchi da parte di *NIENTE RISSE LARRY, VIA DA LÌ* l'arbitro ordina il break, Poreda richiude immediatamente, non lascia respirare Lawyer, ha evidentemente deciso di non concedergli più lo spazio che *VELOCITÀ, LARRY, VELOCE E VIA* ancora disordinati scambi nel corpo a corpo (veloce, veloce, okay, veloce), l'arbitro ordina ancora il break, ma Poreda si fa sotto, la testa incassata nelle spalle, scivola via di classe Lawyer, gira intorno all'avversario, cambia passo, cambia direzione, Poreda cerca ancora la corta distanza, LAMPO DI LAWYER, un diretto che ha aperto la guardia di Poreda, ANCORA UN JAB, E ANCORA UN ALTRO, colpi rapidissimi, Lawyer colpisce e poi torna a ballare intorno (adesso, tutto in un minuto, adesso) è la sua boxe migliore, agilità e velocità, ANCORA COL JAB, FINTA IL GANCIO, POREDA SCAPPA COL BUSTO, MA LAWYER COLPISCE COL DIRETTO, POREDA TOCCATO AL VOLTO, *CALMO, LARRY, CALMO PORCA PUTTANA*, sembra un elastico Lawyer, avanti e indietro, folate velocissime, Poreda non sembra capirci molto, aspetta alle corde e subisce, Lawyer, uno spettacolo, è la sua boxe migliore *LARRY, VACCA PUTTANA, FERMATI*, AFFONDA DECISO QUESTA VOLTA LAWYER, POREDA RIMBALZA SULLE CORDE, COMBINAZIONE A DUE MANI DI LAWYER, MONTANTE DI POREDA, A SEGNO, LAWYER

TOCCATO DURO MA CHIUDE ANCORA, AL CORPO ADESSO, E UN GANCIO, A SEGNO, TRABALLA POREDA, CERCA DI USCIRE, LAWYER LO CHIUDE, GANCIO RAVVICINATO, LAWYER ANCORA A SEGNO (respira e chiudi), LAWYER INDIETRO DI DUE PASSI, Poreda respira, tutto il pubblico in piedi, *E ADESSO VATTENE LARRY, VATTENE*, nervi a fior di LAWYER, UN LAMPO, DIRETTO DESTRO E GANCIO, UNA FUCILATA, (vai giù bastardo) POREDA RIMBALZA SULLE CORDE, (giù porca troia) SI PIEGA, LAWYER A DUE MANI, (vaffanculo vaffanculo vaffanculo) POREDA SCIVOLA DI FIANCO, GANCIO LARGO, TOCCATO LAWYER (basta cristo) CHE RISPONDE CON UN DIRETTO, A VUOTO, (respirare, da quant'è che non respiro?) POREDA SI ABBASSA SUL TRONCO, ESCE COL MONTANTE, A SEGNO E GANCIO DESTRO, LAWYER ALL'INDIETRO *LARRY!!!* POREDA LO BRACCA *LARRY SU CON QUELLE BRACCIA!!!* (su le braccia) POREDA DUE VOLTE ALLA FIGURA (respirare, devo riuscire a respirare) *NON ABBASSARE LE BRACCIA DIO MALED* (quanto manca?) POREDA COL GANCIO, A VUOTO, ANCORA GANCIO, (montante) MONTANTE DI LAWYER A VUOTO (su le braccia) *TIENI SU QUELLE BRACCIA LARRY!!!* DESTRO VIOLENTISSIMO DI POREDA, LAWYER COLPITO, LAWYER GIÙ (   ) LAWYER GIÙ, LAWYER GIÙ (dov'è?) UN VIOLENTISSIMO DESTRO DI POREDA HA SPEDITO AL TAPPETO LARRY LAWYER GORMAN, È DISTESO A TERRA SULLA SCHIENA (luci, ronzio, luci, freddo) SOLLEVA LA TESTA, L'ARBITRO GONZALES È CHINATO SU DI LUI PER IL CONTEGGIO DI RITO (nausea, sangue su quelle scarpe, scarpe dell'arbitro, da dove cazzo l'ha fatto passare quel pugno?) TRE (devo mettermi seduto, seduto, luci, freddo, facce che guardano, facce enormi, nausea, dio che stanchezza, com'è che non l'ho visto partire, pezzo di coglione) QUATTRO (m'ha beccato in mezzo, porca puttana, guarda le corde e conta, tre, le vedo, tre, okay, tutte quelle facce, una donna che urla, non sento l'urlo, merda) CINQUE (le gambe, le gambe ci sono le gambe, è tutto okay, alzati adesso, ronzio, dov'è Mondini?, respira, ossigeno nel cervello, respira) SEI (non sento la bocca, merda, Mondini quanto manca?, le gambe ci sono, devo

fermare la testa, guarda un punto fisso, ferma gli occhi, perché mi vieni così vicino arbitro di merda, un dente d'oro nella sua bocca) SETTE (okay, devo aspettare che torni la testa, ronzio e lo sguardo balla, ci devono pensare le gambe a portarmi via, mi porteranno via, non c'è problema, non sento la bocca, Mondini, su e giù sul busto e danzare con le gambe, non c'è problema) OTTO (certo che posso continuare, continuo arbitro di merda, quanto manca Mondini?, continuo, tutto a posto, dov'è Poreda?, fammi vedere la faccia di Poreda, bastardo, io, che faccia ho, io?) BOXE, ancora 23 secondi alla fine di questo drammatico terzo round, Poreda cerca di costringere Lawyer alle corde, Lawyer indietreggia, lavora con le gambe, usa il jab per tenere lontano Poreda, 18 secondi, POREDA AVANTI, Lawyer sguscia via sulla sinistra, MA BARCOLLA, POREDA GLI È ADDOSSO, COLPISCE COL DESTRO, A SEGNO, ANCORA CON UN DESTRO AL VOLTO, LAWYER VA IN CLINCH, SEMBRA ESAUSTO, POREDA NON MOLLA, CERCA LO SPIRAGLIO GIUSTO, LAWYER PROVA A REAGIRE, DESTRO SINISTRO, NON VA A BERSAGLIO, ANCORA DESTRO, COLPO SOTTO LA CINTURA, POREDA PROTESTA, L'ARBITRO FERMA L'AZIONE, AMMONIZIONE A LAWYER, 5 SECONDI, POREDA COME UNA FURIA SU LAWYER, È UN CORPO A CORPO FURIBONDO,
GONG
ED È LA CAMPANA CHE TOGLIE LAWYER DA UNA SITUAZIONE non certo comoda, dopo l'atterramento che
– Respira.
– ...
– Siediti e respira, forza.
– ...
– Fa' vedere, okay, guardami, va bene, e dài con 'sti sali, respira.
– ...
– M'è piaciuta l'idea del colpo basso... Poreda non è più quello di una volta, doveva andare giù svenuto e tu ce l'avevi nel culo... neanche lui è più quello di una volta.
– ...

– Braccia e mani, tutto a posto?
– Sì.
– Respira.
– Non l'ho visto.
– Un gancio stretto, è dall'inizio che non lo vedi.
– ...
– Acqua, dài.
– Maestro...
– Sciacquati, non bere, NON BERE, sputa, così.
– Che devo fare Maestro?
– Okay così, e adesso respira, RESPIRA.
– Che devo fare?
– Come va la bocca?
– Non la sento.
– Meglio.
– Non so che fare là sopra, Maestro.
– BASTA CON 'STI SALI, riesci a respirare?
– Maestro...
– Okay, va tutto bene.
– Maestro...
GONG
– Vaffanculo, Larry.
– Che succede, Maestro?
– Vaffanculo, Larry.
– Maestro...

Quarto round qui sul ring del Pontiac Hotel, sale l'urlo degli ottomila presenti, Poreda e Lawyer si inquadrano a centro ring, sono entrambi segnati profondamente al volto, Lawyer la bocca sanguinante, Poreda ha un occhio ormai semichiuso, si muovono lentamente, ora, studiandosi ancora a centro ring (tutto così lontano   va tutto più lento, Poreda è più lento   i miei guantoni rossi come quelli di un altro   flash spilli nelle mani vram vram   è il male che mi tiene sveglio, bellissimo male   è un'orgia   vram Poreda puttana, fottiti non l'ho neanche sentito non sento più niente picchia se vuoi non sento ti faccio venire fin dentro se vuoi vieni vecchio bastardo   destro destro sinistro ti fa paura il sinistro non lo vedi il gancio non hai più occhio lì a guardare guardi col sangue pulsa nella testa vieni avanti non ti vengo a prendere   fottiti non l'ho sentito   non sentirò più niente non c'è più nessuno è l'inferno vieni all'inferno vram   bello l'angolo le corde sulla schiena odore di   vram puttana vram vram balla gambe di dio vram bastardo testa di pietra le mie dita   non puoi vederlo carogna non puoi vederlo più vieni all'inferno adesso) GANCIO SINISTRO DI LAWYER, UNA MAZZATA, INCREDIBILE, POREDA BARCOLLA ALL'INDIETRO È A CENTRO RING, NON RIESCE A TENERE ALTA LA GUARDIA, BARCOLLA, LAWYER SI AVVICINA LENTO, POREDA FA UN PASSO INDIETRO, LAWYER GLI STA URLANDO QUALCOSA, SI AVVICINA, LAWYER, POREDA IMMOBILE, LAWYER, LAWYER, TUTTO IL PUBBLICO IN PIEDI

Gould vide il nottolino della serratura girare e la porta aprirsi. Apparve un signore in divisa.

– Ehi ragazzino, perché non rispondi?

– Come?

– Ho bussato, per i biglietti, non rispondevi, che fai, dormi nel cesso?

– No.

– Ce l'hai il biglietto?

– Sì.

– Tutto bene?

– Sì.

Rimanendo seduto sul cesso Gould gli allungò il biglietto.

– Avevo bussato ma non rispondevi.

– Non fa nulla.

– Bisogno di qualcosa?

– No, no, tutto bene.

– Sai alle volte ci rimangono secchi, per un malore, dobbiamo aprire, per regolamento.

– Certo.

– Che fai, esci?

– Sì adesso esco.

– Ti accosto la porta, okay?

– Sì.

– Rispondi, un'altra volta.

– Sì.

– Okay, buon viaggio.

– Grazie.

Il bigliettaio accostò la porta. Gould si alzò, si tirò su i pantaloni. Si guardò un attimo allo specchio. Aprì la porta, uscì, e si richiuse la porta dietro. C'era una signora, in piedi, che lo guardava. Lui tornò verso il suo posto. La campagna scivolava via dai finestrini senza sorprese. Il treno correva.

27.

Il padre di Gould arrivò di sera tardi, quando era già buio. Si guardò un po' intorno.

– Tutto cambiato, qui.

Non era in divisa. Aveva qualcosa, in faccia, da ragazzino. Tipo il sorriso. E aveva delle scarpe allacciate, marroni, abbastanza eleganti. Era difficile immaginare che ci si potesse fare una guerra, con scarpe del genere. Sembravano più adatte a farci una pace, qualcosa come una noiosa, rassicurante pace.

Shatzy guardò fuori dalla finestra perché si aspettava soldati, guardie del corpo, o cose del genere. Ma non c'era nessuno. Pensò che era strano. Non se l'era mai immaginato *solo*, quell'uomo. E adesso era lì. Solo. Va' a capire.

Il padre di Gould disse che si chiamava Halley. Disse che gli sarebbe piaciuto se Shatzy lo chiamava semplicemente Halley. E non: generale.

Disse anche che, a voler essere precisi, lui non era proprio un generale.

– Ah no?

– Be', è una storia noiosa. Lei mi chiami Halley, d'accordo?

Shatzy disse che era d'accordo. Aveva preparato la pizza, così si misero a mangiare, sul tavolo della cucina, con la radio accesa, e tutto. Il padre di Gould disse che era una buona pizza. Poi chiese di Gould.

– Se n'è andato, generale.

– Vuole spiegarmi esattamente cosa significa?

Shatzy glielo spiegò. Disse che Gould era partito, ma non era andato a Couverney, aveva preso un treno per un posto che lei non conosceva, e da lì le aveva telefonato.

– Le ha telefonato?

– Sì. Voleva dirmi che non sarebbe tornato, e...

– Vuole dirmi precisamente le parole che ha usato?

– Non so, ha detto solo che non sarebbe tornato e che per favore non lo cercassimo, e lo lasciassimo andare, ha detto esattamente così, lasciatemi andare, va tutto bene, e poi mi ha detto adesso ti spiego come fare per i soldi. E me l'ha spiegato.

– Quali soldi?

– Dei soldi, semplicemente, dei soldi, mi ha detto se potevo mandargli dei soldi, per le prime settimane, che poi si sarebbe arrangiato.

– Dei soldi.

– Sì.

– E lei non gli ha detto nulla?

– Io?

– Lei.

– Non so, credo di no, non gli ho detto molto. Stavo ascoltando. Stavo cercando di capire dalla voce se era... non so, cercavo

di capire se aveva paura, una cosa del genere, se aveva paura o...
o se era tranquillo. Capisce?

– ...

– Credo che fosse tranquillo. Mi ricordo di aver pensato che
aveva una voce calma, e che sembrava perfino allegro, ecco, adesso può sembrarle strano, ma era la voce di un ragazzino allegro.

– Non le ha detto dov'era?

– No.

– E lei non gliel'ha chiesto, vero?

– No, credo di no.

– Ci sarà senz'altro un sistema per individuare la chiamata
controllando i tabulati dei telefoni. Non dovrebbe essere difficile.

– Non si azzardi a farlo, generale.

– Come sarebbe a dire?

– Se vuole bene a Gould, non lo faccia.

– Signorina, quello è un ragazzino, non può andarsene in giro
per il mondo così, senza nessuno, *è pericoloso* andarsene in giro
per il mondo, non lascerò certo che...

– Lo so che è pericoloso, ma...

– È solo un ragazzino...

– Sì, ma *non ha paura*, questo è il punto, lui non ha paura, ne
sono sicura. E allora non dobbiamo averla noi. Credo che sia una
questione di coraggio, capisce?

– No.

– Credo che dovremmo avere il coraggio di lasciarlo andare.

– Dice sul serio?

– Sì.

Diceva sul serio. Era convinta che Gould stesse facendo esattamente quello che aveva deciso di fare, e quando è così non c'è
molta scelta, tutto ciò che puoi fare se sei uno che sta lì intorno è
non disturbare, solo questo, disturbare il meno possibile.

Il padre di Gould disse che lei era matta.

Allora Shatzy disse

– Questo non c'entra niente

e poi gli raccontò la storia dei fiumi, quella faccenda che se un fiume deve arrivare al mare lo fa a furia di girare a destra e sinistra, quando indubbiamente sarebbe più veloce, più *pratico*, andare dritti allo scopo invece di complicarsi la vita con tutte quelle curve, ottenendo solo di allungare il cammino di tre volte – tre virgola quattordici volte, ad essere precisi – come hanno appurato gli scienziati con scientifica precisione, e bella.

– È come se fossero *obbligati* a girare, capisce?, sembra un'assurdità, se ci pensa non può evitare di prenderla per un'assurdità, ma il fatto è che loro *devono* andare avanti in quel modo, mettendo in fila una curva dopo l'altra, e non è un modo assurdo o logico, non è né giusto né sbagliato, è il loro modo, semplicemente, il loro modo, e basta.

Il padre di Gould se ne stette un po' zitto, a pensare. Poi disse:

– Dove ha detto di mandarglieli, quei soldi?

– Non glielo dirò nemmeno se mi lega su una testata nucleare e mi sgancia su un'isola giapponese.

Allora non parlarono più per un bel po'. Shatzy si mise a togliere la roba dal tavolo, mentre il padre di Gould camminava avanti e indietro, fermandosi ogni tanto davanti alle finestre, e gettando un'occhiata fuori. A un certo punto salì al primo piano. Shatzy poteva sentire i suoi passi sul soffitto. Lo immaginò che guardava la stanza di Gould, e toccava gli oggetti, apriva gli armadi, prendeva le foto in mano, cose così. A un certo punto lo sentì entrare in bagno. Sentì anche la vaschetta scrosciare e così le venne in mente Larry "Lawyer" Gorman, e si accorse che le mancava, accidenti come le mancava. Il padre di Gould tornò giù. Andò a sedersi sul sofà. Aveva una delle scarpe marroni slacciata, ma o non se n'era accorto o non gliene importava un accidente.

Shatzy spense la luce in cucina. Lasciò la radio accesa, ma spense la luce, e andò a sedersi per terra, appoggiata con la schiena al sofà. L'altro sofà, quello verde. Il padre di Gould era seduto su quello blu. Alla radio davano le informazioni sul traffico. C'era un incidente sull'autostrada. Nessun morto, per quel che se ne sapeva. Ma chi può mai dire.

– Mia moglie era una donna molto bella, lo sa signorina? Quando la sposai era davvero bella. Ed era *divertente*. Non stava mai ferma un attimo, e le piaceva qualsiasi cosa, era una di quelle persone che danno un senso anche alle cretinate più insignificanti, si aspettano qualcosa anche da quelle, aveva fiducia nella vita, capisce?, era fatta così. L'ho sposata che nemmeno la conoscevo bene, ci eravamo incontrati tre mesi prima, non di più, non era da me fare una cosa del genere, ma lei mi chiese di sposarla, e io lo feci, e quel che penso è che è la cosa migliore che ho fatto, in tutta la mia vita, sul serio. Eravamo molto felici, la prego di credermi. Anche il bambino, quando lei scoprì che aspettava un bambino, non pensai di spaventarmi, fu una cosa allegra, semplicemente, pensammo tutt'e due che sarebbe stato bello, che era una cosa giusta. Cambiavamo città ogni anno, l'esercito è così, ti porta in giro, e lei veniva con me, e dovunque andassimo lei sembrava nata lì, sembrava la sua città. Riusciva a farsi amici dappertutto. Quando arrivò Gould eravamo alla Base di Almenderas. Radar e ricognizioni, cose del genere. E arrivò Gould. Io lavoravo molto, quello che riesco a ricordarmi è che lei sembrava felice, mi ricordo che ridevamo, ed era come prima, era una bella vita. Non so quando ha iniziato tutto a complicarsi. Vede, Gould non è mai stato un bambino semplice, voglio dire, non era un bambino normale, ammesso che ci siano bambini normali, era un bambino che non sembrava un bambino, per così dire. Sembrava una persona grande. Che io mi ricordi, noi non facevamo niente di speciale, con lui, lo trattavamo come veniva, non pensavamo che ci fosse da fare qualcosa di speciale, per lui. Forse ci sbagliavamo. Quando andò a scuola, allora venne fuori quella faccenda del genio. Gli fecero dei test, delle prove scientifiche, e alla fine ci dissero che tutto lasciava intendere che quel bambino era un genio. Usarono proprio quella parola. Genio. Risultò che il suo cervello stava ai margini alti della fascia delta. Ha idea di cosa voglia dire?

– No.

– Sono i parametri Stocken.

– Ah.

– Un genio. Io non ero contento né triste, e anche mia moglie, non sapeva cosa pensare, per noi era uguale, capisce? Si chiama Ruth, mia moglie. Ruth. Iniziò a stare male quando eravamo a Topeka. Le prendevano come dei momenti di vuoto, non si ricordava più chi era, e dopo tornava normale, ma era come se avesse fatto qualcosa di enormemente faticoso, era per così dire sfinita. È strano cosa può accadere dentro un cervello. Nel suo andò tutto un po' sottosopra. Si vedeva che cercava di ritrovare la forza, e anche l'interesse per la vita, ma ogni volta doveva ricominciare da capo, non era una cosa semplice, sembrava che dovesse rimettere a posto tutti i pezzi di qualcosa che si era spaccato. Dissero che era la fatica, solo una questione di affaticamento, poi a un certo punto iniziarono a farle tutta una serie di esami. Lì mi ricordo che non eravamo più felici. Ci amavamo ancora, ci amavamo molto, ma era difficile con quel suo dolore in mezzo, era tutto un po' diverso. In quel periodo lei e Gould stavano molto insieme. Io non ero sicuro che per Gould fosse l'ideale, e adesso, a ripensarci, capisco che anche per lei, stare con quel bambino, non doveva essere la cura migliore. Era un bambino che ti complicava le cose, in testa. Lei non aveva bisogno di complicarsi le cose. Ma sembrava che stessero bene, insieme. Sa, la gente di solito ha un po' paura delle persone come Ruth, non sta volentieri con chi ha, diciamo, dei problemi psichici, problemi veri, voglio dire. Gould invece, lui non aveva paura. Si capivano, ridevano, avevano tutte delle storie loro. Sembrava un gioco, ma non so, non credo che tutto quello facesse bene, a Ruth, o a lui. Si direbbe di no, da com'è andata a finire. Da un certo punto in poi

Ruth si mise a peggiorare molto velocemente e a un certo punto mi dissero che aveva bisogno di tagliare con tutto, e che per quanto fosse sgradevole, bisognava convincersi che aveva bisogno di una clinica, e di cure costanti, non era più in grado di vivere in un posto normale. Fu un brutto colpo. Sa, io ho lavorato sempre nell'esercito, non sono stato allenato a capire, lì impari ad eseguire dei compiti, non a capire. Feci quello che mi dicevano. La portai in una clinica. Lavoravo molto, poi appena avevo tempo andavo da lei. Stavo lì, volevo che lei continuasse a stare con me, e io con lei. La notte tornavo qui a casa, spesso era troppo tardi per trovare ancora Gould sveglio. Mi ricordo che gli scrivevo dei bigliettini. Ma non sapevo mai bene cosa scrivere. Ogni tanto mi sforzavo di tornare un po' più presto, e allora giocavamo a qualcosa, io e Gould, o sentivamo gli incontri di boxe alla radio, perché non abbiamo mai avuto la televisione, Ruth la odiava, e io ero appassionato di boxe, ho anche fatto qualche incontro, da giovane, mi è sempre piaciuta. Insomma, stavamo lì e ascoltavamo. Parlare, parlavamo poco. Sa, non è una cosa che puoi improvvisare, quella di parlare con tuo figlio. O hai iniziato molto presto, o è un pasticcio, mi creda. Nel mio caso era innegabilmente un pasticcio. Alla fine tutto andò a pezzi, definitivamente, quando l'esercito mi trasferì a Port Larenque. Migliaia di chilometri da qui. Ci pensai un bel po', e alla fine presi una decisione. Lo so che potrà sembrarle assurdo, e perfino cattivo, ma decisi che io volevo stare con Ruth, rivolevo la mia vita con lei, bella come all'inizio, e avrei fatto qualunque cosa perché questo accadesse. Trovai una clinica non lontana dalla base militare e portai Ruth con me. Ma Gould, lo lasciai qui. Ero sicuro che era meglio se lo lasciavo qui. Lo so che lei mi giudicherà male, ma non ho bisogno di giustificarmi o di spiegare. Vorrei solo dire che Gould era un mondo, quel bambino è un mondo, e io e Ruth un altro. E pensai che avevo il diritto di vivere nel *mio* mondo. Andò così. Giusto o sbagliato che fosse, andò così. Mi sono sempre preoccupato che a Gould non mancasse niente, e che potesse crescere studiando, perché quella era la sua strada. Ho cercato di fare il mio dovere. Quello che restava del mio dovere. E mi è sempre sembrato che la cosa bene o male funzionasse. Mi sa che mi sbagliavo. Ruth però sta meglio, adesso la lasciano uscire per lunghi periodi, lei torna a casa e ogni tanto sembra davvero quella di una volta. Ridiamo e la gente riesce a stare con noi, non ha più molta paura. Lei, ogni tanto, è molto bella. Una volta, che sembrava davvero a posto, tranquilla, le ho chiesto se per caso voleva vedere Gould, che potevamo farlo venire lì, qualche giorno. Lei mi rispose di no. Non ne abbiamo mai più parlato.

Lì fu come se qualcuno gli avesse improvvisamente spento la voce. Qualcuno gliel'aveva accesa, e adesso aveva deciso di spegnergliela. Disse

– Scusi

ma in verità non si sentì nulla. Shatzy capì che aveva detto

– Scusi

ma poi chissà: non si può mai dire.

Si era fatto tardi, tra una cosa e l'altra, e Shatzy si chiese cosa doveva ancora succedere. Cercò di ricordarsi se aveva qualcosa da dire. O da fare. Era tutto un po' complicato da quell'uomo che se ne stava immobile, seduto sul sofà, a fissarsi le mani deglutendo, ogni tanto, con fatica. Le venne in mente di chiedergli cos'era quella storia che lui era generale ma non lo era proprio completamente, insomma quella faccenda lì. Poi pensò che non era una buona idea. Si ricordò anche che sarebbe stato meglio affrontare l'argomento dei soldi. In qualche modo bisognava mandarli, a Gould, quei soldi. Stava pensando da che parte attaccare la questione quando udì il padre di Gould dire

– Com'è, adesso, Gould?

L'aveva detto con una voce che sembrava nuova, sembrava che gliel'avessero restituita in quel momento, lavata e stirata. Come se l'avesse mandata in tintoria.

– Com'è, adesso, Gould?

– Cresciuto.

– A parte questo, voglio dire.

– Cresciuto bene, credo.

– Ride, qualche volta?

– Certo che ride, perché?

– Non so. Non rideva tanto, una volta.

– Ci siamo fatti delle grandi risate, se è questo che la preoccupa.

– Bene.

– Da crepare, veramente.

– Bene.

– Ha le mani come le sue.

– Sì?

– Sì, ha le dita uguali.

– Buffo.

– Perché?, è suo figlio, no?

– Sì, naturalmente, volevo dire che è buffo che ci sia un ragaz-zino, da qualche parte del mondo, che porta in giro le tue mani, delle mani come le tue. È una cosa strana. A lei piacerebbe?

– Sì.

– Le succederà. Quando avrà dei figli.

– Già.

– Dovrebbe fare dei figli, invece che dei western, lei.

– Dice?

– O dei figli insieme a dei western, almeno.

– Magari è un'idea.

– Ci pensi.

– Già.

– Ha degli amici?

– Io?

– No, volevo dire... Gould.

– Gould? Be'...

– Avrebbe bisogno di qualche amico.

– Be'... ha Diesel e Poomerang.

– Intendo dire degli amici veri.

– Loro gli vogliono molto bene, davvero.

– Sì, ma non sono veri, signorina.

– Fa differenza?

– Certo che fa differenza.

– A me sono molto simpatici.

– Lo diceva anche Ruth.

– Lo vede?

– Sì, ma non *esistono*, signorina. Se li è inventati lui.

– D'accordo, ma...

– Non è una cosa normale, no?

– È una cosa un po' strana, ma non c'è niente di male, a lui fanno del bene.

– Lei non li trova spaventosi?

– Io? No.

– Lei non trova spaventoso che un bambino giri tutto il tempo con due amici che non esistono?

– No, perché?

– A me spaventava, mi ricordo che era una delle cose di Gould che mi spaventava. Diesel e Poomerang. Mi facevano paura.

– Scherza?, non farebbero male a una mosca, e fanno morire dal ridere. Le giuro che mi mancano, a parte Gould, voglio dire, ma mi piaceva di più quando c'erano anche loro due, in giro.

– Vuole dire che sono scomparsi anche il gigante e il muto?

– Sì, sono andati via con lui.

Il padre di Gould si mise a ridere piano, scuotendo la testa. Disse

– Roba da matti.

E poi lo disse un'altra volta

– Roba da matti.

– Non si preoccupi, generale, Gould se la caverà.

– Lo spero.

– Bisogna solo avere fiducia in lui.

– Certo.

– Ma se la caverà. È forte, quel ragazzino. Non sembra, ma è forte.

– Lo pensa davvero?

– Sì.

– Ha un sacco di possibilità, un sacco di talento, rischia di buttare tutto all'aria.

– Sta semplicemente facendo quello che vuole fare. E non è cretino.

– Gli è sempre piaciuto studiare, a Couverney lo pagavano per farlo, non c'era ragione per scappare. Non le sembra una cosa un po' strana sparirsene proprio adesso?

– Non so.

– Possibile che non le abbia spiegato niente, al telefono?

– Non mi ha spiegato molto.

– Qualcosa le avrà pur detto.

– Quella cosa dei soldi.

– E nient'altro?

– Non so, si sentiva anche un po' male.

– Era una cabina, per la strada?

– A un certo punto ha detto qualcosa sul fatto che aveva dato un calcio a un pallone.

– Fantastico.

– Non ho capito bene, però.

– Non ha capito bene?

– No.

Il padre di Gould si mise di nuovo a sorridere, scuotendo la testa. Ma senza dire

– Roba da matti.

Questa volta disse

– Non mi aiuterà a cercarlo, vero?

– Lei non lo cercherà, generale.

– No?

– No.
– E lei come lo sa?
– Prima non ne ero sicura, adesso lo so.
– Davvero?
– Sì, adesso che l'ho vista ne sono sicura.
– ...
– Lei non lo cercherà.

Il padre di Gould si alzò, si mise a girare un po' per la stanza. Si avvicinò al televisore. Sembrava di legno, ma poi chissà, poteva essere benissimo di una plastica che sembrava legno.

– L'avete comprato?
– No, l'ha rubato Poomerang a un giapponese.
– Ah.

Il padre di Gould prese il telecomando in mano e l'accese. Non successe niente. Provò a schiacciare un po' di tasti, ma continuò a non succedere niente.

– Mi dice una cosa, sinceramente, signorina?
– Cosa?
– Non le ha mai fatto un po' paura vivere di fianco a un bambino come Gould?
– Solo una volta.
– Una volta quando?
– Una volta che si mise a raccontare di sua madre. Disse che sua madre era impazzita, e si mise a raccontare tutta la storia. Non era tanto quel che diceva, era *la voce* che faceva paura. Sembrava la voce di un vecchio. Di uno che sapeva tutto da sempre, e che sapeva anche come sarebbe andata a finire. Un vecchio.
– ...
– Lui aveva bisogno di qualcuno che lo aiutasse a essere piccolo.
– ...
– Non credeva che si potesse essere piccoli nella vita reale senza che qualcuno ne approfittasse e ti uccidesse, o qualcosa del genere.

– ...

– Pensava che era una fortuna essere un genio perché era un modo di salvarsi la vita.

– ...

– Un modo di non sembrare un bambino.

– ...

– Non so. Credo che fosse il suo sogno, essere un bambino.

– ...

– Voglio dire: credo che *sia* il suo sogno. Credo che adesso che è grande, potrà finalmente essere piccolo, per tutta la vita.

Poi andò che tirarono tardi, a parlare di guerre e western, o a stare zitti, con la radio sempre accesa che dava musica qualunque. Alla fine il padre di Gould disse che gli sarebbe piaciuto dormire lì, se a lei non dava fastidio. Shatzy gli disse che poteva fare quello che voleva, che quella era casa sua, e poi non le dava fastidio, anzi, era contenta se rimaneva. Gli disse che poteva prepararagli il letto della stanza di Gould, ma lui fece un gesto vago nell'aria e disse che preferiva di no, avrebbe dormito sul sofà, non c'era problema, andava benissimo il sofà.

– Non è molto comodo.

– Andrà benissimo, mi creda.

Così dormì sul sofà. Quello blu. Shatzy dormì in camera sua. Prima rimase seduta sul letto, con la luce accesa, per un bel po'. Poi effettivamente andò a dormire.

La mattina dopo si misero d'accordo per quella faccenda dei soldi. Poi il padre di Gould chiese a Shatzy cosa pensava di fare. Intendeva dire se voleva continuare a star lì, o cosa.

– Non so, penso che per un po' starei ancora qui.

– Io sarei più tranquillo se lo facesse.

– Sì.

– Se per caso venisse in mente a Gould di tornare, sarebbe meglio ci trovasse qualcuno, qui.

– Sì.

– Può telefonarmi quando vuole.

– D'accordo.

– Io le telefonerò.

– Sì.

– E se le viene in mente qualche buona idea, me lo dica subito, va bene?

– Certo.

Poi il padre di Gould le disse che era una ragazza in gamba. E la ringraziò, perché era una ragazza in gamba. Disse anche qualcos'altro. E poi alla fine le chiese se c'era qualcosa che poteva fare per lei.

Shatzy subito non disse niente. Ma dopo, quando lui stava già quasi sulla porta, disse che effettivamente c'era una cosa che poteva fare per lei. Gli chiese se un giorno poteva portarla a conoscere Ruth. Non spiegò perché, disse solo quello.

– Mi porta un giorno a conoscere Ruth?

Il padre di Gould rimase un attimo in silenzio. Poi disse sì.

28.

Sul manto della prateria il vento inclina paesaggio e anime verso ovest, curvando Closingtown come un vecchio giudice stanco di ritorno dall'ennesima condanna a morte. Musica.

La musica era sempre quella lì, la faceva Shatzy con la bocca.

Notte fuori. Nel salotto delle sorelle Dolphin, loro due e lo straniero, quello che avevano preso a fucilate, quando era entrato in paese.

Obbiettivamente la cosa era un po' strana, ma se provavi a dirlo Shatzy tirava su le spalle e continuava.

Lo straniero si chiamava Phil Wittacher. L'accento va sulla *i*. Wittacher.

Phil Wittacher non era un uomo che si spostava volentieri. Diciamo che si spostava solo se lo pagavano molto, e in anticipo. Da Closingtown aveva ricevuto una lettera estremamente cortese: e mille dollari per il disturbo di leggerla. Era un buon punto di partenza. La lettera diceva che se voleva gli altri novemila dollari doveva presentarsi all'unica casa rossa del paese.

L'unica casa rossa di Closingtown era quella delle sorelle Dolphin.

Per cui adesso se ne stanno lì, nel salotto a chiacchierare. Tutti e tre.

– Perché io? –, chiede lo straniero.

– Se consideriamo il nostro problema voi sembrate, sotto ogni aspetto, la persona più indicata a risolverlo, mister Wittacher –, dice Julie Dolphin.

– Ci serve il migliore e tu lo sei, ragazzo –, dice Melissa Dolphin.

Erano uguali, ma non erano uguali, diceva Shatzy. Succede, coi gemelli: fisicamente due gocce d'acqua, ma poi è come un'unica anima divisa in due, con tutto il bianco da una parte e il nero dall'altra. Julie era il bianco. Melissa il nero. Difficile immaginarsele una senza l'altra.

Probabile che non esistano nemmeno, l'una senza l'altra, diceva Shatzy.

Curioso paesaggio disegnato blu sul dorso della tazza che Julie Dolphin porta alla bocca. Tisana alla verbena.

– Non vi sarà sfuggito che questo paese simula una normalità del tutto apparente: qui ogni giorno accade qualcosa che, con un eufemismo, si potrebbe definire *seccante*.

– I paesi del West sono tutti uguali, miss.

– Stronzate –, dice Melissa Dolphin.

Lo straniero sorride.

– Non credo di capire.

– Capirete. Ma temo sarà necessario da parte vostra avere la

cortesia di ascoltare alcune storie. Vi possiamo chiedere di tornare domani, al tramonto? Sarà nostro piacere raccontarvele.

Phil Wittacher non era un uomo a cui garbava andare per le
lunghe. Se un lavoro andava fatto, preferiva sbrigarsi.

Julie Dolphin posa sul tavolo una mazzetta di banconote che
sembrano stirate.

– Confidiamo che questi possano aiutarvi a prendere in esame
la scomoda eventualità di trattenervi in paese il tempo necessario
per capire il problema, mister Wittacher.

Duemila dollari.

Lo straniero accenna un inchino, prende i soldi e li fa sparire
in una tasca.

Si alza. C'è una valigetta di cuoio rigido, come una specie di
custodia di violino, appoggiata alla sua sedia. Phil Wittacher non
se ne separa mai.

– Con quel che paghiamo, potremmo ben darci un'occhiata,
no? –, dice Melissa Dolphin.

– Mia sorella intende dire che sarebbe rassicurante per noi vedere i vostri, come dire, i vostri attrezzi del mestiere. Giusto per
curiosità, sa, anche noi, in qualche modo, siamo delle intenditrici,
se ci è consentita questa presunzione.

Lo straniero sorride.

Prende la valigetta, l'appoggia su una sedia, e la apre.

Metallo luccicante, oliato ed esatto. Madreperla e intarsi.

Le due sorelle si chinano a guardare.

– Per la miseria.

– Dei veri gioielli, se così mi posso esprimere.

– Sono carichi?

Lo straniero annuisce.

– Naturalmente.

Melissa Dolphin guarda lo straniero.

– E allora perché sono fermi?

Phil Wittacher inarca leggermente le sopracciglia.

– Prego?

– Mia sorella si chiedeva come mai questi vostri splendidi orologi sono fermi visto che voi assicurate di averli caricati.

Lo straniero si avvicina alla valigetta, si china a guardare. Osserva bene i tre quadranti, uno a uno. Poi si rialza.

– Sono fermi –, dice.

– Già.

– Miss Dolphin, le assicuro che questo è impossibile.

– Non qui, in questo paese –, dice Julie Dolphin, poi richiude la valigetta e la porge allo straniero.

– Come vi dicevo, sarebbe estremamente utile che voi aveste la gentilezza di ascoltare quello che abbiamo da raccontarvi.

Phil Wittacher prende la valigetta, si infila lo spolverino, recupera il cappello e va verso la porta. Prima di aprirla si gira, tira fuori il suo orologio da taschino, gli dà un'occhiata, lo ripone al suo posto e alza lo sguardo verso le sorelle Dolphin, il volto leggermente impallidito.

– Scusate, sapete dirmi che ora è?

Il tono è quello di un naufrago che chiede quanta acqua è rimasta da bere.

– Sapete dirmi che ora è?

Julie Dolphin sorride.

– Naturalmente no. Sono trentaquattro anni, due mesi e undici giorni che a Closingtown nessuno sa più che ora è, mister Wittacher.

A quel punto scoppiava a ridere. Shatzy. Si metteva a ridere. Si vedeva che 'sta storia le piaceva da morire, si divertiva a raccontartela, avrebbe potuto continuare a farlo per una vita. Le metteva allegria, ecco.

– A domani, mister Wittacher.

29.

Senza pistole – sopra il cuore, nel taschino, biglietti da visita che recitano

Wittacher e Figlio.
Costruzione e riparazione di orologi e cronometri.
Medaglia del Senato all'Esposizione Universale di Chicago.

La valigetta in mano, camminando nel vento fino alla fine del paese, una casa rossa, casa Dolphin – tre gradini, la porta, Julie Dolphin, il salotto, odore di legno e verdura, due fucili appesi sopra la stufa, Melissa Dolphin, polvere che scricchiola sotto le scarpe, ovunque, strano paese, polvere dappertutto, pioggia mai, strano paese, Buona sera mister Wittacher.
Buona sera.
Per cinque giorni – ogni giorno al tramonto – Phil Wittacher si recò dalle sorelle Dolphin, ad ascoltare. Gli raccontarono la storia di Pat Cobhan, che si era suicidato in duello, a Stonewall, per amore di una puttana, e la storia dello sceriffo Wister, che era partito da Closingtown innocente ed era tornato a Closingtown colpevole. Gli chiesero se aveva incontrato un vecchio semicieco con pistole lucenti nel cinturone. No. Lo incontrerete. Si chiama Bird. Questa è la sua storia. E gli raccontarono del vecchio Wallace, e della sua ricchezza. Gli raccontarono dei Christianson, tutta la storia d'amore, dall'inizio alla fine. Il quinto giorno gli raccontarono ancora di Bill e Mary. Poi dissero
– Può bastare.
Phil Wittacher spegne il suo sigaro in un piattino di vetro blu.
– Belle storie –, dice.
– Dipende –, dice Melissa Dolphin.
– Noi siamo piuttosto propense a considerarle delle storie orrende –, dice Julie Dolphin.

Phil Wittacher si alza, si avvicina alla finestra, guarda fuori nel buio. Dice

– Va bene, qual è il problema?

– Non è così semplice da spiegare. Ma se c'è qualcuno che può capire siete voi.

Gli chiedono se si è accorto che tutte quelle storie hanno qualcosa in comune.

Wittacher pensa.

La morte, dice.

Qualcos'altro, dicono.

Wittacher pensa.

Il vento, dice.

Esatto.

Il vento.

Wittacher tace.

Rivede Pat Cobhan che scende da cavallo, dopo giorni di viaggio, raccoglie una manciata di polvere, la lascia scivolare piano tra le dita e pensa: niente vento, qui. E lì finalmente si concede la morte.

Non c'era vento dove lo sceriffo Wister si arrese a Bear. Deserto, sole. Niente vento.

Wittacher pensa.

Sono sei giorni che è in quel paese, e il vento non ha smesso di tirare un attimo, come una furia. Polvere dappertutto.

– Perché? –, chiede Phil Wittacher.

– Il vento è la maledizione –, dice Melissa Dolphin.

– Il vento è una ferita del tempo –, dice Julie Dolphin. – È quello che pensano gli indiani, lo sapevate? Loro dicono che quando si alza il vento significa che si è strappato il grande manto del tempo. Allora tutti gli uomini perdono la propria pista, e finché tira il vento non la ritroveranno mai. Restano senza destino, sperduti in una tempesta di polvere. Gli indiani dicono che solo alcuni uomini conoscono l'arte di strappare il tempo. Li temono, e li chiamano "assassini del tempo". Uno di loro ha strappato il tempo di Closingtown: è successo trentaquattro anni, due mesi e sedici giorni fa. Quel giorno, mister Wittacher, ognuno di noi ha smarrito il suo destino in un vento improvvisamente alzatosi, nel cielo della città, e mai più finito.

Bisognava sentirla, Shatzy, quando spiegava quella faccenda. Diceva che bisognava immaginarsi Closingtown come un uomo sporto fuori dal finestrino di una diligenza, con tutto il vento in faccia. La diligenza era il Mondo, che faceva il suo bel viaggio nel Tempo: andava avanti macinando giorni e chilometri, e se tu ci rimanevi dentro, bene al riparo, neanche sentivi l'aria e la velocità. Ma se per una qualunque ragione ti sporgevi fuori dal finestrino, zac, finivi in un altro Tempo, e allora era polvere e vento fino a farti perdere il senno. Diceva proprio "perdere il senno": e da queste parti non è un'espressione qualunque. Diceva che Closingtown era una città sporta fuori dal finestrino del Mondo, col Tempo che le soffiava in faccia, e la polvere dritta negli occhi a complicare tutto in testa. Era un'immagine che non era semplicissima da capire, ma piaceva molto a tutti, aveva fatto il giro dell'ospedale, credo che in qualche modo tutti ci trovassero una storia che vagamente conoscevano, o una cosa del genere. Lo stesso prof. Parmentier, una volta, mi disse che, se questo mi aiutava, potevo immaginare quello che mi succedeva in testa come qualcosa di non molto diverso da Closingtown. Succede che qualcosa strappa il Tempo, mi disse, e non si è più puntuali con niente. Si è sempre un po' altrove. Un po' prima o un po' dopo. Hai un sacco di appuntamenti, con le emozioni, o con le cose, e tu stai sempre a inseguirli o arrivare stupidamente prima. Diceva che quella era la mia malattia, volendo. Julie Dolphin la chiamava: smarrire il proprio destino. Ma quello era il West: si potevano ancora dire, certe cose. Lei le diceva.

– Trentaquattro anni, due mesi e sedici giorni fa, mister Wittacher, ognuno di noi ha smarrito il suo destino in un vento improvvisamente alzatosi, nel cielo della città, e mai più finito. Pat Cobhan era giovane e i giovani non sanno vivere senza destino. Salì a cavallo e non si fermò fino alla terra dove il suo lo stava aspettando. Bear era un indiano: lui sapeva. Portò lontano lo sceriffo Wister fino ai margini del vento, e lì lo consegnò al destino che si meritava. Bird è un vecchio che non vuole morire. Bestemmia ma se ne sta acquattato in questo vento dove il suo destino di pistolero non lo troverà mai. Questa è una città a cui qualcuno ha rubato il tempo, e il destino. Volevate una spiegazione: vi basta?

Phil Wittacher pensa.

È tutto pazzesco, dice.

Meno di quanto pensiate.

Sono leggende, dice.

Non dire cazzate, ragazzo.

È solo vento, dice.

Credete?

Diceva Shatzy che allora gli fecero aprire la sua valigetta. C'erano dentro tutti i suoi arnesi e i suoi tre orologi, perfetti e belli: inesorabilmente fermi.

– E questo come lo spiegate, mister Wittacher?

– Forse l'umidità.

– L'umidità?

– Voglio dire, qui è molto secco, questo paese, è orribilmente secco, immagino che sia il vento o...

– Il vento?

– È possibile.

– È solo vento, mister Wittacher, da quando il vento ferma gli orologi?

Phil Wittacher sorride.

– Non mi incastrate: una cosa è fermare un orologio, un'altra cosa è fermare il tempo.

Julie Dolphin si alza – addirittura si alza – si avvicina allo straniero, ma molto vicino, e lo guarda negli occhi, fisso negli occhi.

– Vi prego di credermi: qui a Closingtown, sono la stessa cosa.

– In che senso, miss?

In che senso, Shatzy?, le chiedevamo. Ogni tanto stavamo anche in cinque o sei ad ascoltare le sue storie. Ad essere precisi lei le raccontava a me, ma non mi dispiaceva se le ascoltavano anche le altre. Venivano nella mia stanza, la riempivamo tutta, qualcuna portava dei dolci. E ascoltavamo.

In che senso, Shatzy?

Domani, diceva lei. Domani.

Perché?

Ha detto domani, vuol dire domani.

Domani?

Domani.

La prima volta che vidi Shatzy ero giù, nella sala di lettura. Venne a sedersi vicino a me e disse

– Tutto bene?

Non so perché ma la presi per Jessica, una di quelle ragazze dell'università che venivano qui a fare pratica. Mi ricordavo che aveva un problema con una nonna, qualcosa come una nonna gravemente malata. Così le chiesi della nonna. Lei rispose e andammo un po' avanti a parlare. Solo dopo un po', a guardarla bene, mi venne in mente che non era Jessica. Non lo era affatto.

– Chi sei?

– Mi chiamo Shatzy. Shatzy Shell.

– Ci siamo mai viste prima?

– No.

– Allora ciao, io mi chiamo Ruth.

– Ciao.

– Vieni qui a far pratica?

– No.

– Sei un'infermiera?

– No.

– E allora cosa fai nella vita?

Lei ci stette un po' a pensare. Poi disse

– Western.

– Western?

Non ero sicura di ricordarmi cos'erano.

– Sì, western.

Doveva essere una cosa che aveva a che fare con le pistole.

– E quanti ne fai?

– Uno.

– È bello?

– A me piace.

– Me lo fai vedere?

Fu esattamente così che iniziò quella faccenda. Per caso.

Phil Wittacher sorride.

– Non mi incastrate: una cosa è fermare un orologio, un'altra cosa è fermare il tempo.

Julie Dolphin si alza – addirittura si alza – si avvicina allo straniero, ma molto vicino, e lo guarda negli occhi, fisso negli occhi.

– Vi prego di credermi: qui a Closingtown, sono la stessa cosa.

– In che senso, miss?

Allora Julie Dolphin gli raccontò.

– Ci potete credere o no, ma trentaquattro anni, due mesi e sedici giorni fa qualcuno strappò il tempo di Closingtown. Si alzò un grande vento e di colpo si fermarono tutti gli orologi del paese. Non ci fu mai verso di farli ripartire. Ce n'era uno, enorme, che nostro fratello aveva fatto montare in una torre di legno, proprio nel centro della Main Street, sotto la cisterna dell'acqua. Ne era molto fiero, e andava lui a caricarlo, personalmente, ogni giorno. Non ce n'era un altro, grande così, in tutto il West. Lo chiamavano "il Vecchio", perché andava lento, e sembrava saggio. Si fermò quel giorno, e non ripartì mai più. Aveva le lancette inchiodate sulle 12 e 37, e ridotto così sembrava un occhio cieco che non la smetteva mai di guardarti. Alla fine decisero di coprirlo con delle assi. Almeno la finiva di spiare tutti quanti. Adesso sembra un serbatoio, più piccolo, sotto quello grande. Ma là dentro c'è sempre lui. Fermo. Se credete che siano solo leggende sentite questa. Undici anni fa arrivano in paese quelli della ferrovia. Dicono che vogliono far passare i binari da qui, per congiungere la linea del Sud alla zona dei grandi pascoli. Comprarono terreni e piantarono picchetti. Poi si accorgono di una cosa curiosa: tutti i loro orologi sono fermi. Chiedono in giro e qualcuno gli racconta tutta la storia. Allora fanno venire un esperto dalla capitale. Un omino sempre vestito di nero, che non parlava mai. Rimase qui nove giorni. Aveva apparecchi strani, non la finiva più di smontare e rimontare orologi. E misurava tutto, la luce, l'umidità, studiava perfino il cielo, di notte. E naturalmente il vento. Alla fine disse: Gli orologi fanno quel che possono: il fatto è che qui non c'è più il Tempo. C'aveva quasi imbroccato, l'omino. Qualcosa aveva capito. Qui, il tempo, in realtà, non ha mai smesso di esserci. Ma è vero che non è il tempo di tutto il resto del mondo. Qui corre un po' più avanti o un po' più indietro, chissà. Quel che è certo è che corre in un posto dove gli orologi non riescono a vederlo. Quelli della ferrovia ci pensarono un po' su. Dissero che non era l'ideale far passare una ferrovia in una terra dove il tempo non esisteva più. Probabile che si immaginassero treni che sparivano nel nulla e si perdevano per sempre. Rivendettero i terreni e fecero passare la ferrovia più a ovest. Qui nessuno ne fece un dramma. Chi è abituato a vivere senza destino, può ben vivere senza una ferrovia. Da allora non è successo più niente. Nel senso che il vento non ha mai smesso un attimo di soffiare, e di orologi non se n'è più visto uno che non fosse fermo. Potremmo andare avanti così per sempre, qualsiasi cosa voglia dire *sempre* in un posto a cui hanno strappato il tempo. Ma è difficile. Si può vivere senza orologi: è più complicato farlo senza destino, con addosso una vita che non ha più appuntamenti. Siamo una città di esuli, gente assente da se stessa. Probabilmente non ci restano che due possibilità: ricucire il tempo, in qualche modo, o andarcene via, tutti. Noi due vorremmo morire qui, in un giorno senza vento: per questo abbiamo chiamato voi.

Phil Wittacher rimane in silenzio.

– Facci crepare all'ora giusta, senza polvere negli occhi, ragazzo.

Phil Wittacher sorride.

Pensa che il mondo è pieno di matti.

Pensa all'omino vestito di nero e non riesce a immaginarselo in altro modo che ubriaco, appoggiato al bancone del saloon, a farsi stordire di cazzate.

Pensa al Vecchio, e si chiede se davvero è il più grande orologio del West.

Pensa ai suoi tre splendidi orologi, con l'ora di Londra, San Francisco e Boston. Fermi.

Guarda quelle due vecchine, con la loro casa perfettamente in ordine, convinte di essere alla deriva in un tempo che non è il loro.

Poi si schiarisce la voce.

– D'accordo.

Dice

– Cosa devo fare?

Julie Dolphin sorride.

– Fate ripartire quell'orologio.

– Quale orologio?

– Il Vecchio.

– Perché lui?

– Se partirà lui, gli altri lo seguiranno.

– È solo un orologio. Non vi restituirà niente.

– Voi pensate a farlo partire. Poi quello che dovrà accadere accadrà.

Phil Wittacher pensa.

Phil Wittacher scuote la testa.

– È tutto pazzesco.

– Cos'è, ti caghi addosso, ragazzo?

– Mia sorella si domanda se per caso non nutrite un'esagerata sfiducia nelle vostre possibilità di...

– Non mi cago addosso. Dico solo che è tutto pazzesco.

– Pensavate davvero che per tutti quei soldi avreste trovato da fare un lavoro *ragionevole*?

– Mia sorella dice che non ti paghiamo per dire cosa è pazzesco o cosa no. Fa' ripartire quell'orologio, è tutto quello che devi fare.

Phil Wittacher si alza.

– Immagino sia assolutamente idiota, ma lo farò.

Dice.

Julie Dolphin sorride.

– Ne ero sicura, mister Wittacher. E vi sono davvero molto grata.

Melissa Dolphin sorride.

– Aprigli il culo, a quel bastardo. Senza pietà.

Phil Wittacher la guarda.

– Non è un duello.

– Certo che lo è.

Musica.

30.

Il Vecchio era talmente grande che a entrarci sembrava di entrare in una casa. Si apriva una porta, si saliva qualche gradino, e si finiva direttamente nella cassa dell'orologio. In un certo senso era come essere una pulce ed entrare in una cipolla da taschino. Phil Wittacher rimase stordito dalla meraviglia. Tutti gli ingranaggi erano di legno, corda e cera. Il meccanismo della ricarica funzionava ad acqua, sfruttando la cisterna montata sopra l'orologio. Di ferro c'erano solo le lancette. I numeri, sul quadrante di legno laccato bianco, erano disegnati a colori, ma non erano numeri normali. Erano carte da gioco. Tutte di quadri. Dall'asso alla donna, che stava al posto del mezzogiorno. Il re era in mezzo al quadrante, dove di solito c'era la firma dell'orologiaio.

Paese di pazzi, pensa Phil Wittacher.

Sale e scende in quella rete incomprensibile di ruote dentate, binari, ganci, funi, pesi, bilancieri.

Tutto fermo.

Se solo non si sentisse questo vento fischiare tra le assi delle pareti, pensa Phil Wittacher.

Passa tre giorni là dentro, appendendo lanterne dappertutto e facendo mille disegni. Poi si chiude nella sua stanza a studiarli. Una sera si spinge fin dalle sorelle Dolphin.

– Che mestiere faceva vostro fratello? –, chiede.

– Non sei pagato per fare domande, ragazzo –, dice Melissa Dolphin

– Intendete dire prima di venire nel West? –, chiede Julie Dolphin.

– Prima di costruire il Vecchio.

– Fregava i ladri –, dice Melissa Dolphin.

– Inventava casseforti –, dice Julie Dolphin.

– Ah, ecco –, dice Phil Wittacher.

Poi torna nella sua stanza al primo piano del saloon. E riprende a studiare i disegni.

Una sera bussano alla porta. Lui apre e vede un vecchio vestito come un pistolero. Pistole comprese. Due, infilate nelle fondine, alla rovescia, con il calcio sporgente in avanti.

– Sei tu l'uomo dell'orologio? –, dice Bird.

– Già.

– Posso?

– Se vuole.

Bird entra. Disegni dappertutto.

– Si sieda –, dice Phil Wittacher.

– Ho solo una cosa da dirti e posso dirla da in piedi.

– La ascolto.

– Piscio sangue, il male mi ruba le notti, faccio schifo anche alle puttane e non ci vedo più un cazzo. Sbrigati a riparare quell'orologio. Ho bisogno di morire.

Phil Wittacher alza gli occhi al cielo.

– Non crederà anche lei a quella storia...

– Non c'è molto altro in cui credere, da queste parti.

– E allora prenda la prima carrozza, scenda quando non ci sarà più vento, e aspetti: se ci crede davvero, basterà aspettare un po' e troverà qualcuno che l'ammazzerà.

Com'è che Bird adesso gli sta puntando due pistole addosso? Solo un attimo fa erano nelle loro fondine.

– Sta' attento, ragazzo. Da questa distanza non ho bisogno degli occhi.

Phil Wittacher alza le braccia.

Com'è che le due pistole sono di nuovo nelle fondine? Un attimo fa erano puntate su di lui.

– Abbassa quelle braccia, idiota. Non posso ammazzarti, se voglio morire.

Phil Wittacher si lascia cadere su una sedia. Bird toglie da una tasca una mazzetta di dollari.

– Sono tutti i miei soldi. Li tenevo per un *mariachi*, ma aspetto da anni e quello non arriva mai. Non c'è più poesia, in questo mondo. Ripara quell'orologio e saranno tuoi.

Bird rimette i soldi in tasca.

Phil Wittacher scuote la testa.

– Non voglio soldi, non mi servono soldi, ho fatto l'errore di prendere questo lavoro e va bene, lo finirò, ma lasciatemi in pace, io voglio solo andarmene il più presto possibile da questo paese di pazzi, anzi, sapete cosa vi dico?, mi chiedo com'è che non me ne sono già andato, questa è la verità, per caso sapete perché diavolo io sono ancora qua?

– Semplice: non si lascia a metà un duello.

– Non è un duello.

– Certo che lo è.

Dice Bird. Poi si tocca con due dita la tesa del cappello, si gira e si avvicina alla porta. Prima di aprirla, si ferma. Si volta di nuovo verso Phil Wittacher.

– Ragazzo, lo sai dove guarda un pistolero, durante un duello?

– Non sono un pistolero.

– Io sì. Guarda negli occhi l'avversario. Negli occhi, ragazzo.

Bird fa un cenno con la testa, verso i disegni che ingombrano il tavolo e la stanza.

– Fissare le pistole non serve a niente. Quando vedi qualcosa, è troppo tardi ormai.

Phil Wittacher si gira a guardare i suoi disegni. L'ultima frase di Bird che sente è:

– Guardalo negli occhi, se vuoi vincere, ragazzo.

Diceva Shatzy che il giorno dopo Phil Wittacher fece togliere tutte le assi che erano inchiodate davanti al quadrante del Vecchio. Le lancette erano fisse sulle 12 e 37. Avevano ragione le sorelle Dolphin: sembrava un occhio cieco che non la smetteva mai di guardarti. Lui e le sue tredici carte di quadri. Dalla sua stanza Wittacher iniziò a studiarlo per ore. Aveva spostato il tavolo davanti alla finestra: lavorava sui suoi disegni, poi alzava lo sguardo e fissava il Vecchio. Ogni tanto scendeva in strada, la attraversava e saliva nel cuore dell'orologio. Controllava, misurava. Quando ritornava nella sua stanza, si sedeva al tavolo e ricominciava a studiare. Attraverso il vento, fissava l'occhio cieco del Vecchio. La mattina del quarto giorno si svegliò all'alba. Aprì gli occhi, e si disse:

– Che idiota.

Si vestì, scese da Carver e gli chiese chi era il più vecchio di Closingtown. Carver gli indicò un mezzo indiano che dormicchiava seduto per terra, con in mano una bottiglia mezza piena di acquavite.

– Non ce n'è uno che non si è bevuto il cervello?
– Ci sono le sorelle Dolphin.
– No, loro no.
– Allora il giudice.
– Dove lo trovo?
– Nel suo letto. La casa dopo l'emporio di Patterson.
– Perché a letto?
– Dice che il mondo fa schifo.
– E allora?
– L'ha detto una decina d'anni fa. Da allora scende dal letto
solo per pisciare e cagare. Dice che non vale la pena.
– Grazie.
Phil Wittacher esce dal saloon, arriva alla casa del giudice, bus-
sa alla porta, la apre, entra nella penombra, vede un grande letto e
sopra, mezzo vestito, un uomo enorme.
– Mi chiamo Phil Wittacher –, dice.
– Vaffanculo.
– Sono quello che ripara il Vecchio.
– Auguri.
Prende una sedia, la avvicina al letto, si siede.
– Com'era l'uomo che lo costruì?
– Cosa vuoi sapere?
– Tutto.
– Perché?
– Devo guardarlo negli occhi.

31.

Le prime volte Shatzy veniva, restava un po', poi se ne andava.
Potevano anche passare giorni senza che la vedessimo. In quel
periodo io ero interna all'ospedale. Era un periodo di quelli. Così

potevano passare giorni senza che la vedessi. Poi non so come successe ma lei iniziò a fermarsi, e alla fine mi disse che l'avevano presa a lavorare lì. Non so. Non aveva un lavoro, credo. Aveva bisogno di lavorare. Non era proprio un'infermiera, non aveva studiato, ma faceva qualcosa di simile. Stava con i malati. Non che le piacessero tutti, questo no, ce n'erano alcuni che proprio non le andavano a genio. E mi ricordo che una volta la trovarono in un angolo, che piangeva, e non voleva dire perché. Possono essere molto *sgradevoli*, i matti, ogni tanto. Possiamo essere molto sgradevoli.

Puzza di sigaro e merda, le tende semiabbassate alla finestra, tutta la stanza zeppa di giornali, vecchi giornali, ritagli di giornali – proprio in mezzo c'è il grande letto di ferro, e, sdraiato sopra, il giudice, enorme: i pantaloni sbottonati, strane scarpe ai piedi, capelli unti pettinati con cura all'indietro, barba ingiallita. Ogni tanto si sporge a prendere una bacinella appoggiata per terra, ci sputa dentro catarro marrone, e la rimette giù. Per il resto parla. Phil Wittacher ascolta.

– Arne Dolphin. Puoi dire tutto, ma era uno che sapeva parlare. Se gli lasciavi un po' di tempo poteva convincerti anche che eri un cavallo. Tu ridevi, ma intanto alla prima occasione ti davi un'occhiata allo specchio: così, tanto per controllare. Me lo immagino, là, in città, a spaccare i coglioni a tutti con quella storia del West. Aveva delle mappe e sulle mappe c'era una valle, al di là dei Monti Sohones: un paradiso, diceva lui. Convinse sedici famiglie. Diciassette con la sua: due sorelle e un fratello, Mathias. Ne parlarono anche i giornali: la carovana di Arne Dolphin. Viaggiarono per sei mesi andando lontani come nessuno era mai andato. Si erano persi da settimane, ormai, quando arrivarono in questa terra. Non c'era niente. Solo indiani, nei *canyon* intorno, nascosti nei loro villaggi invisibili. Arne Dolphin fece fermare la carovana per la notte. Non so dove pensasse di andare, il giorno dopo. Comunque non ci andò mai. Al mattino qualcuno tornò dal fiume e disse che laggiù l'acqua brillava. Oro. Cercavano boschi, terra grassa, pascoli. Trovarono l'oro. Arne Dolphin decise che sarebbe dovuto rimanere un segreto. Propose agli altri sedici capifamiglia un patto. Cinque anni a lavorare isolati dal mondo, poi ognuno sarebbe potuto andare per la sua strada, col suo oro. Accettarono. Nacque Closingtown: la città che non era su nessuna mappa al mondo.

Lavoravano duro. Arne Dolphin era riuscito a mettere in mezzo anche gli indiani. Non so come ci riuscì, ma a poco a poco li convinse a lavorare per lui. Era affascinato da quella gente. Aveva imparato la loro lingua, studiava il loro mistero. Divenne la sua passione. Passava le ore a interrogarli, a farsi raccontare, a imparare strane cerimonie. Gli indiani lo rispettavano, gli avevano dato anche un nome dei loro, era diventato loro fratello. Indiani, poker e orologi: erano le tre cose per cui andava pazzo. A sentir lui, anzi, erano una sola cosa, le tre facce di una sola cosa. Chissà che voleva dire. Indiani, poker e orologi. Le donne le guardava appena, bere non beveva, e del denaro sembrava fregargli relativamente. Si sentiva il padre di tutto quello, l'inventore di tutto ciò che stava succedendo: questo gli bastava. Doveva essere un po' come sentirsi dio. Mica male come emozione.

Ogni tanto, dal deserto, arrivava qualche disperato, o qualche carro di coloni disperso. Arne Dolphin li accoglieva, gli raccontava dell'oro, gli spiegava le regole, e se sgarravano li ammazzava. Di processi non si parlava nemmeno. Arne Dolphin non amministrava giustizia: lui *era* la giustizia. Ogni tanto qualcuno dei nuovi arrivati ci provava, a scappar via, a portare la notizia al mondo: partivano lui e suo fratello Mathias, e lo inseguivano. Tornavano qualche giorno dopo con legate alle selle le teste mozzate di quei poveracci. Gli bruciavano anche gli occhi, perché il messaggio fosse più chiaro. Era un uomo mite, allegro e feroce.

Non so se gli altri avessero paura di lui. Ma non ne avevano bisogno. Era l'uomo che si era inventato il mondo in cui stavano vivendo. Prima di temerlo, lo amavano. Gli dovevano tutto, e lui assomigliava maledettamente a ciò che ciascuno di loro avrebbe sognato essere. No, avevano solo fiducia cieca, in lui, addirittura fede, se vuoi. Per dire: tutto l'oro che trovavano lo consegnavano a lui. Dico sul serio. E lui lo nascondeva in un posto sicuro. Un posto che solo lui e suo fratello conoscevano. Era un buon sistema per evitare che a qualcuno venisse voglia di andarsene via prima del tempo, fregando tutti gli altri. Era un buon sistema per non farsi rubare tutto dai primi banditi di passaggio. Arne Dolphin, l'oro, lo faceva letteralmente sparire: ce n'era più a Closingtown che in tutte le banche di Boston, ma se arrivavi in città, e non lo sapevi, non ne trovavi un grammo, una pagliuzza, niente. Erano tutti d'accordo che se lo sarebbero divisi alla fine dei cinque anni. Nessuno voleva sapere dov'era, prima di quel momento. Lo sapevano Arne Dolphin e suo fratello Mathias. Tanto bastava. Closingtown non era una città: era una cassaforte.

Dopo tre anni, tre anni e mezzo, il fiume smise di portare pagliuzze d'oro. Per un po' aspettarono, ma non successe niente. Allora Arne Dolphin mandò suo fratello con qualche indiano a risalire il corso del fiume. Pensavano di trovare sui monti un filone o qualcosa del genere. Tornarono dopo un mese. Non avevano trovato niente. Quella notte, a casa loro, successe il pasticcio. Una discussione tra i due fratelli, forse qualcosa di più. Il mattino dopo Arne era sparito. Mathias andò a vedere dove tenevano l'oro, e trovò il deposito vuoto. La gente non ci voleva credere. Mathias prese con sé cinque uomini e senza dire una parola partì con loro al galoppo verso il deserto. Qualche giorno dopo videro tornare i loro cavalli, al passo. Legate alle selle, c'erano le loro teste, con gli occhi bruciati. L'ultimo cavallo era quello di Mathias. L'ultima testa era la sua. Fine della storia, ragazzo. Se chiedi in giro ne sentirai di tutti i colori, ognuno c'ha la sua teoria su come abbia fatto Arne Dolphin a portarsi via tutto quell'oro. Ma la verità è che nessuno lo sa. E che quell'uomo era un genio, a modo suo. Nessuno l'ha mai più visto. E più niente è successo, dal giorno in cui se ne è andato. Questa è una città di fantasmi. È morta quel giorno. Amen.

Phil Wittacher lascia passare qualche istante.

Silenzio.

– Quando è successo? –, chiede.

– Trentaquattro anni, due mesi e venti giorni fa.

Phil Wittacher tace. Pensa.

– Perché non andarono a cercarlo?

– Lo fecero. Pagarono il miglior cacciatore di taglie che trovarono, e glielo mandarono dietro.

– Risultato?

– L'ho inseguito per vent'anni, l'ho sfiorato mille volte, e non sono mai riuscito nemmeno a vederlo in faccia.

– Lei?

– Io.

– Ma lei è un giudice.

– I giudici sono poliziotti stanchi.

– Stando qui non lo prenderà mai.

– Sbagliato, ragazzo. Se perdi un cavallo puoi fare due cose: corrergli dietro, o fermarti dove c'è l'acqua e aspettare che abbia sete. Alla mia età si corre male ma si aspetta da dio.

– Aspettarlo *qui*? Perché mai dovrebbe tornare?

– Sete, ragazzo.

– Sete?

– Conosco quell'uomo meglio del mio uccello. Tornerà.

– Magari è morto, magari sta sotto terra da anni.

Il giudice scuote la testa e sorride. Fa un cenno verso i giornali, chili di carta che impregnano la stanza di parole.

– Indiani, poker e orologi. Cambia nome, cambia città, cambia faccia, ma non è difficile riconoscerlo. Anche lo stile è sempre quello. Megalomane, mite, allegro e feroce. Non è uno a cui piace nascondersi. Fuggire sì, in quello è un maestro, ma quanto a nascondersi... non sarebbe da lui. Basta saper leggere bene i giornali, ed è come stare attaccati alle palle del suo cavallo.

Phil Wittacher guarda il giudice. Ha le mani che esplodono di grasso, e le unghie lunghe e sporche. Le dita nere di inchiostro. Ha occhi belli, di un blu ragazzo. Vagolano a caso, a fissare nell'aria anime ballerine. Phil Wittacher li sta a guardare fino a che loro non se ne accorgono, si girano verso di lui e lo fissano, aspettando. Allora dice

– Grazie.

Si alza. Rimette la sedia dove l'aveva presa. Va verso la porta. Sulla parete vede la foto incorniciata di una ragazza che fa finta di leggere un libro. Ha i capelli raccolti sulla nuca, e il collo sottile, perfetto. C'è anche qualcosa scritto, a mano, inchiostro blu. Cerca di leggere, ma è in una lingua che non conosce. Pensa a Bird, e a quella storia di lui che per anni impara a memoria i dizionari di francese, dalla A alla Z. Mica scemo, pensa guardando quel collo sottile e perfetto. Ha la mano sulla maniglia della porta quando si ferma, e si volta verso il giudice.

– E l'orologio?

– Quale orologio?

– Il Vecchio.

Il giudice solleva le spalle.

– Tipico di Arne Dolphin. Voleva costruire il più grande orologio del West. E lo fece. Mise sotto gli indiani a lavorare, e lo fece.

Il giudice si sporge per sputare. Poi ricade sdraiato.

– Se vuoi sapere la verità, io non l'ho mai visto funzionare.

– Già.

– L'hai capito cos'ha di rotto là dentro?

– Non è rotto. È fermo.

– Fa differenza?

Phil Wittacher gira la maniglia, sente lo scatto della serratura.

– Sì –, dice.

Apre la porta ed esce nella luce che aggrappata alla polvere frulla l'aria festiva del mezzogiorno, portando i pensieri a volteggiare come trapezisti innamorati nella terra bruciata da quel sole senza requie, diceva Shatzy, anzi quasi lo cantava, come se fosse stata una ballata – e ridendo, questo me lo ricordo bene – rideva. Anche quando io iniziai a tornare a casa, un paio di giorni la settimana, continuai a vederla, e ad ascoltarla, quando le veniva voglia di raccontare. Aveva un registratore, sempre, così quando le venivano delle idee le diceva lì dentro ed era un modo per non perderle. Pensai che potesse essere una buona idea. Che forse era un buon modo di mettere *ordine* fra le proprie cose. Per un certo periodo desiderai averlo anch'io, un registratore come quello. Così, se mi fosse capitato di vedere tutto lucidamente, tutto quello che era successo e tutto quello che *non* era successo, avrei potuto parlarci dentro. E avrei spiegato a me stessa come stavano le cose. Strane idee ti vengono in mente, ogni tanto.

Una volta Shatzy mi disse che lei aveva conosciuto il mio bambino.

Giravano anche molte voci, su di lei, all'ospedale. Dicevano che andava coi dottori. Che ci andava a letto, insomma. Non so. Non ci sarebbe stato niente di male. Ce n'erano di sposati ma anche di non sposati e poi, in fondo, cosa vuol dire? Mio marito Halley diceva che era una buona ragazza. Chissà se lui mi è stato fedele quando proprio non c'ero con la testa, quando a mala pena lo riconoscevo. Sarebbe carino se lo avesse fatto. Sarebbe una cosa da riderci su per anni.

– Non per farvi fretta, mister Wittacher, ma credete di essere sulla buona strada per capire cosa non funziona nel Vecchio? –, dice Julie Dolphin.

– Funziona tutto.

– Ci prendi per il culo?

– Non è rotto. È fermo.

– Fa differenza?

276

Prende il suo cappello in mano, Phil Wittacher.
– Sì –, dice a se stesso.
Il mio bambino si chiamava Gould.

32.

Tutto quel giorno di caldo e vento Phil Wittacher lo passa chiuso
dentro il Vecchio. Un orologio idraulico, dice a se stesso mentre
apre le condotte della cisterna e lascia scendere l'acqua seguen-
dola a ogni svolta giù per il meccanismo della ricarica. Ripete l'o-
perazione per decine di volte. Non riesce a capire. Si siede. Stanco. Pensa. Si alza. Segue un filo che solo lui conosce e che lo porta in giro dentro il Vecchio, da un ingranaggio all'altro, fino al
quadrante smaltato, con le sue belle tredici carte di quadri. Le
guarda. A lungo.
    Ore.
    Poi capisce.
    Alla fine capisce.
    – Figlio di puttana.
    Dice.
    – Geniale figlio di puttana.
    Scende dal Vecchio con la testa svuotata dalla fatica. Nel vuo-
to ronzano domande una dopo l'altra. Tutte iniziano con: Perché?
    Non torna nella sua camera, punta diritto alla casa delle sorelle
Dolphin. Odore di legno e verdura. Due fucili appesi sopra alla
stufa.
    – Cosa successe quella notte fra Arne e Mathias?
    Le sorelle stanno sedute in silenzio.
    – Ho chiesto cosa successe.
    Julie Dolphin si guarda le mani, appoggiate in grembo.

– Ebbero una discussione.

– Che discussione?

– Voi riparate orologi, sapere certe cose non può servirvi a niente.

– Quello è un orologio strano.

Julie Dolphin torna a guardarsi le mani, appoggiate in grembo.

– Che discussione? –, chiede Phil Wittacher.

Melissa Dolphin alza la testa.

– Il fiume non dava più oro. Sulle montagne non avevano trovato niente. Mathias aveva un'idea. S'era messo d'accordo con altri cinque capifamiglia. L'idea era prendere tutto l'oro e andarsene, di notte.

– Scappare con l'oro?

– Sì.

– E poi?

– Mathias chiese ad Arne se ci stava.

– E lui?

– Arne disse che non voleva saperne. Disse a Mathias che era una carogna, e che lo erano gli altri cinque, e tutti, al mondo. Sembrava in buona fede, sapeva recitare bene quando voleva. Disse che se quella doveva essere la fine di Closingtown lui non la voleva vedere. Disse che per lui tutto quanto finiva in quel momento. Mi ricordo che prese il suo orologio, un orologio da tasca d'argento, lo diede a Mathias e gli disse: la città è tua. Poi raccolse la sua roba e partì. Disse che non sarebbe mai più tornato. Non è più tornato.

Phil Wittacher pensa.

– E Mathias?

– Era ubriaco. Si mise a spaccare tutto, poi uscì e rimase fuori per ore. Tornò al mattino. Andò dove tenevano l'oro. Non trovò più niente e capì che Arne si era portato via tutto. Prese con sé altri cinque e partirono al galoppo, sulle tracce di Arne.

– Sempre gli stessi cinque capifamiglia?

– Erano i suoi amici.

– E poi?

– Quattro giorni dopo tornarono i loro cavalli. E alle selle c'erano le loro teste mozzate, con gli occhi bruciati.

Phil Wittacher pensa.

– Che ora era quando arrivarono?

– Domanda stupida, da queste parti.

Phil Wittacher scuote la testa.

– Okay. Cos'era, giorno, notte, cosa?

– Sera.

– Sera?

– Sì.

Phil Wittacher si alza. Va verso la finestra. Guarda la strada e la polvere che vola davanti ai vetri.

Fa un po' fatica, ma alla fine lo chiede:

– È stato Arne ad assassinare il tempo?

Le sorelle Dolphin tacciono.

– È stato lui?

Le sorelle Dolphin stanno là, con la testa china e le mani in grembo. Non si capisce nemmeno bene qual è, delle due, a dire

– Sì. Si è portato via tutto, quando se n'è andato.

Phil Wittacher prende il suo spolverino. E il cappello. Le sorelle Dolphin restano sedute. Sembra che aspettino una fotografia.

– Quell'orologio... l'orologio d'argento, l'avete mai più trovato?

– No.

– Non era attaccato alla sella, o tra la roba di Mathias?

– No.

Phil Wittacher dice piano: già.

Poi, forte:

– Buona notte.

Esce. Attraversa la città, rientra al saloon, sta per salire alla sua stanza quando vede il solito indiano, vecchio e ubriaco, seduto per terra, appoggiato al muro. Si ferma. Torna fin da lui, e gli si accovaccia di fronte.

Lo guarda e dice:

– Arne Dolphin, ti dice niente questo nome?

Gli occhi dell'indiano sono pietre umide incastonate in una maschera di rughe.

– Mi senti?... Arne Dolphin, il vostro amico Arne, il grande Arne Dolphin.

Gli occhi dell'indiano non si muovono.

– Dico a te... Arne Dolphin, quella immensa canaglia bastarda di Arne Dolphin, il grande figlio di puttana.

E poi, più a bassa voce:

– L'assassino del tempo.

Gli occhi dell'indiano non si muovono.

Phil Wittacher sorride.

– Te ne ricorderai, quando servirà.

Chiude e apre le palpebre, l'indiano.

Lo farà ripartire quell'orologio?, chiedevo a Shatzy, e glielo chiedevano un po' tutti. Lei rideva. Magari non lo sapeva neanche lei. Non so come si facciano i western. Voglio dire, se sai già all'inizio come vanno a finire oppure lo scopri dopo, a poco a poco. Non ne ho mai fatti, di western. Una volta ho fatto un bambino. Ma quella è una storia strana. E lì proprio non lo sapevi, prima, come andava a finire. Dice il dottore che quando sarò guarita dovrò mettermi lì, con pazienza, e *raccontarmela*. Ma non so quando succederà. Mi ricordo che si chiamava Gould, e anche tante altre cose, alle volte belle, che però mi fanno male, tutte. Era l'unica cosa che odiavo, in Shatzy. Lei parlava di quel bambino, del mio bambino, come se niente fosse, e io questo non lo sopportavo, non volevo che lei ne parlasse, non so neanche come potesse essere sua amica, avrà avuto quindici anni più di lui, non volevo sapere cosa c'era tra di loro, non lo voglio sapere, portate via quella ragazza, non voglio più vederla, dottore lasciatemi in pace, che ci fa quella ragazza qui?, portate via quella ragazza, io la odio, portatela via o la ucciderò.

Diceva che Gould non aveva più bisogno di niente e di nessuno.

Rimase qui per sei anni. A un certo punto se n'era partita per Las Cruces, diceva che aveva trovato un lavoro in un supermercato, là. Ma poi, dopo qualche mese, la vedemmo ritornare. Non le andava che nel posto in cui lavorava era tutto un'offerta speciale. Disse che passava il tempo a costringere gente a consumare più di quanto non avesse bisogno, e questo era idiota. Ricominciò a lavorare nell'ospedale. Qui in effetti è difficile che ogni due crisi isteriche te ne regalino una terza tirandoti dietro un buono per l'estrazione a sorte di un elettroshock gratis. In questo senso non le si poteva dare torto. Abitava da sola, in un alloggio qui vicino. Le dicevo sempre che doveva sposarsi. Lei mi diceva: Già fatto. Ma poi non mi ricordo più com'è che andava avanti la storia. Certo non aveva nessuno. È strano, ma era una ragazza che non aveva nessuno. È la cosa che non ho mai capito di lei: cosa mai facesse per rimanere, alla fine, così sola. Qui all'ospedale tutto andò in malora per quella faccenda del furto. Dissero che aveva rubato dei soldi, dalla cassa della farmacia. Cioè, dissero che lo faceva da mesi, che l'avevano già avvertita, ma niente, lei aveva continuato. Io credevo che non fosse vero, c'era gente che la odiava, qui dentro, capacissimi di farle le scarpe. Così le dissi che non ci credevo, che pensavo fosse tutta una montatura. Lei non disse niente. Prese le sue cose e se ne andò. Halley, mio marito, le trovò un lavoro da segretaria in un'Associazione per le vedove di guerra. Detto così non sembra, ma era abbastanza divertente. Le vedove di guerra fanno un sacco di cose che non ti immagineresti mai. Ogni tanto andavo a trovarla. Aveva la sua scrivania, il lavoro non era pesante. Aveva un sacco di tempo per starsene lì a fare il suo western.

Phil Wittacher si alza, dà ancora uno sguardo al vecchio indiano e va verso lo scalone.

– È come spremere sangue da un sasso. Sono anni che non gli sento dire una parola –, dice Carver, mentre asciuga l'ennesimo bicchiere.

– Già.

– Whiskey?

– Forse è un'idea.

– Whiskey.

Phil Wittacher si appoggia al bancone.

Carver gli versa un bicchiere.

Phil Wittacher cerca di non pensare. Ma pensa.

– Carver.

– Sì.

– C'era qualcuno in questa dannata città che odiasse Arne Dolphin?

– Prima che se ne andasse?

– Adesso sono buoni tutti.

– Già.

– Ma prima?

Carver solleva le spalle.

– Chi non ha qualche nemico a questo mondo?

Phil Wittacher beve. Posa il bicchiere.

– Carver.

– Sì?

– Mathias, suo fratello Mathias, lo odiava?

Carver si ferma. Guarda Phil Wittacher.

– Hai mai avuto un fratello che era dio?

– No.

– Be', l'avresti odiato, ogni giorno della tua vita, in segreto e con tutta la forza del mondo.

Sulla scrivania aveva due foto incorniciate. Shatzy. Una era di Eva Braun, l'altra di Walt Disney.

33.

Phil Wittacher nel sole del mezzogiorno, in piedi appoggiato al muro del saloon, con il cappello calato sugli occhi e il fazzoletto alzato sulla bocca per difendersi dalla polvere. Guarda il quadrante del Vecchio, lancette e numeri da giocatore di poker.

Si mette a camminare. Gli piace camminare con il vento alle spalle. Non fa rumore, e guida lui.

Pensa che è una storia di vecchi e che lui non c'entra niente. Si ripete con allegria che lui è solo un orologiaio. Dice a voce alta Via da qui, è ora di andarsene, mi spiace ma non è un lavoro per me, saluti a tutti. Pensa che non ha una sola ragione per rimanere e per far partire quell'orologio. Poi si ferma. Guarda davanti a sé. Vede Melissa Dolphin: spazza la strada davanti a casa, frullata dal fiume di polvere rotondo, con irragionevole cura, e inutile, spazza. Le volano i capelli bianchi via dall'ordine che con mani anziane, davanti allo specchio, avrà provato a dettargli quella mattina, come ogni mattina. Sembra un fantasma esile, paziente, invincibile e vinto.

Diceva Shatzy che precisamente a quel punto Phil Wittacher si voltò, sputò per terra, e dato che aveva il vento contro praticamente si sputò sui pantaloni. Poi mandò tutti a fare in culo.

34.

Phil Wittacher entra nella casa del giudice. Penombra, puzza di merda e sigaro. Giornali dappertutto.

Prende una sedia e la avvicina al letto. Si siede.

– Sempre dell'idea che il cavallo verrà prima o poi a bere?

– Puoi scommetterci, ragazzo.

– Non sembra avere una gran sete.

– Gli verrà. Non ho fretta.

– Io sì.

– E allora?

– Se non ha sete gliela facciamo venire.

Phil Wittacher lo dice allungando al giudice un foglietto scritto a macchina. Il testo dice che domenica 8 giugno, alle ore 12 e 37, con grande solennità, Phil Wittacher, della Wittacher e Figlio, farà ripartire lo storico orologio di Closingtown, il più grande di tutto il West. Cibo, bevande e sorpresa finale.

Phil Wittacher fa un cenno verso le cataste di giornali.

– Ho fatto uscire questa notizia in modo che lui la possa leggere. In fondo è trentaquattro anni che manda messaggi: era ora di rispondere.

Il giudice si solleva dai cuscini, mette giù le gambe dal letto, rilegge per bene il foglio.

– Non penserai che quel bastardo sia così matto da venire.

– Verrà.

– Stronzate.

– Mi credete se vi dico che verrà?

Il giudice lo guarda come se fosse un problema di algebra.

– E tu come lo sai, coglioncello?, sei nella testa di Arne Dolphin, per caso?

– Io so dov'è, cosa sta facendo, e cosa farà domani. Io so tutto di lui.

Il giudice si mette a ridere e molla una scorreggia micidiale. Ride come un matto per minuti. Tutta una cosa di bronchi e catarro. Ma con dell'argento in mezzo. Ridiventa serio tutto d'un colpo.

– Va bene, orologiaio, che io sia dannato se ci capisco qualcosa, ma okay.

Si sporge in avanti e avvicina il faccione a quello di Phil Wittacher.

– Non mi dirai che lo fai partire davvero, quell'orologio?

– Quello è affar mio, parliamo di quello che farà lei.

– Semplice. Appena il bastardo mette piede in città gli pianto un proiettile in mezzo agli occhi.

– Chiunque in questa città potrebbe farlo. Non si butti via. Per lei ho pensato a qualcosa di più raffinato.

– Sarebbe?

– *Non* piantargli un proiettile in mezzo agli occhi.

– Sei scemo?

– Quell'uomo, in questa città, è un uomo morto. A me serve vivo. Risolva lei il problema.

– Vivo in che senso?

– Giudice: io glielo porto qui. Lei trovi un modo per farlo sedere a un tavolo con me. Tempo di raccontarci un paio di storie. Poi ne faccia quello che vuole. Ma lo voglio a quel tavolo, senza testimoni, e senza proiettili in mezzo agli occhi.

– Non sarà semplice: quell'uomo è una bestia feroce. Se gli lasci il tempo, sei un uomo morto.

– Gliel'ho detto che era un lavoro degno di lei.

– Non sarà una passeggiata.

– No, quindi magari si trovi un altro paio di scarpe.

Il giudice si guarda i piedi.

– Va' a farti fottere, moccioso.

– Non ho tempo. Devo andare da Bird.

Così va da Bird.

– Bird, tu sai come sparava Arne Dolphin?

– Mai conosciuto.

– Lo so, ma sai cosa si dice di lui?

– Un po' lento a estrarre. Mira bestiale. Una dote di famiglia a quanto pare. Le sorelle ne avevano fatto uno spettacolino, ai tempi.

– Quella storia del fante di cuori?

– Già.

– Come diavolo facevano?

– Non so. Ma quando ci sono in mezzo le carte da gioco c'è sempre il trucco. Solo le pistole non mentono mai.

Phil Wittacher pensa che non è vero.

– Bird: un uomo contro sei, in campo aperto: ha qualche probabilità di uscirne vivo?

– Ci sono sei colpi in una Colt. Quindi sì.

– Lascia perdere la poesia, Bird. Ne esce vivo o no?

Bird pensa.

– Sì, se i sei sono ciechi.

Phil Wittacher sorride.

– Siamo noi che siamo ciechi, Bird. Vediamo solo quello che ci aspettiamo di vedere.

– Lascia perdere la filosofia, ragazzo. Cosa cazzo sei venuto a chiedermi?

– Sempre dell'idea di morire?

– Sì, quindi sbrigati a far partire quell'orologio.

– Hai impegni per l'8 giugno?

– A parte pisciare sangue e tirare sassi ai cani?

– A parte quello.

– Lasciami pensare.

Pensa.

– Direi di no.

– Bene. Avrò bisogno di te, quel giorno.

– Di me o delle mie pistole?

– Lavorate ancora insieme?

– Solo nelle grandi occasioni.

– È una grande occasione.

– Nel senso?

– Facciamo ripartire quel fottuto orologio.

Bird strizza gli occhi per guardare bene in faccia Phil Wittacher.

– Prendi per il culo?

– Sono serissimo.

Com'è che quella pistola prima era nella fondina e adesso è puntata alla testa di Phil Wittacher?

– Prendi per il culo?

– Sono serissimo.

Com'è che quella pistola è di nuovo nella fondina?

– Conta su di me, ragazzo.

– Ci servono i tuoi occhi, Bird.

– Brutto affare.

– Come vanno?

– Dipende dalla luce.

– Che carta è questa?

Bird strizza gli occhi su quella carta scivolata fuori dal polso di Phil Wittacher.

– Fiori?

Phil Wittacher la pizzica con due dita e poi la tira in aria.

Bird estrae e spara. Sei colpi. La carta rimbalza sui sei proiettili come su un tavolo di vetro invisibile. Poi cade come una foglia morta.

– Riusciresti a beccarla a una trentina di metri?

– No.

– E se fosse ferma?

– A una trentina di metri?

– Sì.

– Con un po' di culo potrei farcela.

– Ho bisogno che tu ce la faccia, Bird.

– Ci vuole un po' di culo.

– Non sarebbero meglio degli occhiali?

– Va' a farti fottere, orologiaio.

– Non ho tempo. Devo andare dalle sorelle Dolphin.

Così andò dalle sorelle Dolphin.

– Fra due domeniche, alle 12 e 37, farò ripartire il Vecchio.

Le sorelle Dolphin lo guardano senza muoversi. È incredibile, ma sembra a Phil Wittacher di vedere gli occhi di Melissa Dolphin brillare di qualcosa come fosse: lacrime.

– Sarà un gran casino, ma l'avete voluto voi.

Le sorelle Dolphin fanno cenno di sì col capo.

– Mi piacerebbe dirvi di stare chiuse in casa finché tutto non è finito, ma so che tanto non lo farete, quindi preferisco che veniate, e facciate la vostra parte. Però intendiamoci bene: niente improvvisazioni, e rispettare gli ordini.

Le sorelle Dolphin fanno di nuovo cenno di sì col capo.

– Okay. Quando sarà tempo, vi farò sapere. Buona notte, signore.

Spolverino, cappello.

– Mister Wittacher...

– Sì.

– Vorremmo che voi sapeste che...

– Sì?

– Insomma non è facile trovare le parole, ma ci corre l'obbligo di farvi sapere...

– Sì?

Melissa Dolphin non ha più lacrime negli occhi quando dice:

– Niente di personale, ma fra un po' ti esce l'uccello, ragazzo.

– Prego?

– Quel che vorremmo dire è che forse sarebbe più prudente se voleste abbottonarvi l'apposita apertura dei pantaloni proprio sotto la cintura, mister Wittacher.

Phil Wittacher si guarda. Si abbottona. Rialza lo sguardo sulle sorelle Dolphin.

Ma cosa ho fatto di male, io?, pensa.

Più o meno è l'ultimo pezzo di western che io abbia sentito dalla voce di Shatzy. Non so se ne avesse ancora un po', ma se l'aveva l'ha portato via con sé. Se n'è andata in un modo brutto e questo io dico che è un'ingiustizia, perché ognuno dovrebbe poter scegliere su che musica ballare la propria fine. Dovrebbe essere *un diritto*, o almeno un privilegio dei grandi ballerini. Io l'ho anche odiata, Shatzy, per un sacco di ragioni. Ma sapeva ballare, se capite cosa voglio dire. Era in macchina con un dottore, di notte, avevano un po' bevuto, o fumato, non mi ricordo. Pigliarono in pieno un pilone del viadotto, giù a San Fernandez. Guidava lui, e ci rimase secco, sul colpo. Shatzy invece la tirarono fuori che respirava ancora. La portarono all'ospedale e poi fu una cosa lunga, e dolorosa. Si era rotta un sacco di roba, e anche l'osso del collo, come si dice. Alla fine si ritrovò inchiodata in un letto d'ospedale, con tutto fermo per sempre, salvo la testa. Il cervello lavorava ancora, lei poteva guardare, sentire, parlare. Ma tutto il resto era come morto. Era una cosa da spaccarti il cuore. Shatzy era sempre stata una che non mollava facilmente. Aveva del talento se si trattava di spremere dalla vita qualcosa. Ma quella volta c'era poco da spremere. Non parlò per dei giorni, immobile, lì, nel suo letto. Poi un giorno mio marito, Halley, andò a trovarla. E lei gli disse: Generale, per pietà, facciamola finita. Disse proprio così. Per pietà. Il fatto è che mio marito, non so, si era affezionato a quella ragazza, rappresentava qualcosa, per lui, non l'avrebbe mai lasciata andare alla deriva, o cose del genere, non l'avrebbe mai fatto. Così trovò il sistema. La fece portare in un ospedale militare. Lì certe cose sono più facili da fare. I militari ci sono abituati, se così si può dire. Era anche abbastanza ridicolo perché in quell'ospedale c'erano solo ragazzi e lei era l'unica donna. Ci scherzava anche, lei. E il giorno prima di andarsene, quando io andai a salutarla, per così dire, volle che mi avvicinassi e poi mi disse se potevo andare in giro, lì, per l'ospedale e trovare un ragazzo che avesse voglia di venire un attimo fin da lei. Lo voleva carino. Cercai di capire cosa intendeva per carino, ma lei disse solo se potevo trovarlo con le labbra belle. Così io andai e alla fine tornai con un ragazzo che aveva una faccia bellissima, i capelli neri e una faccia bellissima, una cosa da farci un pensierino, davvero. Si chiamava Samuel. Quando fu lì, Shatzy gli disse: Mi baci? E lui la baciò, ma un bacio vero, una cosa da film, non finiva più. Il giorno dopo un medico fece quello che doveva fare. Credo che si trattasse di un'iniezione. Ma non lo so di preciso. Se ne andò in un attimo.

Ho in casa centinaia di sue cassette registrate, piene di western. E ho in mente due cose che mi disse di Gould, che non dirò mai a nessuno.

L'abbiamo sepolta qui a Topeka. La frase sulla lapide l'aveva scelta lei. Nessuna data. Solo: *Shatzy Shell, niente a che vedere con quello della benzina.*

Ti sia lieve la terra, piccola.

35.

Soffia il vento sotto un sole giaguaro, e la strada di Closingtown fuma polvere come la canna di un camino dove stanno bruciando la Terra intera.

Ovunque, il deserto.

Venuto da fuori e penetrato in ogni singola vena della città.

Non un suono, non una voce, non un volto.

Una città abbandonata.

Volano rimasugli di niente, e cani muti vagolano cercando l'ombra dove parcheggiare costole e rimpianti.

Domenica 8 giugno, sole allo zenit.

Da est, dalla nube di polvere, dal passato, appaiono dodici cavalieri, uno di fianco all'altro, cappelli calati sugli occhi, fazzoletto tirato sulla bocca. Pistole alla cintura, e fucile sotto il braccio.

Vengono avanti piano, contro vento, tenendo i cavalli al passo.

Sono sagome ormai distinte quando arrivano alle prime case di Closingtown.

Undici hanno lo spolverino giallo. Uno: nero.

Vengono avanti, piano, una mano alle redini, l'altra al fucile. Spiano ogni scheggia di città, intorno a loro. Vedono il nulla.

Non parlano, avanzano allineati, uno di fianco all'altro, coprendo la strada in tutta la sua larghezza. Un pettine. Un aratro.

Minuti.

Poi quello vestito di nero si ferma.

Tutti si fermano.

A destra c'è il saloon. A sinistra il Vecchio.

Lancette ferme sulle 12 e 37.

Silenzio.

Si apre la porta del saloon.

Ne esce una vecchia con una nube di capelli bianchi che sfilano via, appena incrociano il vento.

Undici fucili si alzano e la puntano.

Lei si protegge gli occhi dal sole con una mano, attraversa il portico del saloon, scende i tre scalini, si avvicina ai dodici e va a fermarsi davanti a quello vestito di nero. Le canne dei fucili non l'hanno persa di vista un attimo.

– Ciao, Arne –, dice Melissa Dolphin.

L'uomo non risponde.

– Io fossi nei tuoi uomini terrei le chiappe molto strette e non muoverei un muscolo. Hanno più fucili puntati addosso loro che anni spalmati addosso io. Li abbiamo contati: 138. Non gli anni: i fucili.

L'uomo solleva lo sguardo. Canne di fucile, sbucate da tutte le feritoie pensabili, lo stanno guardando.

– Sai, non è che tu abbia lasciato un gran bel ricordo, da queste parti.

Gli undici si guardano intorno nervosi, tenendo i fucili abbassati.

Melissa Dolphin si gira e ritorna lentamente verso il saloon, sale i gradini del portico, prova a rimettersi a posto i capelli, apre la porta e sparisce dentro il saloon.

Le 138 canne di fucile restano fisse sui dodici. Non sparano. Non se ne vanno.

Silenzio.

L'uomo in nero fa un cenno agli altri. Scende da cavallo, lo tiene per le redini, lo porta al passo fino alla staccionata del saloon. Dà un giro di redini intorno alla trave di legno. Infila il fucile nella sella. Si tira giù il fazzoletto dal volto. Barba folta e bianca. Si gira a dare un'occhiata ai 138 fucili. Nessuno punta lui. Tutti dedicati ai suoi amici. Attraversa la veranda, avvicina una mano alla porta e l'altra alla fondina della pistola. Apre. Entra.

La prima cosa che vede è un vecchio indiano, seduto per terra. Una statua.

La seconda cosa che vede è un saloon vuoto.

La terza è un uomo seduto a un tavolo lontano, l'ultimo nell'angolo.

Attraversa il saloon e arriva davanti all'uomo. Si toglie il cappello. Lo posa sul tavolo. Si siede.

– Saresti tu l'orologiaio?

– Io –, dice Phil Wittacher.

– Con quella faccia da bambino?

– Già.

L'uomo in nero sputa per terra.

– Che ti frega di quell'orologio? –, dice.

– Non è un orologio. È una cassaforte.

L'uomo in nero sorride.

– Piena –, aggiunge Phil Wittacher.

L'uomo in nero fa uno schiocco con la lingua.

– Bingo –, dice.

– Geniale. Apri la cisterna, l'acqua scende, fa partire il meccanismo e il meccanismo fa partire le lancette. Solo che se provi non funziona. E sai perché?

– Dimmelo tu.

– Perché funziona al contrario. Tu fai girare le lancette, loro fanno partire il meccanismo, il meccanismo fa partire l'acqua, l'acqua sale, mette in azione tre pistoni che aprono una cella sotterranea e pompano da sotto terra altra acqua: zeppa d'oro e ferma lì da trentaquattro anni, tre mesi e undici giorni. Sembra un orologio. Ma è una cassaforte. Geniale.

– Congratulazioni. Sai un sacco di cose.

– Più di quante tu creda, Mathias.

Come una scossa elettrica. Per un istante l'uomo in nero è un uomo che sta per alzarsi, estrarre due pistole e sparare. L'istante dopo è un uomo che sente una voce urlare:

– Fermo!

Il terzo istante lo usa per fermarsi. Il quarto per risedersi. Il quinto per voltarsi lentamente, tenendo le mani sul tavolo.

Il giudice ha due stivali lucidi con stelle colorate, borchie e tutto. Si è pettinato col profumo, e ha perfino la barba rasata di fresco. Sta in piedi all'altro capo del saloon, con un fucile puntato sull'uomo in nero.

– La conversazione non è ancora finita –, dice.

L'uomo in nero torna a fissare Phil Wittacher.

– Cosa vuoi da me?

– Raccontarti una storia, Mathias.

– Sbrigati allora.

– Hai degli impegni?

– Ammazzare quel pancione là dietro e portare via la pelle da questo stupido paese.

– È un tipo paziente. Aspetterà.

– Sbrigati, ho detto.

– Okay. Trentaquattro anni, tre mesi e undici giorni fa. Notte. Tu proponi a tuo fratello Arne di scappare con altri cinque e tutto l'oro. Lui si rifiuta. Capisce che tutto è finito, e che il resto sarà una schifosa guerra per quell'oro. Fa una cosa che solo tu puoi comprendere: ti regala il suo orologio d'argento.

Poi prende la sua roba e parte, in piena notte. Dev'essere intollerabile avere un fratello così giusto, vero Mathias? Mai un errore. Un dio. Com'è stato vivere nella sua ombra per anni, decine d'anni? È una di quelle cose che può farti impazzire, vero? Ma tu non sei impazzito. Anzi. Hai aspettato. E quella notte il tuo momento è arrivato. Mi sembra di vederti, Mathias. Vai all'orologio, apri la cassaforte, la trovi piena, porti via tutto l'oro che puoi nascondere nella sella del tuo cavallo. La mattina esci correndo da casa, gridando che Arne se n'è scappato con tutto l'oro, prendi i tuoi cinque amici e lo insegui. Lo raggiungete che è ancora nel deserto. Arne è uno contro sei: non può farcela. Quanti riesce a farne secchi prima di morire, Mathias? Due, tre?

– ...

– Non importa. A quelli che rimangono ci pensi tu. Non potevano aspettarselo, erano i tuoi amici. Li colpisci alle spalle, magari mentre stanno decapitando tuo fratello, vero? Tagli la testa anche a loro, bruci gli occhi di tutti. Leghi le teste alle selle. E sulla sella del tuo cavallo leghi quella di tuo fratello Arne. Astuto. I cavalli arrivano a Closingtown che è sera. È quasi buio, le teste sono sfigurate, il cavallo è quello tuo. E soprattutto: la gente vede quello che si aspetta di vedere. Un fratello che perde per tutta la vita perché avrebbe dovuto vincere proprio quella volta? Aspettavano te morto e videro te morto. Dovesse accadere altre cento volte, per cento volte rivedrebbero la tua testa, attaccata a quella sella. Ma era di Arne, quella testa.

L'uomo in nero non muove un muscolo.

Phil Wittacher dà un'occhiata fuori dalla finestra. Ci sono undici cavalieri in spolverino giallo e 138 fucili puntati su di loro.

– Il resto è una vendetta lunga trentaquattro anni, tre mesi e undici giorni. Mezza vita a fingerti Arne Dolphin e a goderti ogni giorno il pensiero di una intera città che lo stava odiando, finalmente, quel dio che l'aveva tradita, il ladro, l'assassino del suo buon fratello Mathias, l'uomo che da sempre aveva il suo piano per fotterli tutti, il bastardo che se ne andava in giro a giocare a poker e collezionare orologi, mentre loro qui, a morire lentamente, nel vento. Geniale, Mathias. Hai dovuto rinunciare a tutto quell'oro, ma hai avuto la vendetta che cercavi. Fine della storia.

Mathias Dolphin parla piano, con una voce profonda.

– Chi la conosce oltre a te?

– Nessuno. Ma se vuoi provare ad ammazzarmi non farlo adesso. Il pancione, laggiù, ci sa fare. E cinquanta chili fa era un cacciatore di taglie: non ha grandi problemi a sparare alla schiena.

Mathias Dolphin stringe i pugni.

– Okay, cosa vuoi per il tuo silenzio?

– Il tuo orologio d'argento, Mathias.

Mathias Dolphin istintivamente abbassa lo sguardo sul proprio panciotto di cuoio, nero. Poi torna a mettere gli occhi in quelli di Phil Wittacher.

– Se sei così in gamba, orologiaio, come mai hai bisogno della combinazione per aprire quella cassaforte?

– Non mi interessa aprire la cassaforte. È il Vecchio che mi interessa. E per farlo partire senza romperlo ho bisogno di quella combinazione.

– Tu sei pazzo.

– No. Sono un orologiaio.

Mathias Dolphin scuote la testa. Riesce perfino a sorridere. Scosta lentamente la falda dello spolverino, sfila via l'orologio dal taschino e con un gesto netto strappa la catena che lo tiene al panciotto. Posa l'orologio sul tavolo.

Phil Wittacher lo prende. Solleva il coperchietto.

– È fermo, Mathias.

– Non faccio l'orologiaio, io.

– Già.

Phil Wittacher avvicina agli occhi l'orologio. Legge qualcosa sul lato interno del coperchietto. Posa l'orologio, aperto, sul tavolo.

– Poker di donne e re di quadri –, dice.

– Adesso puoi far partire il Vecchio, se proprio ci tieni.

– Adesso sì.

– Mi sa che sarà una gran bella sorpresa per tutti, quando lo farai, e io non ci tengo a esserci. Quindi dì al pancione di tirar giù il fucile, adesso devo proprio andarmene.

Phil Wittacher fa un cenno al giudice. Il giudice abbassa il fucile. Lentamente, Mathias Dolphin si alza.

– Addio, orologiaio.

Dice. Si volta. Guarda negli occhi il giudice.

– Sbaglio o ci siamo già visti, noi due?

– Forse.

– Eri giovane e arrivavi sempre un attimo in ritardo. Eri quello lì?

– Forse.

– È curioso: la gente fa per tutta la vita lo stesso errore.

– Sarebbe?

– Tu arrivi sempre un attimo in ritardo.

Poi estrae e spara. Il giudice fa appena in tempo a sollevare il fucile. Un proiettile lo colpisce al petto e lo sbatte per terra contro la parete. Al rumore dello sparo fuori si scatena l'inferno. Mathias si butta su Phil Wittacher e, sdraiato su di lui, per terra, gli punta la pistola alla testa.

– Okay, orologiaio, questa mano la gioco io.

Fuori è sparatoria infernale. Mathias si alza tirando su Phil Wittacher come uno straccio. Attraversa il saloon tenendoselo stretto e cercando di evitare di stare allo scoperto, davanti alle finestre. Passano davanti al giudice: accasciato per terra, con il petto sanguinante e il fucile ancora stretto in mano. Fatica a parlare, ma parla.

– Te l'avevo detto, ragazzo. Non bisognava lasciargli il tempo.

Mathias lo colpisce con un calcio in faccia, il giudice crolla disteso.

– Carogna –, dice Phil Wittacher.

– Sta' zitto. Devi solo stare zitto. E camminare. Piano.

Si avvicinano alla porta. Passano di fianco al vecchio indiano, seduto per terra. Mathias neanche lo guarda. Resta al riparo, dietro allo stipite della porta.

Sente la sparatoria morire, quasi di colpo, come ingoiata dal nulla.

Ancora qualche sparo isolato.

Poi silenzio.

Silenzio.

Mathias spinge avanti Phil Wittacher, tenendogli la canna della pistola puntata alla schiena.

– Apri la porta, orologiaio.

Phil Wittacher la apre.

La strada centrale di Closingtown è un cimitero di cavalli e spolverini gialli.

Solo vento, polvere e cadaveri. E decine di uomini, con le armi in mano, appostati sui tetti, ovunque. In silenzio.

A guardare.

– Okay, orologiaio, vediamo se ti vogliono bene, in questo paese.

Lo spinge fuori ed esce dietro di lui.

Luce, vento, polvere.

Tutti li guardano.

Mathias spinge Phil Wittacher fino ad attraversare il portico e a scendere nella strada. Vede il suo cavallo ancora legato al suo posto. È l'unico cavallo ancora in piedi. Si guarda intorno. Tutti lo stanno guardando. Tutti hanno il fucile abbassato.

– Che cazzo gli prende, orologiaio? Hanno finito la voglia di ammazzare?

– Credono che tu sia Arne.

– Che cazzo dici?

– Non ammazzerebbero mai Arne.

– Che cazzo dici?

– Vorrebbero, ma non ci riescono. Preferiscono che lo faccia lui per loro.

Phil Wittacher fa un cenno verso il centro della strada. Mathias guarda. Cappello lucido nero, spolverino chiaro, fino a terra, stivali luccicanti, due pistole al cinturone, impugnature d'argento. Viene avanti tenendo le braccia incrociate e sfiorando con le mani le pistole. Sembra un prigioniero o un matto. Un uccello con le ali chiuse.

– Chi cazzo è?

– Uno che spara più veloce di te.

– Digli che se non si ferma ti faccio saltare le cervella.

– Lo farai comunque, Mathias.

– Diglielo!

Phil Wittacher pensa: sei magnifico, Bird. Poi urla:

– BIRD!

Bird continua a camminare, lento. Dietro di lui il Vecchio guarda la scena coi suoi occhi fatti di carte da poker.

– BIRD, FERMATI. BIRD!

Bird non si ferma.

Mathias preme la canna della pistola sulla nuca di Phil Wittacher.

– Ancora tre passi e sparo, ragazzo.

– BIRD!

Bird fa tre passi e poi si ferma. È a una ventina di metri dai due. Rimane immobile.

Phil Wittacher pensa: che storia. Poi dice, nel vento:

– Bird, lascia stare. Partita persa. Le carte buone le ha lui.

Pausa.

– Poker di donne e re.

Allora spalanca le ali, Bird. Ma girando su se stesso, lo spolverino che si apre nel vento.

Quattro colpi rapidissimi, sparati in faccia al Vecchio.

Donna.

Donna.

Donna.

Donna.

Mathias mira a Bird e spara.

Due colpi in mezzo alla schiena.

Bird cade, ma cadendo spara ancora.

Quinto colpo.

Re.

Il Vecchio fa: CLAC.

Da una finestra del saloon, Julie Dolphin allinea occhio, mirino, uomo, e dice Addio fratello, e preme il grilletto.

La testa di Mathias esplode di sangue e cervello.

L'indiano, nel saloon, canta piano e intanto apre un pugno e lascia scivolare tra le dita della terra d'oro.

L'orologio d'argento, là sul tavolo, inizia a ticchettare.

La lancetta del Vecchio trema e poi si muove.

12 e 38.

Phil Wittacher è in piedi, sporco di sangue. Che stanchezza, pensa.

Nel silenzio, il Vecchio si scuote e mormora qualcosa con una voce che sembra un tuono sparato dal centro della terra.

Tutta Closingtown lo guarda.

Forza Vecchio, dice Phil Wittacher.

Silenzio.

Poi come un'esplosione.

Il Vecchio si spalanca.

Un fiotto di acqua sale nel cielo.

Brilla nella luce del mezzogiorno e non la smette più, fiume luccicante sparato nell'aria.

Acqua e oro.

Tutta Closingtown col naso all'insù.

Phil Wittacher con gli occhi a terra. Si china, prende un pugno di polvere. Si rialza. Apre le dita.

Non c'è vento, qui, pensa.

Bird chiude gli occhi.

L'ultima cosa che dice è:

– *Merci*.

Bird lo seppellirono con le braccia incrociate sul petto: le mani sfioravano le pistole, anche loro lì, nella bara, sfavillanti. In molti portarono la cassa fin sul colmo della collina, perché pensavano sarebbe stato un onore, anni dopo, dire: l'ho accompagnato io, Bird, quel giorno, all'altro mondo. Avevano scavato una bella fossa, larga e profonda, e messo una pietra, scura, col suo nome. Calarono la cassa nella buca e poi tutti si tolsero il cappello e si girarono verso il pastore. Il pastore disse che lui non aveva mai sepolto nessun pistolero, e che non era sicuro di sapere cosa dire. Chiese se quell'uomo avesse mai fatto qualcosa di buono, in vita sua. Chiese se qualcuno ne sapesse qualcosa. Allora il giudice, che aveva un proiettile dalle parti della spina dorsale ma non gliene fregava un cazzo, disse che Bird aveva colpito quattro donne e un re, da trenta metri, senza sprecare una pallottola. Chiese se poteva bastare. Il pastore disse che temeva di no. Allora si aprì un dibattito, e tutti provarono a scavare nella memoria per riuscire a ricordarsi una cosa buona, anche una sola, che Bird avesse fatto nella vita. Era buffo, ma gli tornavano in mente solo un sacco di carognate. Alla fine, tutto quello che riuscirono a trovare fu quella storia che lui aveva studiato il francese. Aveva l'aria di essere una cosa quanto meno *gentile*. Chiesero al pastore se poteva bastare. Il pastore disse che era come pescare trote in un bicchiere di whiskey. Allora il giudice gli puntò addosso una pistola e disse:

– Pesca.

Così il pastore disse un sacco di cose interessanti sulle possibilità di redimere una vita di peccati coltivando lo studio delle lingue. Non se la cavò male. Amen, dissero tutti alla fine, ed erano abbastanza convinti. Riempirono la fossa di terra, e se ne tornarono a casa.

Coi soldi trovati addosso a Bird fecero venire dalla città un *mariachi*. Lo portarono sulla collina e poi gli chiesero quante canzoni poteva suonare per quella cifra. Lui fece due calcoli poi disse: Milletrecentocinquanta. Gli diedero i soldi e gli dissero di cominciare, e che facesse pure con comodo, tanto Bird non aveva fretta. Lui prese la chitarra e iniziò. Cantava canzoni in cui tutto andava molto di sfiga, ma la gente, inspiegabilmente, era abbastanza felice. Andò avanti per sette ore. Poi arrivarono dalla città le prime fucilate. Lui capì l'antifona, salì sul suo mulo, e tagliò la corda. Però era un *mariachi* onesto, e non smise di cantare fino a quando non sparì all'orizzonte, e poi per giorni e mesi e anni.

Ecco perché, da quelle parti, quando la gente sente cantare un *mariachi*, alza il bicchiere e dice: Alla tua, Bird.

Non un alito di vento, e folate limpide di rosso tramonto sull'orizzonte di Closingtown. Phil Wittacher si preme il cappello sulla testa e sale a cavallo. Guarda lontano, davanti a sé. Poi si gira verso le sorelle Dolphin: immobili, in piedi, i capelli bianchi ben ordinati in una geometria senza errori.

Silenzio.

Il cavallo abbassa la testa un paio di volte, poi alza il muso, ad annusare l'aria.

Julie Dolphin ha gli occhi che luccicano di lacrime. Tiene le labbra strette. Fa un cenno con la mano, piccolo, ma a Phil Wittacher sembra bellissimo.

– Culo stretto e pistole cariche, ragazzo –, dice Melissa Dol-
phin. – Il resto è poesia inutile.
Phil Wittacher sorride.
– Non è un duello, la vita –, dice.
Melissa Dolphin spalanca gli occhi.
– Certo che lo è, idiota.
Musica.

THE END

EPILOGO

– No, è una cosa completamente diversa.

– *Pensi che sia una questione di esperienza, o... di saggezza, se vogliamo usare questo termine?*

– Di saggezza?... non so, credo che sia piuttosto... diciamo che è diverso il modo in cui senti il dolore...

– *In che senso?*

– Voglio dire... quando sei giovane il dolore ti colpisce ed è come se ti sparassero... è la fine, ti sembra che sia la fine... il dolore è come uno sparo, ti fa saltare in aria, è come un'esplosione... ti sembra senza rimedio, una cosa irrimediabile, definitiva... il punto è che *non te l'aspetti*, questo è il nocciolo della faccenda, che quando sei giovane il dolore non te lo aspetti, e lui ti sorprende, ed è lo stupore che ti frega, *lo stupore*. Lo stupore, capisci?

– *Sì.*

– Da vecchio... cioè, quando invecchi... non esiste più quella cosa dello stupore, non riesce più a prenderti di sorpresa... lo *senti*, questo sì, ma è solo stanchezza che si aggiunge a stanchezza, non esplode più niente, capisci?, è solo come se ti aggiungessero qualche chilo sulle spalle... è come camminare ed avere le scarpe sempre più fradice, di fango, e pesanti. A un certo punto ti fermi, e lì finisce. Ma non salti in aria, come da giovane, non è più quella cosa là. Per questo la boxe la puoi fare finché campi, se vuoi. Non ti fa più male, secondo me dopo un po' non ti fa più male. Un giorno sei troppo stanco e te ne vai, tutto lì.

– *Tu hai lasciato per stanchezza?*

– Ho pensato che ero stanco. Tutto lì.

– *Stanco di pugni?*

– No... i pugni mi piacevano ancora, darli e prenderli, boxare mi piaceva... non mi andava di perdere, certo, ma avrei potuto continuare per un bel po' continuando a vincere... non so... a un certo punto ho pensato *che non avevo più voglia di stare là sopra...* là sopra tutti ti guardano, non c'è scampo, sei negli occhi di tutti, anche se ti caghi addosso ti vedono, non puoi far nulla che ti vedono, e io ero stanco, di quello... penso che tutto d'un colpo mi è venuta una voglia bestiale di stare in un posto in cui nessuno poteva vedermi. Così sono sceso. Tutto lì.

– *Sei sceso in un modo clamoroso, però, nel bel mezzo di una sfida per il mondiale...*

– Quarta ripresa, con Butler, sì...

– *Be', fece molta impressione, sono immagini che sono diventate famose, tu che improvvisamente smetti di combattere, ti giri...*

– Odio quelle immagini, ci faccio una figura da stupido, o da vigliacco, e invece era tutta un'altra cosa... è che non puoi sceglierti tu il momento in cui ti accorgi delle cose importanti, io me ne sono accorto là sopra, nel bel mezzo di quell'incontro, d'improvviso mi è sembrato tutto così meravigliosamente chiaro, ed era così evidente che dovevo scendere da lì, e trovare un posto dove non fossi sotto gli occhi di tutti, non importava se ero nel bel mezzo dell'incontro, non aveva nessuna importanza...

– *... era una sfida di cui si era parlato per mesi e mesi...*

– ... sì...

– *... era un campionato del mondo...*

– Sì, va be', ma... okay, era un campionato del mondo, che ti devo dire, lo sapevo cos'era un campionato del mondo, non ero uno stupido... Io avevo il campionato del mondo ficcato in testa dal primo giorno che sono entrato in palestra... Fa ridere dirlo, ma non mi importava molto della boxe, mi importava di salire fino a lassù, proprio in cima, campione del mondo. Poi le cose sono cambiate, ma all'inizio... cristo, che ambizione, quando sei un ragazzo puoi sognare delle cose... ci credi veramente, magari la gente ti odia perché sei presuntuoso, o sembri un pazzo megalomane, ed è tutto vero, ma dentro... cristo che forza lì dentro, una forza bella, vita allo stato puro, non come quelli che stanno a far di conto, e a nascondere nel materasso le loro speranze, sai mai la gente poi se ne accorge, quelli che si mimetizzano per fregarti all'ultimo round, magari con un colpo sporco... oh, io ero insopportabile, ma... Mondini mi detestava per quello, mi ha sempre detestato... ma... è in quegli anni che ho imparato a essere vivo, Poi è una malattia che non ti passa più.

– *Mondini, lui, cosa ha significato per te?*

– Quella non è una bella storia.

– *Hai voglia di parlarne, Larry?*

– Non so. È girata male, e forse non c'era un modo di farla girare giusta.

– *Vi lasciaste dopo l'incontro con Poreda.*

– Te lo ricordi quell'incontro, Dan?

– *Certo.*

– Okay, allora ti dico una cosa. Prima di quella quarta ripresa, te la ricordi?

– *L'ultima...*

– Sì, prima dell'ultima, nell'angolo, durante il minuto di pausa, be', Mondini non era già più lì, se n'era andato...

– *Non è venuto all'angolo?*

– No, non è quello, all'angolo c'era, fece tutte le cose che doveva fare, l'acqua, i sali, e quelle stronzate... ma non c'era più, non era più Mondini, non era più il mio Maestro, era uno che mi aveva abbandonato, mi spiego?

– *Poreda ha ripetuto spesso che Mondini gli aveva dato dei soldi per vincere quell'incontro.*

– Lascia stare cosa dice Poreda.

– *Però lui...*

– Conta un cazzo quel che dice Poreda.

– *Ci fu anche un'inchiesta...*

– Puttanate. Io mi alzai da quello sgabello ed ero solo, questo è tutto quello che conta.

– *Fu uno dei round più violenti a cui io abbia mai assistito.*

– Non lo so, mi ricordo poco, non era più boxe, a quel punto, era odio e violenza, non ero io, lassù, era qualcosa che combatteva al posto mio...

– *Mondini gettò la spugna a ventidue secondi dalla fine del round.*

– Non doveva farlo.

– *Dopo disse che non gli piaceva vedere i suoi allievi fatti a pezzi.*

– Stronzate. Ascoltami bene, io potevo continuare, avrei potuto continuare così per tutta la settimana, ero giovane e Poreda era vecchio, e sentimi bene, io forse non ricordo tutto di quel round, ma una cosa la ricordo ed è la faccia che aveva Poreda, era uno che aveva male fino nel buco del culo, era uno che non ne poteva più, sarebbe morto prima lui di me, com'è vero Iddio, quando vidi l'arbitro interrompere e quell'asciugamano volare sul tappeto, credevo l'avessero tirato dall'angolo di Poreda, giuro, pensai che finalmente l'avevano capita, e credo che alzai anche le braccia, perché pensavo di aver vinto. E invece l'asciugamano era il mio. Assurdo.

– *I colpi di Poreda erano pesanti, Mondini lo sapeva.*

– Mondini non doveva buttare la spugna.

– *Perché lo fece?*

– Chiedilo a lui, Dan.

– *Ha sempre detto che era stato per salvarti.*

– Da che?

– *Diceva che...*

– Per salvarmi da che cosa?

– *Lui diceva...*

– Cambiamo argomento, va'.

– ...

– Cristo, son passati tanti anni e ancora mi fa saltare i nervi, quella faccenda... mi spiace, Dan, magari lo tagliamo questo pezzo, eh?, si può?

– *Non preoccuparti, non c'è problema... possiamo poi rimontare l'intervista come vogliamo...*

– ... è che è una storia... non so, non l'ho mai capita, cioè l'ho capita, ma poi... bah, stronzate.

– *Dopo sei passato al clan dei fratelli Battista.*

– Da qualche parte dovevo andare, loro avevano i mezzi per portarmi al mondiale...

– *Circolavano molte chiacchiere su quel clan, alcuni dicevano che...*

– Sai una cosa di Mondini?, voglio dirti una cosa di Mondini, non l'ho mai detta a nessuno, ma te la voglio dire, qui in trasmissione... be', quattro anni dopo quel match... non ci eravamo più visti né sentiti né niente... io stavo coi Battista, no?, era quando mi stavo preparando per combattere con Miller, chi vinceva andava a sfidare Butler per il mondiale, era quel periodo lì, be'... un giorno mi fanno leggere un giornale e sopra c'è un'intervista a Mondini. Non era la prima, ogni tanto mi succedeva di leggere qualcosa su di lui, e quasi sempre lui riusciva a dire qualcosa contro di me, una battuta, anche solo una frase, ma sembrava che ci tenesse, ogni volta, a darmi la frecciatina. Be', quella volta mi metto a leggere, e l'intervistatore chiedeva a Mondini se io avevo qualche possibilità, contro Miller. E lui diceva: Adesso che sta coi Battista, certo che ce l'ha una possibilità. Allora l'intervistatore glielo faceva ripetere, perché voleva capire bene. E lui nell'intervista diceva: Lawyer è un bluff, boxava bene, da giovane, ma i soldi l'hanno rintronato, adesso è un fantoccio nelle mani dei Battista, e quelli lo porteranno dove vorranno, magari anche al mondiale. Poi diceva anche qualche stronzata sulla mia macchina e sulle donne che mi portavo in giro, non so, non ne sapeva niente, lui, non ci vedevamo da anni, che ne sapeva lui delle donne che mi portavo in giro io... cazzo, era stato il mio Maestro, lui *lo sapeva* che ero un grande, sapeva anche com'ero fatto, non poteva dimenticarsi tutto per una foto sul giornale, o qualche stronzata letta da qualche parte, li aveva anche visti, i miei incontri, lo sapeva che potevo fare a meno di tutti i Battista di questa terra, lui capiva di boxe, eccome ci capiva, era solo cattiveria, e rancore. Così feci una cosa assurda, andai dritto alla sua palestra, e prima che qualcuno riuscisse a fermarmi gli arrivai davanti e gli dissi Vaffanculo Mondini e iniziai a picchiare, lo so che è orrendo, ma insomma lui era anche stato un pugile, poteva difendersi, e lo fece, e io picchiai, senza guantoni, ma picchiai fino a quando non lo vidi per terra, e poi ancora gli dissi Vaffanculo, un'altra volta, ed è quella l'ultima immagine che ho di lui, lui per terra che si passa una mano sulla faccia e poi la guarda, tutta sporca di sangue, è l'ultima volta che l'ho visto. Non ho mai più letto sue interviste, non ne ho mai più voluto sapere. Orrendo, eh?

– *Non l'hai mai più sentito?*

– Era il mio Maestro, cazzo. Tu l'hai mai avuto un Maestro, Dan?

– *Io?*

– Sì, tu.

– *Forse... sì, forse, qualcuno...*

– Dev'essere difficile fare i Maestri, non riesce a nessuno di farlo bene, sai?

– *Forse.*

– Dev'essere difficile.

– ...

– ...

– *Ne hai avuti altri?... di Maestri, dico.*

– No. Dopo Mondini, no. All'angolo, coi Battista, era come avere un idraulico, o un assicuratore, non avrebbe fatto differenza. Io ho boxato da solo, in tutti quegli anni. Da solo.

– *Non ti hanno insegnato niente?*

– A non scuocere gli spaghetti. L'unica cosa.

– *E l'incontro con Miller?*

– Miller?

– *Sì.*

– Miller era uno affamato. Sarebbe piaciuto a Mondini. Veniva da non so che periferia, stava sempre a menarla che lui aveva conosciuto la strada, e quindi niente poteva più spaventarlo. Cazzate. Tutti hanno paura.

– *Tutti?*

– Ma sì, tutti...

– *Tu avevi paura?*

– Io... è una cosa strana... all'inizio no, non avevo paura, veramente, poi dopo è cambiato... sai una cosa, una cosa che ti può far capire... prima di ogni combattimento... si sale là sopra, no?, e in quei pochi istanti prima che inizi hai l'avversario all'altro angolo, si saltella, si porta qualche colpo nel vuoto... proprio subito prima dell'incontro, no?... be', lì molti Maestri, se guardi, stanno davanti al loro pugile, si mettono apposta tra lui e l'avversario, per non fargli vedere il nemico, capisci?, si mettono in mezzo, fissando dritto negli occhi il loro ragazzo e gli urlano delle cose in faccia, e tutto questo è perché lui non guardi l'avversario, non deve guardarlo, non deve avere il tempo di pensare, e di aver paura, capisci?... Be', Mondini invece faceva il contrario. Si metteva di fianco a te e guardava l'avversario come se guardasse un paesaggio dal balcone di casa sua. Serafico. Commentava, faceva battute. Con Sobilo, per dire... Sobilo aveva il cranio rapato a zero, e un teschio tatuato proprio in cima alla pelata... mi ricordo che Mondini continuava a ripetere Dì Larry, ma gli hanno cagato in testa?, e io gli dicevo È un tatuaggio, Maestro, e lui Ma figurati e cercava gli occhiali per vedere, ma non li trovava e... boh, non è che fosse facile avere paura, in quel modo lì. Dopo, le cose son cambiate. Erano anche pugili diversi... facevano paura davvero... Miller ne aveva già uccisi due, per dire, quando io lo incontrai, sicuramente era stata solo sfiga, però intanto ci avevano lasciato la pelle... quella era boxe pesante, Mondini me l'aveva sempre detto, erano pugni diversi, c'era questa cosa strana che ci potevi anche morire... strano... morire... sai una volta cosa mi disse Pearson?, il vecchio Pearson, te lo ricordi, il campione dei medi...

– *Bill Pearson?*

– Lui. Mi disse una cosa intelligente. Mi disse che *dovevi* aver paura del tuo avversario: così non avevi più tempo di aver paura della morte. Disse così.

– *Bello.*

– Sì, bello. E aveva ragione. Io imparai a un certo punto ad avere un po' paura degli avversari. Mi teneva la mente occupata. Tirava fuori il meglio da te. Era un buon sistema.

– *Miller, era così terrificante?*

– Be', certo, lui... faceva impressione... poi non era così cattivo come sembrava, ma... mi ricordo la sensazione strana di quelle due o tre volte che mi trovai chiuso all'angolo, mi ero fatto sorprendere, con lui non dovevi farlo, mai, e io invece ci ero cascato e mi trovai lì, sarà successo due volte, o tre, ma mi ricordo benissimo, per un attimo ti sentivi come... finito, spacciato, da qualche parte nella mente pensavi che se non ti sbrigavi a trovare un modo per uscire da lì ci avresti lasciato la pelle, non era solo questione di perdere o di vincere, ci lasciavi la pelle... dio, ti venivano un sacco di idee su come uscire da lì, ti garantisco, diventavi un'anguilla, giuro...

– *Alla fine però ad andare giù fu lui.*

– Era potente ma era lento. Nella boxe non puoi permetterti di essere lento. Lui era normale fino alla quarta, quinta ripresa...

poi gli si appesantivano le gambe, gli si rallentava tutto... il problema con lui era resistere in quelle prime riprese, poi veniva la parte facile... se si può dire facile...

— *Andò al tappeto quattro volte, prima che l'arbitro lo fermasse.*

— Sì, aveva del cuore, lui, ed era orgoglioso... forse c'entra quella storia della fame, era uno che veniva dalla fame... era un bel tipo... cioè... era proprio quello che ti immagini sia un pugile, in tutto e per tutto, affamato, feroce, cattivo e... bambino, un po' bambino... una volta, qualche anno fa, entro in un bar e me lo trovo lì, a bere, seduto al bancone, tutto vestito elegante, una giacca d'argento, e la cravatta blu, o qualcosa del genere, faceva morire dal ridere, ma lui pensava di essere molto elegante... mi offrì da bere e si mise a parlare che non finiva più, diceva che aveva in mente di tornare, aveva una buona offerta da un Casinò di Reno, era ancora in forma, e anche se parlava un po' lento... sai, trascinando un po' le parole, no?, be'... sembrava abbastanza in forma, diceva che l'unico problema era la mano sinistra, aveva una mano sinistra che si rompeva solo a girare una maniglia, e allora io gli dissi che doveva fottersene, che a lui bastava il destro, che io me lo ricordavo ancora, il suo destro, me lo ricordavo ogni volta che mi alzavo dal letto... e lui era soddisfatto, rideva, e beveva, e rideva... a un certo punto mi disse una cosa che mi è rimasta in mente, mi disse che lui, prima di un incontro, doveva toccare con la mano la testa di un bambino, così, come una carezza, una roba del genere, sulla testa di un bambino, era una cosa che gli portava fortuna, e mi disse che quel giorno, contro di me, era uscito dagli spogliatoi e poi come sempre era andato verso il ring passando in mezzo alla folla, e si era guardato intorno tutto il tempo, e non c'era un ragazzino a pagarlo, e quando era arrivato sul ring, e tutti applaudivano e gridavano, lui continuava a pensare solo a quella cosa, che non aveva trovato un ragazzino da toccare sulla testa, e ancora lì, in piedi sul ring, negli ultimi istanti prima del gong, ancora cercava un ragazzino, nelle prime file. E disse che invece c'erano solo adulti. E vecchi. E disse che è molto brutto quando cerchi un ragazzino e non lo trovi. Disse proprio così. È molto brutto quando cerchi un ragazzino e non lo trovi.

– *Poi ritornò effettivamente sul ring, dieci riprese con Bradford, uno spettacolo abbastanza triste.*

– Voi che siete là sotto lo chiamate triste... voi... ma non è triste... che c'entra triste... non è così, sai, Dan?... non è triste, è bello... magari boxano che fanno pena, e tu te li ricordi meno grassi e più veloci, e allora dici Che triste, ma... se ci pensi... stanno solo cercando di rubare ancora un po' di fortuna alla loro esistenza... ne hanno il diritto, è come due che si amano e dopo anni e anni che vivono insieme, metti dopo trent'anni che vivono e dormono insieme, c'è sempre la sera che a letto... magari spengono la luce, magari non si mettono nemmeno proprio tutti nudi, ma c'è sempre la sera che fanno ancora una volta un po' d'amore... e allora cos'è, triste?, solo perché sono vecchi e... a me sembra bello, se hai fatto la boxe ti sembra bello, e io quell'incontro l'ho visto... quello di Miller, dio, era grasso come... però ho pensato okay, va bene così, i pugni erano veri, non avevano niente di cui vergognarsi, se lo volevano fare facevano bene a farlo, spero che li abbiano pagati il giusto, se lo meritavano...

– *Tu però non sei più tornato, sul ring.*

– Io no.

– *Mai avuto la tentazione?*

– Oddio, proprio mai... non si può dire... però... no, non ho mai pensato veramente di tornare.

– *Dopo la vittoria su Miller... dopo cinque anni di pugilato professionistico, con un record di 35 vittorie e una sola sconfitta, diventasti lo sfidante ufficiale di Butler, per il mondiale. Cosa ricordi di quei momenti?*

– Bei tempi: si mangiava bene e le ore passavano veloci. Sai chi la diceva questa?, Drink, il vice di Mondini... aveva fatto pugilato per due anni, due soli anni, quand'era giovane, ma per lui quello era rimasto il paradiso... credo che le avesse prese a ogni incontro, ma era giovane e... non so che altro, comunque sembrava che fossero stati gli unici due anni degni di nota della sua vita, e così tutti stavano sempre a chiedergli Ehi Drink, com'erano quegli anni?, e lui: Bei tempi: si mangiava bene e le ore passavano veloci. Che tipo.

– *Tu hai sempre detto di avere una grande ammirazione per Butler. Avevi paura di lui, prima di incontrarlo, la prima volta, a Cincinnati?*

– Butler era intelligente. Era un tipo particolare di pugile. Lo avresti detto tagliato più per... il biliardo o cose del genere... cose di nervi, precisione, calma... senza violenza... sai cosa diceva di lui Mondini, quando guardavamo i suoi incontri? Diceva: Impara: le lettere le scrive con la testa: i pugni consegnano solo la posta, nient'altro. Io guardavo e imparavo. Mi ricordo che molti, ai tempi, dicevano che aveva una boxe noiosa, c'era questa storia che con lui il pugilato diventava una cosa noiosa, era noioso come guardare uno che legge un libro, dicevano. Ma la verità è che lui faceva lezione, ogni volta che boxava, lui faceva lezione. Era l'unico più forte di me.

– *A Cincinnati, quel giorno, tu gli togliesti la corona di campione del mondo, mandandolo al tappeto a trentadue secondi dalla fine del match.*

– Il round più bello della mia vita, tutto in apnea, una meraviglia.

– *Butler disse che a un certo punto gli sarebbe piaciuto scendere in platea per potersi godere lo spettacolo.*

– Era un signore, Butler, veramente un signore. Sai l'altr'anno, al Madison, prima di Kostner-Avoriaz, ci siamo ritrovati lui e io, e altri vecchi campioni, la solita passerella di ex campioni prima del match, no?, là sopra il ring, con tutti che applaudivano, be', insomma, era una cosa lunga, non finiva mai, ce n'era sempre ancora uno, di ex campione, e a un certo punto Butler, che era di fianco a me, si volta verso di me e mi dice Lo sai qual è il terrore di tutti i pugili?, e io dico No, non lo so... pensavo fosse una barzelletta, così dissi No, non lo so... e invece era una cosa seria. Lui mi disse: Morire senza i soldi per il funerale. Non stava scherzando. Era serio. Morire senza i soldi per il funerale. Poi si girò di nuovo dall'altra parte, e non disse più niente. Be', adesso ti sembrerà scemo, ma ci ho ripensato, e sai che quella storia è vera?, se ripenso a tutti i pugili con cui ho parlato, prima o poi veniva fuori sempre quella storia di dove essere sepolti, e del funerale, sembra una cazzata, ma è così, come dice Butler e... è una cosa che mi ha fatto pensare, perché... io, ad esempio, a me non è mai venuta in mente quella faccenda, non credo di aver mai pensato una volta a come sarebbe finita col mio funerale, non so, non è il genere di cosa che mi viene da pensare... capisci?, non... anche in quello, sembra che c'entro poco, io, con... è come se non fosse il mio mondo, il ring e tutto... credo che fosse l'idea che aveva in testa Mondini, che io non c'entravo con quel mondo, con la boxe, e che non importava se avevo talento o cosa, non c'entravo e basta, credo che fosse questa la ragione per cui non ci ha mai creduto, lui, in me, creduto veramente, alla fine era questa la ragione, lui pensava che non era il mio posto, non ha mai voluto cambiare idea, su quello, e... mai... così.

– *Otto mesi dopo il match di Cincinnati, tu concedesti la rivincita a Butler. E andasti incontro alla seconda sconfitta della tua carriera.*

– Sì.

– *Molti dissero che non eri preparato per quell'incontro, qualcuno parlò perfino di una* combine, *dicevano che i Battista avevano già in mente il terzo incontro, e una montagna di soldi... dicevano che ti avevano costretto a perdere...*

– Non so... era tutto molto strano in quel momento... loro non mi chiesero mai niente, te lo giuro... i Battista non mi dissero mai niente, però... non so, era un po' come se tutti avessimo in testa che la cosa giusta era fare una bella, alla fine, e decidere chi era il più forte... credo che anch'io, in qualche modo desiderassi una cosa del genere, non tanto per i soldi, quelli non erano così importanti, era che... sembrava più giusto, che so, era come dovevano andare le cose. Così sul ring ci salii senza ben sapere cosa volevo... credo che volessi boxare... dare spettacolo... e guarda, se lui avesse avuto paura, o anche solo avesse pensato per un attimo di poter perdere... be' avrebbe perso, sarebbe finita per sempre, per lui... io non mi sarei certo tirato indietro... solo che... il fatto è che lui salì lì sopra con una sola idea, inchiodata in testa a martellate, una sola precisa idea, e quell'idea era di spazzarmi via da lì. E lo fece. Capiva tutto un attimo prima di me, sapeva cosa avrei fatto, e dove sarei andato, sembrava che fosse lui a pensare i miei pugni prima che li pensassi io. E intanto martellava. A un certo punto capii che era persa, e allora mi giurai che almeno sarei rimasto in piedi fino alla fine, me lo giurai, mentre ero seduto all'angolo, e Battista mi diceva non so che stronzata che nemmeno stavo ad ascoltare, io mi dissi Vaffanculo Larry, tu uscirai da questo incontro in piedi, fosse l'ultima cosa che fai. Poi suonò la campana, mancavano quattro round alla fine, decisi di buttare tutto il cuore che avevo nelle gambe e di mettere su la più bella danza che Butler avesse mai visto. Di portare i colpi neanche ci pensavo, ma di volargli intorno, questo sì. Potevo farcela, per quattro round potevo farcela. Così mi misi a danzare e incominciai a portare a spasso Butler. Ci cascò per un minuto, poco più di un minuto. Poi lo vidi sorridere e scuotere la testa. Si piantò in centro ring e lasciò che facessi il mio numero. Ogni tanto accennava una finta, ma in realtà aspettava e basta. Quando entrò col jab quasi non lo vidi partire, sentii solo che le gambe se n'erano andate, e senza gambe non è un gran bel danzare...

– *Lo sai che in molti dissero che era un pugno fantasma, che ti eri buttato giù?*

– La gente vede quel che vuole vedere. A quel punto si erano convinti che avevo venduto l'incontro, e così... ma quello era un pugno vero, te lo dico io...

– *Hai mai venduto un incontro, Larry?*

– Che domanda è, Dan?... siamo alla radio... non si fanno domande del genere...

– *Mi chiedevo solo se ti era successo di vendere un incontro... ormai sono passati anni...*

– E dài... che domande sono... perché avrei dovuto vendere un incontro... che c'entra adesso...

– *Okay, come non detto.*

– Lo sai come vanno le cose, no?... proprio tu... dài....

– *Okay, senti, adesso che hai lasciato e... fai un'altra vita... volevo sapere se ti manca il ring, e il pubblico, e i titoli sui giornali, o la palestra, quel mondo, quella gente.*

– Se mi manca?... oddio, è... è un po' difficile dirlo, sono cose diverse, è una storia finita, quella... non è che ci pensi ogni giorno... mi manca, sì, qualcosa mi manca, è giusto che ti manchi... c'erano delle cose molto belle, sai la boxe ti fa vivere delle cose davvero uniche, non c'è niente come... insomma è una cosa speciale, davvero, io molte volte sono stato... mi succedeva di essere felice, mi ha dato molta felicità, anche in modi strani, non è facile da spiegare, ma... come dire... era... faceva di te un uomo felice, ecco, per dire, mi ricordo una volta, a San Sebastiano, non so nemmeno più con chi dovevo combattere, be' avevo dei problemi di peso, mi succedeva ogni tanto, e così, per rientrare nel peso, Mondini mi svegliò, alle cinque del mattino, che era ancora buio.... mi misi la tuta pesante, e sopra l'accappatoio, con il cappuccio rialzato sulla testa, e l'idea era quella di saltare la corda per un'oretta buona e sudare come una bestia e, insomma, si faceva così, era l'unico sistema per perdere peso in poco tempo... solo che... il problema era che eravamo in un albergo, e Mondini diceva che non voleva che io saltassi la corda in stanza, che avrei svegliato tutti, e così andammo di sotto, a cercare un posto qualsiasi, e non c'era nessuno, nell'albergo, a quell'ora, così aprimmo un po' di porte a caso e finimmo in una grande sala, sai quelle che tengono per i matrimoni, per le feste, così, c'era un tavolo che non finiva più e un piccolo palcoscenico per l'orchestrina, e grandi finestre che davano sulla città. Mi ricordo che c'erano tutte le sedie capovolte sul tavolo e c'era anche una batteria, sul palcoscenico, no?, ma coperta con un lenzuolo, un lenzuolo rosa, pensa te. Mondini spense la luce e mi disse Salta, e non smettere fino a quando non vedi il colore delle macchine, in strada. Poi se ne andò. Così io rimasi lì, da solo, tutto imbacuccato e col cappuccio tirato sopra la testa, e iniziai a saltare la corda, da solo, nel buio, con intorno tutta una città che dormiva, e io lì al ritmo di quella corda, e col rumore dei miei piedi, sul legno, solo quello, e il cappuccio sulla testa, e gli occhi fissi davanti a me e... il caldo addosso, e poi l'alba, a poco a poco, dalle grandi finestre, ma lentamente, *delicatamente*, cristo era come stare... che ne so, era bellissimo, mi ricordo che saltavo, e i pensieri andavano al ritmo dei miei piedi, e quello che pensavo era io sono imbattibile, io sono al sicuro, precisamente quello, sono al sicuro, io sono al sicuro, mentre saltavo, e pensavo, io sono al sicuro... così.

   – ...

   – Immagino che sia quello, sentirsi felici.

   – *Già.*

   – Già.

   – ...

   – ...

   – *Com'è la vita, adesso, Larry?*

   – La vita?

   – *Sì, voglio dire, come ti va?*

   – Questa è una domanda privata, Dan, non sono domande da fare alla radio.

   – *No, sinceramente, era una mia curiosità, mi piacerebbe saperlo, come ti va...*

– Okay, ma allora spegni quel registratore, che c'entra il pubblico...

– *Magari anche a loro piacerebbe sapere...*

– Dài, non dire stronzate, spegni quella roba...

– *Okay, okay...*

– Poi la riaccendi, no?

– *Okay, se vuoi la*

Clic.

Gould spense la luce dei bagni. Alzò lo sguardo all'orologio. Tre minuti alle sette. Aprì l'armadietto, si tolse il camice bianco e lo appese alla gruccia di plastica. Prese dal tavolo il cartellino con sopra scritto *Grazie* e lo mise via, sul piano in alto. Poi guardò il vaso di vetro con le mance. Aveva messo a punto un suo sistema per prevedere il totale prima di contare i soldi: era un sistema che incrociava diverse variabili, comprese alcune tipo il tempo atmosferico, il giorno della settimana o la percentuale di bambini che avevano usato i gabinetti. Così si mise anche quella volta a calcolare e alla fine si fissò in mente una cifra. Poi svuotò il vaso di vetro sul tavolo e iniziò a contare. Di solito aveva una percentuale di errore che non superava il 18 per cento. Quel giorno andò molto vicino a beccare la cifra esatta. Sette per cento in più. Stava migliorando. Raccolse le monete e le mise in un sacchetto di nylon. Lo chiuse e lo ripose nella cartella. Diede un'occhiata in giro, che tutto fosse a posto. Poi prese il cappotto, dall'armadietto, e se lo infilò. Nell'armadietto c'erano un paio di stivali di gomma, un atlante geografico e un po' di altre cose. C'erano anche tre foto, appese allo sportello. Ce n'era una di Walt Disney e una di Eva Braun. Poi ce n'era una terza.

Gould chiuse l'armadietto. Mise a posto la sedia, spingendola sotto il tavolo, prese la cartella, andò verso la porta, si voltò, diede ancora un'occhiata, poi spense la luce. Uscì, si chiuse la porta alle spalle e salì le scale. Il supermercato, sopra, stava chiudendo anche lui. Cassette semivuote, e commessi che spingevano treni di

carrelli. Andò a posare le chiavi da Bart, nello stanzino della sor-
veglianza.

– Tutto bene, Gould?

– Da dio.

– Stai buono, eh?

– A domani.

Uscì dal supermercato. Era buio e tirava un vento gelido. Ma
l'aria era pulita, di vetro pulito. Si tirò su il bavero del cappotto e
attraversò la strada. Diesel e Poomerang lo stavano aspettando,
appoggiati a un cassonetto della spazzatura.

– Com'era la merda?

– Abbondante.

– È la stagione, cagano che è un piacere, d'inverno –, nondisse
Poomerang.

Avevano tutti e tre le mani sprofondate nelle tasche. Odiavano
i guanti. Se ci pensi, di tutte le cose belle che puoi fare con le mani, non ce n'è una che puoi fare se ti sei messo i guanti.

– Andiamo?

– Andiamo.

Nota dell'autore.

Grazie al Maestro Silvano Modena, a Ivan Malfatto e a tutti gli atleti dell'Accademia Pugilistica Rodigina.

Grazie a Emanuela Audisio, Bruno Fornara, Arianna Montorsi, Monica Nonno, la Palestra Doria di Milano, Giorgio Saracco, il Maestro Tazzi, Rino Tommasi.

Grazie a Lag e a Elena Testa.

Grazie a Jake LaMotta, cui ho rubato due battute: una è a pagina 74, l'altra a pagina 216. Aveva del talento, come umorista. La sua più bella resta: "Eravamo così poveri che a Natale il mio vecchio usciva di casa, sparava un colpo di pistola in aria, poi rientrava in casa e diceva: spiacente, ma Babbo Natale si è suicidato".

Finito di stampare nel mese di maggio 1999
presso il Nuovo Istituto d'Arti Grafiche
Bergamo

Printed in Italy